Le CV par COMPÉTENCES

Votre portefeuille pour l'emploi

Les Éditions Transcontinental
1100, boul. René-Lévesque Ouest, 24e étage
Montréal (Québec) H3B 4X9
Tél. : (514) 392-9000 ou, sans frais, 1 800 361-5479
www.livres.transcontinental.ca

Pour connaître nos autres titres, tapez **www.livres.transcontinental.ca.** Vous voulez bénéficier de nos tarifs spéciaux s'appliquant aux bibliothèques d'entreprise ou aux achats en gros ? Informez-vous au **1 866 800-2500.**

Distribution au Canada
Québec-Livres, 2185, Autoroute des Laurentides, Laval (Québec) H7S 1Z6
Tél. : (450) 687-1210 ou, sans frais, 1 800 251-1210

Données de catalogage avant publication (Canada)
Boudriau, Stéphane, 1968-
Le CV par compétences : votre portefeuille pour l'emploi
2e édition revue et enrichie
(Collection Affaires plus)

ISBN 2-89472-183-8

Curriculum vitae. 2. Recherche d'emploi. 3. Demandes d'emploi. 4. Qualifications professionnelles.
5. Personnel - Sélection. I. Titre. II Collection.

HF5383.B67 650.14 C2002-940745-1

La forme masculine non marquée désigne les femmes et les hommes.

Révision et correction :
Johanne Tousignant, Louise Dufour,
Liliane Michaud

Photographie de l'auteur sur la couverture :
Véro Boncompagni

Mise en pages et conception graphique de la couverture :
Studio Andrée Robillard

Dépôt légal: 2e trimestre 2002
Bibliothèque nationale du Québec
Bibliothèque nationale du Canada
2e impression, novembre 2003
ISBN 2-89472-183-8
Imprimé au Canada

Nous reconnaissons, pour nos activités d'édition, l'aide financière du gouvernement du Canada, par l'entremise du Programme d'aide au développement de l'industrie de l'édition (PADIÉ), ainsi que celle du gouvernement du Québec (SODEC), par l'entremise du programme Aide à la promotion.

STÉPHANE BOUDRIAU

Le CV par COMPÉTENCES

Votre portefeuille pour l'emploi

2e édition revue et enrichie

À Caroline, à Fabienne et à Marie

Ces femmes qui non seulement agrémentent ma vie,
mais savent lui donner un sens.

Remerciements

Je tiens d'abord à vous remercier de l'accueil chaleureux que vous avez réservé à la première édition de cet ouvrage. Cet accueil m'a incité à approfondir l'idée.

Un merci sincère à tous les participants qui m'ont dévoilé une partie de leur personnalité professionnelle et qui m'ont permis de les accompagner dans leur cheminement de carrière. C'est grâce à eux que cet ouvrage a vu le jour.

Je veux souligner ma gratitude à tous les intervenants et étudiants qui m'ont, par leur questionnement, permis d'approfondir la réflexion et les recherches. Cette seconde édition est le fruit de ce travail.

Un merci tout particulier aux personnes qui m'ont soutenu et qui ont cru au projet lorsqu'il était à son stade embryonnaire : Marie Ducharme, Marjorie Casimir, Nadia Richard.

Merci à Françoise Genest pour sa contribution au chapitre 9 traitant des lettres de présentation.

J'aimerais souligner le fabuleux travail des théoriciens qui ont approfondi la notion de compétence. C'est grâce à leur réflexion que j'en suis arrivé à structurer cette application pratique.

Enfin, permettez-moi de témoigner ma reconnaissance aux Éditions Transcontinental, qui ont reconnu l'importance de se doter d'outils novateurs en matière de développement de carrière.

Stéphane Boudriau

Table des matières

Introduction 17

CHAPITRE 1

Le curriculum vitæ: son rôle, ses fonctions 19

Le CV dans une perspective de sélection — le point de vue du recruteur 20

Le CV dans une perspective de recherche d'emploi et de développement de carrière 21

Le CV parfait 22

CHAPITRE 2

Les CV traditionnels 25

Le CV chronologique 25

Le CV fonctionnel 29

Le CV mixte (aussi appelé «CV combiné») 33

CHAPITRE 3

Les rubriques du CV 39

Le nom et les coordonnées 39

La synthèse de l'expérience 39

Les champs de compétences 42

L'expérience professionnelle 43

Les réalisations professionnelles 43

La formation et le perfectionnement 45

Les atouts distinctifs 46

L'engagement social 46

Les loisirs et les intérêts 47

Les références 47

CHAPITRE 4

La présentation du curriculum vitæ 49

Le format 50

L'élégant 50

L'étudiant 52

Le coup d'œil 54

Le papier 56

L'utilisation de la couleur 56

CHAPITRE 5

La notion de compétence 59

Tâches ou compétences ? 60

Quelques modèles de référence 62

Les autres composantes de la compétence 72

La relation au temps 73

La relation à l'espace 73

L'organisation du travail 74

Les niveaux de maîtrise 75

La transférabilité des compétences 76

Une application pratique 77
La disposition des postes selon la structure hiérarchique 79
Les cadres supérieurs 79
Le personnel d'encadrement (cadres intermédiaires et personnel de supervision) 80
Les professionnels 80
Le personnel technique (métier / technicien / opérateur) 81
Le personnel aux opérations 81
Le titre du poste et la fonction : vers une plus grande mobilité 81

CHAPITRE 6
Le curriculum vitæ par compétences 83
Miroir du passé, fenêtre sur l'avenir 84
La reconnaissance de la compétence 84
Les principes du curriculum vitæ par compétences 85

CHAPITRE 7
Rédigez votre CV à l'aide du répertoire de compétences 87
Les verbes et les noms 88
La rédaction d'un énoncé 90
Quelques voies méthodologiques 91
Méthode 1 : le CV portfolio 92
Méthode 2 : l'intégration appliquée 92
Méthode 3 : le récit professionnel 93
Méthode 4 : la formule simplifiée 93
Les énoncés de compétences : le répertoire de la Classification nationale des professions (CNP) et les exemples de validation 93

Les affaires et l'administration 95
Les cadres supérieurs 97
Le personnel de direction 98
Le personnel de supervision 100

111. Les professionnels en finance, en vérification et en comptabilité 104
112. Les professionnels en gestion des ressources humaines et en services aux entreprises 106
122. Le personnel administratif et de réglementation 110
123. Le personnel d'administration des finances et des assurances 112
124. Le personnel en secrétariat (général, juridique, médical) 114
141. Les commis de travail général de bureau 116
143. Les commis des finances et de l'assurance 118
145. Les commis de bibliothèque, de correspondance et à l'information 121
147. Les commis à l'expédition et à la distribution 121

Les sciences naturelles appliquées 125
211. Les professionnels des sciences physiques 125
212. Les professionnels des sciences de la vie 125
213. Les professionnels en génie civil, mécanique, électrique et chimique 128
214. Les autres professionnels en génie 132
215. Les professionnels en architecture, en urbanisation et en arpentage 134
216. Les professionnels en informatique 135
221. Le personnel technique des sciences physiques 142
222. Le personnel technique des sciences de la vie 144
223. Le personnel technique en génie civil, mécanique et industriel 145
224. Le personnel technique en génie électronique et électrique 147
225. Le personnel technique en architecture, en dessin, en arpentage et en cartographie 151
226. Les autres contrôleurs 152

La santé 153
313. Les pharmaciens, les diététistes et les nutritionnistes 153
315. Les professionnels en sciences infirmières 155
321. Les technologues et techniciens des sciences de la santé 155
322. Le personnel technique en soins dentaires 157
323. Le personnel technique en soins de santé 157
341. Le personnel de soutien des services de santé 157

Les sciences sociales et l'enseignement 159
411. Les juges, les avocats et les notaires 159
412. Les professeurs de niveau universitaire 160
413. Les professeurs de niveau collégial et les instructeurs dans les écoles de formation professionnelle 161
414. Les enseignants et les conseillers pédagogiques au primaire et au secondaire 161
415. Les professionnels en psychologie, en travail social, en conseil et en religion 162
416. Les agents des politiques et des programmes, les recherchistes et les experts-conseils 164
421. Le personnel paraprofessionnel du droit, des services sociaux, de l'enseignement et de la religion 166

Les arts et les loisirs 170
511. Les professionnels des bibliothèques et des archives 170
512. Les professionnels de la rédaction, de la traduction et des relations publiques 171
522. Les photographes, les graphistes et le personnel technique du cinéma, de la radiodiffusion et des arts de la scène 173
523. Les annonceurs 176
524. Les concepteurs artistiques 177

La vente et les services 179
621. Le personnel de supervision des ventes et des services 179
622. Le personnel technique de la vente en gros 181
623. Le personnel de l'assurance, de l'immobilier et des achats 181
624. Les chefs et les cuisiniers 182
625. Les bouchers et les boulangers 183
627. Le personnel technique des services personnels 184
641. Les représentants des ventes en gros 184
642. Les vendeurs et les commis-vendeurs 185
643. Le personnel de l'hébergement et du transport 186
644. Les guides et le personnel de loisirs 186
645. Le personnel du service des aliments et des boissons 187
647. Le personnel de soutien familial 187
648. Autre personnel des soins personnalisés 189

661. Les caissiers et le personnel de la vente 189
663. Les aides médicaux et les assistants en milieu hospitalier 190
664. Les serveurs au comptoir et les aide-cuisiniers 190
665. Les gardiens de sécurité 191
666. Les nettoyeurs 191

Les métiers et le transport 193
721. Les entrepreneurs et les contremaîtres du personnel des métiers 193
723. Les machinistes et le personnel assimilé 194
725. Les plombiers, les tuyauteurs et les monteurs d'installation au gaz 198
726. Le personnel du formage, du profilage et du montage du métal 199
727. Les charpentiers et les ébénistes 200
728. Le personnel de maçonnerie et de plâtrage 201
729. Autre personnel des métiers de la construction 202
731. Les mécaniciens de machinerie et d'équipement de transport 203
732. Les mécaniciens de véhicules automobiles 205
733. Les autres mécaniciens 205
734. Les tapissiers-garnisseurs («rembourreurs») et les cordonniers 206
735. Les mécaniciens de machines fixes 207
738. Les conducteurs de presses à imprimer 207
741. Les conducteurs de véhicules 207
744. Le personnel d'installation, de réparation et d'entretien 208
745. Les manutentionnaires 209
761. Les aides de soutien des métiers et manœuvres de construction 209

Secteur primaire 210
823. Le personnel de forage des mines souterraines et de la production gazifière et pétrolière 210
824. Les conducteurs de machines d'abattage du bois 211

825. Les entrepreneurs, surveillants et exploitants en agriculture, en horticulture et en aquiculture 211
826. Les capitaines, les officiers de pêche et les pêcheurs 214
841. Le personnel d'entretien des mines et du forage des puits de pétrole et de gaz 214
842. Le personnel de l'exploitation forestière 216
843. Le personnel en agriculture et en horticulture 216
844. Le personnel de la pêche, de la chasse et du trappage 217
861. Le personnel élémentaire de la production primaire 218

Transformation, fabrication et services d'utilité publique 220
921. Les surveillants dans les industries de transformation 220
923. Les opérateurs de poste central de contôle dans les procédés de fabrication et de transformation 224
941. Les conducteurs de machines dans le traitement des métaux et des minerais et le personnel assimilé 225
942. Les conducteurs de machines dans le traitement des produits chimiques, du caoutchouc et du plastique 228
943. Les conducteurs de machines dans la production des pâtes et papier et dans la transformation du bois 230
944. Les conducteurs de machines dans la fabrication des produits textiles 232
945. Les conducteurs de machines dans la confection d'articles en tissu, en fourrure et en cuir 233
946. Les conducteurs de machines dans la transformation des aliments, des boissons et du tabac 234
947. Les conducteurs de machines à imprimer 235
948. Les monteurs de matériel mécanique, électrique et électronique 236
949. Autre personnel de montage 240
951. Opérateurs de machines dans le façonnage et l'usinage des métaux et le travail du bois 244
961. Les manœuvres dans la transformation, la fabrication et les services d'utilité publique 246

Chapitre 8

Avant-après : 10 CV traditionnels transformés en CV par compétences 249

Chapitre 9

La lettre de présentation : un document crucial 271
Une lettre impeccable 272
La mise en pages 273
Le contenu 274
Une lettre personnalisée 274
Les parties de la lettre 274
Un truc 277
Besoin d'une lettre originale ? 277
La lettre de présentation et le courriel 278
30 modèles de lettres 279

Chapitre 10

La recherche d'emploi à l'ère des nouvelles technologies 311
L'informatique et l'âge de pierre 311
Les principes de la recherche d'emploi électronique 313
Enregistrer votre CV sur une base de données 313
Inciter des visiteurs à consulter votre CV directement en ligne 315
Utiliser le courrier électronique 317

Conclusion 323

Bibliographie 325

Introduction

Le succès remporté par la première édition de ce livre a montré de façon incontestable que la conception d'un CV par compétences correspond bien mieux que les formules traditionnelles aux besoins des chercheurs d'emploi comme à ceux des recruteurs.

Dans un monde du travail en pleine effervescence, la nécessité de s'entendre rapidement sur les compétences à mettre en œuvre et les objectifs à atteindre est la clé d'une association réussie. Dans cette optique, la revue chronologique du parcours professionnel, souvent longue, répétitive et par définition tournée vers le passé, se montre souvent inadéquate. Le CV par compétences, qui prend la forme d'un « portrait-robot » du candidat, est de toute évidence un outil beaucoup plus profitable.

Cette deuxième édition, complètement revue et substantiellement augmentée, présente en détail tous les aspects de ce nouveau curriculum vitae.

Plus pratique, elle met en relief, grâce à de nombreux exemples, les notions abordées. Le répertoire d'énoncés de compétences présenté au chapitre 7, qui est au cœur de la démarche, a été largement enrichi. Il compte désormais, entre autres ajouts, toute une section expressément conçue à l'intention des gestionnaires, et une autre destinée aux acteurs du multimédia.

Les énoncés de compétences, tirés de centaines de métiers et professions, peuvent être utilisés tels quels ou être adaptés à votre situation. Les exemples de « validation » qui parsèment l'ouvrage ont d'ailleurs été conçus pour faciliter cette adaptation.

Parmi les nouveautés de cette deuxième édition, soulignons également les idées de présentation matérielle convenant aux moyens de transmission modernes, tels que le télécopieur et le courriel, et la part faite aux nouvelles technologies en matière de recherche d'emploi.

Ce livre, qui fait le pont entre la théorie et la pratique, sera utile à tous les chercheurs d'emploi, quel que soit leur secteur d'activité, leur expérience ou leur statut dans l'organisation; chacun y trouvera les éléments lui permettant de mettre en valeur ses acquis en fonction de son propre projet de carrière. Il intéressera également les spécialistes du recrutement ainsi que tous ceux qui ont à cœur le cheminement professionnel des travailleurs.

CHAPITRE 1

Le curriculum vitæ : son rôle, ses fonctions

Curriculum vitæ est un terme latin qui signifie, selon le dictionnaire *Le Petit Robert*, « course de la vie ». Dans le contexte évolutif du marché du travail, en ce début de XXIe siècle, ce terme est encore d'actualité et, plus que jamais, garde son sens initial.

En effet, le curriculum vitæ représente toujours un outil indispensable pour tous les chercheurs d'emploi. Du commis au cadre supérieur, chacun est fortement invité à l'utiliser (ou contraint de le faire). J'ai parfois l'impression qu'un chercheur d'emploi sans CV est comme un navigateur sans instruments de bord. La restructuration incessante des processus de travail, l'introduction, dans le milieu professionnel, des nouvelles technologies et l'évolution des méthodes de gestion de l'activité humaine ont amplifié le besoin de se définir par rapport à ce contexte en mouvement perpétuel. Ce petit bout de papier, au-delà de sa fonction quelque peu « commerciale » (après tout, il permet de faire la promotion des compétences), permet à la personne qui se prête à l'exercice de **mieux définir ses acquis et ses orientations**.

Tous les spécialistes consultés sont unanimes : le curriculum vitæ doit prouver, noir sur blanc, la compétence du candidat pour le poste recherché. Le dictionnaire *Le Petit Robert* fait état de l'ensemble des indications qu'un curriculum vitæ devrait contenir : l'état civil, les capacités, les diplômes et les activités passées de la personne. Quoique l'ensemble des auteurs considère que l'inscription de l'état civil est dorénavant un renseignement peu pertinent, plusieurs sont demeurés assez fidèles à la définition d'origine du curriculum vitæ. Je dirais que, au cours des dernières décennies, rien de nouveau n'est apparu en matière de CV.

Tout un chacun est donc d'accord sur les mêmes principes. Selon Boisvert (1994), le curriculum vitæ est un document bref, et il le compare à un bilan financier dont le mot clé est « conclusion », c'est-à-dire précision et brièveté. En fait, le curriculum vitæ est un document publicitaire. « Par conséquent, le CV n'est ni une autobiographie ni un roman » (Prud'homme, 1994). Témoin de votre cheminement professionnel, il fait état de :

- votre identité
- vos compétences
- vos réalisations
- votre expérience
- votre formation
- vos aptitudes
- vos aspirations professionnelles
- vos objectifs de carrière

À qui le curriculum vitæ est-il le plus utile ? À l'employeur ? À la personne à la recherche d'un emploi ? Aux deux à la fois ? En fait, chacun semble y trouver son compte. À mes yeux, le curriculum vitæ est au service du chercheur d'emploi, mais il doit être écrit en fonction des employeurs.

Le CV dans une perspective de sélection – le point de vue du recruteur

Dans une perspective de gestion, le curriculum vitæ est un document qui facilite l'élimination de candidatures plutôt que de favoriser le recrutement. Dans la multitude de CV que reçoit un employeur, nombre d'entre eux ne correspondent pas du tout au profil du poste à pourvoir. Il semble que tout un chacun tente sa chance, même pour des emplois qui exigent des compétences ou une formation qu'il ne possède pas.

Dans d'autres cas, les compétences sont compatibles avec les exigences, mais le curriculum vitæ ne les met pas en valeur. J'ai souvent constaté, dans ma pratique, qu'une liste présentant les emplois occupés et les employeurs révèle peu de choses pertinentes sur les compétences d'un candidat. Enfin, les curriculum vitæ négligés ou peu soignés — mauvaise télécopie, mauvaise typographie, piètre qualité de la langue — se retrouvent directement dans la corbeille à papier. Pour toutes ces raisons, près des trois quarts des candidatures seraient éliminées.

Pour les employeurs, le curriculum vitæ est souvent le premier contact avec les candidats potentiels. Ce contact permettra à l'employeur de déterminer s'il poursuit la démarche avec les postulants ou si le CV sera placé dans la pile des rejets.

À l'heure où les chercheurs d'emploi sont beaucoup plus nombreux que les postes offerts dans le marché du travail, les employeurs n'accordent souvent qu'un coup d'œil furtif aux nombreux curriculum vitæ qu'ils reçoivent. Les avis divergent quelque peu à ce sujet, mais on mentionne que les employeurs passent, en moyenne, **entre une dizaine et une trentaine de secondes** à examiner le document.

En fait, il suffit d'une dizaine de secondes pour juger d'un CV et faire un premier tri, d'où l'importance de viser juste (Chaîné, 1994). Les employeurs se disent également contrariés d'avoir à déchiffrer un CV rempli de notes inutiles et de détails qui n'ont aucun lien avec l'emploi pour lequel on pose sa candidature. L'employeur doit donc trouver dans ce document une information, à la fois concise et exacte, qui brosse le portrait du candidat en fonction du poste ou du domaine d'activités de l'entreprise.

Le CV dans une perspective de recherche d'emploi et de développement de carrière

J'ai constaté à maintes reprises que certains chercheurs d'emploi se méprennent sur le rôle du curriculum vitæ : ils le perçoivent comme une finalité alors que sa réalisation n'est que le début d'un processus. Gardez bien en tête que préparer un curriculum vitæ ne signifie pas obtenir un emploi !

Le rôle du CV n'est pas de vous faire embaucher ; il vous permet d'abord d'obtenir une entrevue, qui vous donnera ensuite la chance de plaider votre cause en personne (Larue, 1987). Le CV permet donc de régler la première étape du processus ; il sert à ouvrir la porte.

Le CV idéal est concis, éloquent et accrocheur. Il doit fournir une information suffisante et susciter un vif intérêt chez l'employeur de sorte qu'il souhaite en connaître davantage sur le candidat et le convoquer en entrevue. Le CV se révèle un outil extrêmement précieux si vous l'utilisez au bon moment et si son contenu correspond à ce qu'attend la personne qui le reçoit.

Bref, le CV n'est pas une autobiographie. Si vous présentez des renseignements qui intéressent peu l'employeur, les chances sont fortes qu'il classe votre document dans la mauvaise pile. Alors, soyez stratégique ! Donnez le goût à la personne qui vous lit de vous rencontrer. Piquez sa curiosité !

Studner et Mangold (1997) utilisent une belle image pour illustrer ce propos : ce ne sont pas les curriculum vitæ qui obtiennent des emplois, mais les personnes. Certes, le CV est l'un des premiers outils promotionnels que l'on peut utiliser ; cependant, l'individu qui pose sa candidature pour un emploi doit se révéler plus persuasif que les quelques pages qu'il a envoyées. En d'autres mots, le CV est votre meilleur représentant, votre agent, jusqu'à ce que vous ayez été convoqué à un rendez-vous. Par ailleurs, un CV n'est pas le seul moyen de solliciter une entrevue. Un sculpteur, par exemple, se fera davantage reconnaître en présentant un portfolio de ses œuvres. Un appel téléphonique peut également propulser le candidat en entrevue sans que l'employeur potentiel ait vu quelque document que ce soit.

Le chercheur d'emploi veut du travail et l'employeur cherche des travailleurs. Le curriculum vitæ est ce que la population active a trouvé de mieux pour favoriser un lien de communication écrite entre les deux parties intéressées. Le chercheur d'emploi élabore son curriculum vitæ en mettant en évidence ses compétences et ses réalisations, et celles-ci serviront de référence tout au long du processus de recherche d'emploi.

Le CV parfait

Malgré tout ce que vous apprendrez dans cet ouvrage, sachez d'entrée de jeu que le CV parfait, celui qui vous ouvrira toutes les portes, n'existe pas.

Plutôt que de tenter de rédiger le CV parfait, misez plutôt sur le bon curriculum vitæ. Le bon CV est celui qui vous ressemble, celui où vous aurez su, à votre façon, écrire de manière directe et nette, parler le langage de votre interlocuteur et faire ressortir les points clés (Bacus et Parra-Pérez, 1990). Le bon CV doit offrir un heureux mariage entre la formation, l'expérience et les compétences. Après tout, même si vous avez le meilleur CV du monde, dans un contexte de non-embauche, il produira peu d'effet.

Dites-vous que le bon CV révèle à un employeur potentiel ce que vous pouvez accomplir au sein de son entreprise. Il constitue le premier contact entre les candidats et l'employeur. Au même titre que les curriculum vitæ traditionnels, le CV par compétences vise à favoriser, d'une façon dynamique, ce premier contact.

Les CV traditionnels

Lorsqu'il ne connaît pas encore les bienfaits du CV par compétences, le chercheur d'emploi a le loisir de présenter son curriculum vitæ de plusieurs manières. En règle générale, il s'inspire de modèles de CV dits « traditionnels », chacun présentant des avantages et des limites.

Le CV chronologique

Décrivant à rebours l'expérience professionnelle, le curriculum vitæ chronologique est, à l'heure actuelle, la forme la plus répandue de CV. Il présente, entre autres, une liste des emplois, du plus récent au plus ancien. Ce modèle de CV est le plus utilisé par les chercheurs d'emploi et, par conséquent, le plus connu des recruteurs.

EXEMPLE DE CV CHRONOLOGIQUE

Suzanne Gaudreault
7729, rue Lajeunesse
Saint-Basile-le-Grand (Québec)
J4B 3R7
Téléphone : (450) 555-1212

Langues parlées et écrites : français et anglais

Connaissance informatique : Microsoft Office, Word, Excel, PowerPoint, Outlook
WordPerfect 6.0

FORMATION

1989 **Baccalauréat en ressources humaines**
Université du Québec à Montréal

1987 **Certificat en administration des affaires**
Université du Québec à Montréal

1985 **Diplôme d'études collégiales en sciences humaines**
Collège John Abbott

EXPÉRIENCE PROFESSIONNELLE

Depuis 1988
Les Aliments PGR
Conseillère en ressources humaines (depuis 1990)
- Préparer le processus d'intégration des nouveaux employés
- Gérer la base de données pour le suivi des nouveaux employés et des nouveaux gestionnaires
- Participer à l'organisation de la Fête de Noël des enfants
- Afficher les postes à l'interne et à l'externe
- Évaluer les postes à incidences critiques

Technicienne en ressources humaines (1988-1990)
- Assurer le soutien administratif au groupe de recrutement
- Rédiger et gérer la correspondance pertinente (offre, refus, dossiers)

- Effectuer le premier tri de candidatures pour un poste donné
- Apporter un soutien technique lors des événements relatifs au recrutement
- Traiter les appels externes de candidats (demande d'information)

1987

Banque de Montréal

Commis administrative au centre de contrôle informatique

- Effectuer de l'entrée de données
- Tenir à jour les diverses bases de données (Infocell, Infotech, MP2)
- Apporter un soutien technique en cas de problèmes d'accès aux sites cellulaires
- Assurer le soutien administratif de la division du centre de contrôle
- Effectuer un suivi sur la distribution de divers projets (travaux de réseaux)

1986-1987

Boutique de la Pointe-de-l'Île

Préposée au service à la clientèle et à la vente

- Effectuer le service à la clientèle
- Conseiller les clients
- Coordonner la mise en marché

Été 1984-1986

Télé-service du Québec

Réceptionniste

- Effectuer le service à la clientèle (réception)
- Coordonner et assurer un suivi des techniciens dans Tracker 97
- Coordonner divers rapports

ACTIVITÉS PARAPROFESSIONNELLES

- Membre du comité d'activités sociales de Télé-service du Québec
  - Organisatrice de la Fête de Noël pour les enfants
  - Responsable de la gestion du budget, des réservations et de la préparation
  - Responsable de la coordination de l'événement

Des références personnelles et professionnelles seront fournies sur demande.

Les avantages

Le CV chronologique permet de mettre l'accent sur l'expérience la plus récente et sur l'évolution progressive à travers les différents niveaux de postes. Il est avantageux pour les gens qui présentent une progression régulière sur le plan des responsabilités. Il témoigne aussi de la stabilité du candidat qui a occupé un même emploi pendant de nombreuses années. Ce modèle de CV présente une suite logique des expériences passées et permet d'organiser facilement l'information.

Les limites

Le CV chronologique, bien qu'il soit le plus utilisé d'entre tous, convient moins dans les contextes suivants :

- La personne a changé (ou désire changer) de domaine d'emploi ou de secteur d'activité.
- La personne a occupé plusieurs emplois diversifiés ou de courte durée.
- La personne n'a pas été sur le marché du travail pendant un certain temps.
- La personne n'a occupé qu'un seul emploi de longue durée.

Studner et Mangold (1997) notent que ce CV peut mettre en relief une certaine instabilité et donner l'impression d'un parcours morcelé, sans maîtrise d'un métier particulier, par exemple, lorsqu'il y a eu de fréquents changements d'emploi. Dans le cas d'une réorientation, ce type de présentation peut inciter l'employeur à s'interroger sur les véritables objectifs professionnels du candidat. De plus, ce type de CV met particulièrement en évidence chaque période durant laquelle le candidat n'a pas travaillé, quelle qu'en soit la raison.

Par ailleurs, les réalisations les plus marquantes se perdent parmi les différents emplois occupés, sacrifiant ainsi la mise en valeur des « vrais talents ». Le candidat est également associé à la dernière situation d'emploi, même si celle-ci n'est pas la plus pertinente par rapport à l'objectif (à cause des contextes et non des compétences). En conséquence, ce type de présentation est tout à fait inadéquat pour les jeunes possédant peu ou pas d'expérience. En effet, avant d'obtenir leur première chance, ces jeunes n'occuperont que des emplois de courte durée, diversifiés et précaires.

Après avoir indiqué leur diplôme en caractères gras et mentionné quelques emplois sans lien direct avec leur domaine d'études ou leur projet professionnel, ces jeunes ont peu de renseignements à inscrire dans une présentation chronologique. Il est fréquent d'y lire la mention suivante : « Donnez-moi ma chance et je vous démontrerai ce que je peux faire pour votre entreprise. » Un beau discours plein d'entrain et de dynamisme, certes, mais qui ne passe pas la rampe dans un curriculum vitæ de nature chronologique.

Mon avis

Pour une vaste clientèle, ce modèle n'est aucunement avantageux. Puisqu'il est souvent utilisé, sa présentation est uniforme, ce qui ne permet pas à l'individu de se distinguer de la masse.

Souvent, le curriculum vitæ chronologique décrit, avec un verbe d'action, une liste exhaustive des tâches effectuées dans le cadre d'un travail donné. C'est une façon de procéder de style actif. Toutefois, ce type de CV est souvent alourdi par la répétition de tâches similaires ou de postes sans liens apparents avec l'objectif. Comme vous l'avez vu, l'attention d'un employeur est de très courte durée. C'est pourquoi on ne peut se permettre la redondance ni présumer que l'employeur fera un effort d'analyse.

Le CV fonctionnel

Comme son nom l'indique, le curriculum vitæ fonctionnel met l'accent sur les fonctions remplies avec succès au lieu d'insister sur la succession des différents emplois. Il place en avant-scène les réalisations professionnelles regroupées en catégories. Dans ce type de présentation, les réalisations et les parcours professionnels sont classés par domaines d'expérience ou par secteurs d'activité, sans égard à l'ordre chronologique.

EXEMPLE DE CV FONCTIONNEL

Lisette Deschamps
8337, av. Létourneau
Montréal (Québec) H5W 3K0
(514) 555-4444

Objectif professionnel
Mettre à profit ma vaste expérience en matière de coordination et de rédaction dans un poste de secrétaire de direction ou de secrétaire exécutive.

Sommaire
Plus de 23 ans d'expérience dans divers postes de secrétariat. Assume des mandats majeurs en matière de promotion et de relation publique. Solides capacités sur le plan de la rédaction et de la révision. Excellente grammaire française et capacité démontrée de travailler en français, en anglais et en espagnol.

Réalisations professionnelles

Organisation / Coordination / Contrôle
- Mis en place des structures de placement pour personnes âgées et adultes handicapés dans des centres d'hébergement. Assuré la logistique d'implantation. Réduction du temps de traitement des dossiers de six mois.
- Établi des listes médiatiques et produit des pochettes de presse pour plus de 15 événements spéciaux de grande envergure (entre 200 et 700 invités).
- Coordonné la circulation des textes et documents variés entre rédacteurs, traducteurs, réviseurs, commanditaires, imprimeurs, photographes et associations pour six numéros d'une revue sportive spécialisée bilingue tirée à 30 000 exemplaires.

Révision / Rédaction / Traduction
- Révisé et corrigé plus de 150 textes publicitaires et promotionnels ou documents de relations publiques.
- Participé à la correction des textes des albums *Le Titanic* distribués au moment d'une promotion.

Recherche / manipulation de données

- Conçu et mis sur pied huit banques de données avec de multiples intrants pouvant servir à des envois massifs ciblés ou à produire des analyses, et ce, dans divers contextes.
- Établi, en collaboration avec des travailleurs sociaux, des grilles d'évaluation pour mesurer les besoins physiques, médicaux, affectifs, sociaux et économiques de la clientèle visée.

Chronologie des emplois

STCUM 1991-2000
Secrétaire de direction (1994-2000)
Secrétaire-coordonnatrice, centre de réaffectation (1993-1994)
Secrétaire exécutive au service des ventes (1992-1993)
Secrétaire-coordonnatrice au service de promotion (1991-1992)

Cabinet de relations publiques Mondial 1980-1991
Divers postes de secrétariat

CP Rail Canada 1977-1979
Secrétaire administrative

Stage en Amérique latine 1975-1976
Enseignante de français langue seconde

Centre régional des services sociaux de la Montérégie 1972-1975
Travailleuse sociale

Formation

Attestation d'études collégiales en bureautique 1982
Centre de formation professionnelle SDEM

Baccalauréat en traduction 1979
Université Concordia

Baccalauréat en service social 1972
Université de Montréal

Références et pièces justificatives fournies avec plaisir, sur demande.

Les avantages

Cette façon de rédiger un CV a l'avantage de mettre en valeur les réalisations et de reléguer au second plan l'aspect historique de la carrière. Il peut être d'une lecture agréable, car il propose à l'employeur une information déjà analysée.

Très utile pour les candidats ayant un profil de généraliste, il fait ressortir les compétences et les réalisations clés dans le contexte de différentes expériences plutôt que d'attirer l'attention sur de fréquents changements. Il permet de reconnaître le poste auquel le candidat peut aspirer et, en conséquence, de préparer des arguments valides pour discuter avec des recruteurs sceptiques.

Le curriculum vitæ fonctionnel facilite également la mise en évidence des emplois antérieurs, surtout si le dernier emploi n'a pas de lien direct avec l'objectif actuel. Il permet également de minimiser l'importance du dernier emploi s'il s'avère de niveau inférieur. Le curriculum vitæ fonctionnel regroupe généralement les réalisations dans un seul domaine d'expérience. Un employeur potentiel évaluera les compétences en fonction des qualifications requises et accordera moins d'importance aux titres ou aux emplois antérieurs.

Les limites

Un modèle différent de CV peut susciter une certaine méfiance, voire donner l'impression que le postulant cherche à cacher quelque chose. De plus, selon Landry (1992), « certains employeurs ne jugent pas recevables les réalisations qui ne sont pas directement liées à une entreprise donnée ». En dépit de tous les bénéfices réels de cette approche, le chercheur d'emploi est confiné à son passé. Ce passé ne se marie pas toujours avec aisance à son avenir et à ses objectifs professionnels. On constate souvent ce genre de situation lorsque les personnes décident de réorienter leur carrière ou de rechercher une situation (contexte, entreprise, climat) plus propice à leurs véritables aspirations.

Enfin, un curriculum vitæ fonctionnel est inadéquat pour un novice dont les meilleures réalisations sont à venir. Il doit également être évité par l'employé consciencieux dont les actions ont été constantes et régulières et qui n'a pas fait de coups d'éclat « reconnus par les employeurs » en ce qui a trait à ses réalisations professionnelles. Comme nous le verrons, c'est souvent une histoire de contexte.

Mon avis

Nombre d'auteurs consultés indiquent que le CV fonctionnel est difficile à préparer et qu'il faut l'adapter à chaque emploi. Je suis plutôt d'accord avec ce principe ; nous verrons que c'est parfois le cas du CV par compétences, mais ce dernier a de nets avantages sur le CV fonctionnel. Chose certaine, il est crucial de bien formuler ce que le candidat souhaite que le lecteur retienne. Les questions suivantes sont donc de mise :

- Quelles spécialités le candidat doit-il mettre en évidence ?
- De quelle manière un candidat peut-il être utile à un employeur ?
- Que peut gagner un employeur en choisissant un tel candidat ?

Ce questionnement est également à la base de l'élaboration d'un CV par compétences.

Tous ceux qui connaissent ou utilisent le curriculum vitæ fonctionnel proposent d'y ajouter un historique chronologique afin d'atténuer les doutes potentiels du lecteur.

Le CV mixte (aussi appelé « CV combiné »)

Ce modèle de curriculum vitæ peut revêtir la forme d'un CV chronologique dans lequel le candidat décrit également ses réalisations professionnelles dans chacun des emplois occupés. Certains recommandent de n'utiliser cette formule que dans la mesure où elle améliore la compréhension du cheminement professionnel ; d'autres invitent fortement les candidats à privilégier la combinaison CV fonctionnel et CV chronologique, c'est-à-dire le CV mixte, tout en proposant des variantes de rédaction toutes plus intéressantes les unes que les autres.

Bien qu'ils n'aient pas inventé le principe du CV mixte, Studner et Mangold (1997) semblent être les premiers à qualifier le CV mixte de « CV performance ». La particularité du CV performance est qu'il contient une première partie destinée à attirer immédiatement l'attention du lecteur. Les auteurs nomment cette courte synthèse « Le CV 20 secondes ». Par la suite, les principales réalisations professionnelles sont choisies en fonction du poste visé.

EXEMPLE DE CV MIXTE

George Perlaski, ing.
5252, av. du Parc
Montréal (Québec) G0P P7G
(333) 444-7777
Maîtrise du français, de l'anglais, de l'italien et de l'espagnol

Sommaire des réalisations

- Gestion ou surveillance de 43 chantiers de construction (projets variant entre 150 000 $ et 1 million).
- Analyse des coûts, optimisation des procédés, prévision et contrôle budgétaire permettant de réduire de plus de 14 % les frais d'exploitation dans la mise en place des chantiers.
- Conception de plus de 98 plans et devis pour des bâtiments industriels et commerciaux.
- Expertise-conseil dans de nombreux projets quant aux choix des systèmes hydrauliques.
- Reconnu pour l'exactitude, la justesse et le professionnalisme dans la présentation des soumissions.

Formation

Maîtrise en gestion de l'ingénierie (depuis 1999)
Université de Sherbrooke, Longueuil
Baccalauréat en génie civil, 1993
Université Concordia
Cours en management (18 crédits), 1994-1995
Université McGill
Diplôme d'études collégiales en sciences pures, 1986
Collège Vanier

Expérience professionnelle

Chef de projet (depuis 1993)
M&M Construction inc.

- Préparation de soumissions
- Négociations avec les sous-traitants / fournisseurs
- Planification, coordination et surveillance des travaux
- Rédaction de rapports de chantiers et de coûts
- Horaire de livraison / facturation

- Avis de modifications
- Tirage de dessins « tel que construit »

Dessinateur, 1991-1992

Civilac protection inc.

- Tirage de dessins pour système de protection d'incendie
- Calculs hydrauliques pour système de gicleurs
- Opération d'une station CAO (autocad version X)
- Consultations techniques avec les clients et entrepreneurs
- Préparation des plans et devis

Homme d'instrument, 1989-1990

Alarra et Roberville, arpenteurs-géomètres

- Bornage de chantiers de construction afin de délimiter l'emplacement des fondations

Contremaître, 1988-1989

Aldershot Contractors

- Planification et coordination des travaux d'excavation et de coffrage
- Lecture de plans et préparation des estimés
- Rédaction de rapports de chantier
- Négociations contractuelles avec les sous-traitants et les fournisseurs

Associations et engagements

Membre en règle de l'Ordre des ingénieurs du Québec

Membre actif, Société canadienne de génie civil

Trésorier, Chapitre de l'Université Concordia

Vice-président, Ligue de soccer Molisa

Références fournies sur demande.

Les avantages

Ce CV met immédiatement en valeur les points forts du candidat. Il est facile à modifier et il peut être adapté aux différents emplois convoités sans que sa qualité en soit affectée. Par l'originalité des idées et de la présentation, il augmente les chances d'intéresser un lecteur et il attirera son attention sur les compétences et les réalisations.

Le CV performance permet d'utiliser le principe ABC : Action réalisée (A) = Bénéfice (B) Converti (C) par le candidat selon les besoins particuliers de l'entreprise. L'utilisation de ce type de CV démontre que le candidat sait faire sa propre évaluation.

Les limites

L'approche du curriculum vitæ par compétences adhère au principe du CV performance. Ce dernier va même plus loin, car, en pratique, les auteurs qui ont approfondi cette notion ont mis l'accent sur la description des réalisations professionnelles, ce qui implique que la rédaction du CV soit toujours faite en fonction du passé. Mais peu ont abordé la rédaction des compétences potentielles proprement dites et c'est à cela que nous nous consacrerons dans cet ouvrage.

Le CV fonctionnel, bien qu'il offre une solution de rechange intéressante, convient moins dans les contextes suivants :

- La personne n'a pas de réalisations professionnelles significatives pour chacun des emplois occupés.
- La personne novice n'a pas encore eu la chance de faire ses premières réalisations significatives.
- Les réalisations de la personne sont hors du champ de travail ou de nature personnelle.
- Les personnes n'ont pas eu la chance de travailler dans des entreprises à prescription ouverte, c'est-à-dire des entreprises qui permettent aux employés de prendre des initiatives et de se réaliser professionnellement.

Évitez de donner trop de détails, car votre CV risque de devenir une liste interminable de plusieurs pages et de ressembler à la traditionnelle description de tâches. Si l'employeur potentiel a l'impression de tout savoir sur vous, il pourrait conclure qu'il est inutile de vous rencontrer. Ne l'oubliez pas : vous devez piquer sa curiosité.

Mon avis

Cette formule est intéressante (quoique pas nécessaire) et peut très bien s'appliquer au CV par compétences. En fait, le CV par compétences peut devenir, à sa façon, un CV mixte, tout en proposant une plus grande souplesse entre vos réalisations et vos aspirations. C'est une formule sous-utilisée, mais qui a du potentiel. Combinée avec la formule des compétences proposée dans cet ouvrage, la formule mixte deviendra peut-être une solution intéressante à l'heure de la navigation sur le Web. À cet égard, on se rapproche d'un portfolio ou d'un bilan de compétences qui permettra d'inclure plus d'information tout en permettant des lectures rapides et ciblées. Malgré tout, je vois peu de ce type de CV en circulation. Comme vous le savez, le CV chronologique occupe une place prépondérante dans le marché de la recherche d'emploi et de l'embauche.

Jusqu'à maintenant, les chercheurs d'emploi sont toujours à la merci du support papier et, par conséquent, ont intérêt à limiter leur CV à deux pages. Il faut donc donner la priorité aux compétences que l'on croit les meilleures.

Les rubriques du CV

Les rubriques du CV par compétences se comparent à celles du CV en général. Puisque la recette du curriculum vitæ parfait n'existe pas, j'invite le lecteur intéressé à consulter d'autres ouvrages traitant du sujet. Certes, nous avons besoin de nouvelles formules de curriculum vitæ; toutefois, nombre d'ouvrages traitant de la recherche d'emploi sont actuels. Passons brièvement en revue les rubriques d'un CV.

Le nom et les coordonnées

En plus de fournir les nom, prénom, adresse et numéro de téléphone, il est dorénavant d'usage d'inscrire l'adresse électronique ainsi que le numéro de télécopieur, le cas échéant.

La synthèse de l'expérience

La synthèse de l'expérience n'est pas obligatoire, mais elle est de plus en plus de mise dans un curriculum vitæ. Elle permet à l'employeur potentiel d'obtenir une vision globale de votre *profil*. Vous ne savez pas comment vous y prendre? Inspirez-vous des exemples suivants.

10 exemples de synthèse de l'expérience

❶

Quatorze années d'expérience dans le domaine des travaux publics, dont neuf en supervision de personnel et en inspection. Compétence technique en génie civil et en gestion de chantiers. Connaissance des milieux municipaux, paragouvernementaux et privés.

❷

Près de 20 ans d'expérience dans des postes à divers niveaux de responsabilité. Développement d'une expertise dans la mise en marché, la publicité, les achats et la gestion des opérations. Formation universitaire en relations industrielles.

❸

Solide expérience dans les soins à domicile destinés à des clientèles diverses, en supervision de personnel, en travail général de bureau et dans le domaine de la restauration. Formation collégiale en sciences humaines et diplôme professionnel comme préposée aux bénéficiaires.

❹

Plus de cinq années d'expérience comme livreur et chauffeur et sept comme ouvrier en construction. Permis pour conduire tous les types de véhicules routiers sauf les motocyclettes. Excellente connaissance du grand Montréal. Sens du service à la clientèle. Autonomie, respect des échéances et sens des responsabilités.

❺

Vaste expérience à titre de gestionnaire des opérations du transport et du service à la clientèle. Gestion d'un budget de 6,5 millions de dollars. Élaboration et mise en application de stratégies d'intervention tant à l'égard du personnel syndiqué que dans le service à la clientèle.

❻

Quatorze ans d'expérience comme machiniste et mécanicien. Compétence dans la fabrication et la réparation de pièces usinées, dans la préparation et l'entretien de véhicules (lourds, commerciaux, agricoles, industriels et petits moteurs) et en entretien préventif de la machinerie. Connaissance et expérience en aéronautique.

❼

Titulaire d'une maîtrise en éducation. Diplôme de second cycle en gestion de la formation en cours. Plus de 10 années d'expérience dans le développement, l'entretien et la promotion des compétences de la main-d'œuvre.

Solides compétences comme formateur et comme consultant en formation. Connaissances fonctionnelles des nouvelles technologies de l'information. Aptitude dans les relations interpersonnelles et sens du travail en équipe.

❽

Cinq années d'expérience en restructuration organisationnelle à titre de contrôleuse. Riche implication dans le développement économique et entrepreneurial à l'échelle locale et nationale. Intérêt marqué pour l'étude d'impact des changements organisationnels sur la main-d'œuvre et des stratégies de réussite en affaires.

❾

Dix ans d'expérience dans l'élaboration, la gestion, l'évaluation et l'application de stratégies d'intervention en insertion professionnelle et en gestion de carrière. Expertise quant aux approches de psychothérapie brève et maîtrise de nombreux instruments d'évaluation psychométrique.

❿

Deux années d'expérience dans le domaine de la mécanique automobile, dont une année comme apprenti mécanicien. Soucieux d'un rendement de qualité élevé. Formation complémentaire en santé et sécurité au travail. Reconnu comme une personne fiable, disciplinée et possédant une grande facilité d'apprentissage.

Je préfère ne pas utiliser de qualificatifs à l'intérieur de cette rubrique, mais de nombreuses personnes que j'ai côtoyées croient que l'inscription de certaines caractéristiques personnelles ou de compétences génériques peut être profitable. Chose certaine, n'hésitez pas à y mettre de la couleur, à vous montrer original si vous le croyez pertinent. Vous faciliterez la lecture de votre synthèse de l'expérience et vous vous distinguerez peut-être des autres candidats.

Voici deux versions de la synthèse de l'expérience. Laquelle, selon vous, a des chances d'attirer l'attention de l'employeur potentiel ?

Version classique

Dix ans d'expérience comme chauffeuse de limousine. Vaste expérience dans divers postes reliés au secrétariat, à l'administration et à la représentation commerciale.

Version colorée

Dix ans d'expérience comme chauffeuse de limousine. Grande polyvalence : j'ai conduit des vedettes à des galas, des adolescents à leur bal des finissants, des hommes politiques à l'occasion de congrès internationaux. Totale discrétion, souci de la confidentialité (je ne partage avec personne les potins croustillants des milieux artistique et politique).

La synthèse de l'expérience permet de se faire une idée du candidat en quelques lignes. Elle attire l'attention du lecteur et peut, dans certains contextes, pallier l'absence d'une lettre de présentation. Par ailleurs, l'utilisation d'une telle rubrique demande d'être plus créatif dans la rédaction d'une lettre d'introduction.

On emploie également d'autres titres pour cette rubrique, dont ceux-ci :

- Profil
- Sommaire
- Sommaire d'expérience
- Synthèse des qualifications
- Résumé de carrière
- En bref

Les champs de compétences

Les champs de compétences tendent à devenir, en ce nouveau millénaire, le « cœur » du curriculum vitæ. Pour élaborer les siens, le lecteur pourra s'inspirer des énoncés de compétences et des exemples de validation proposés au chapitre 7.

L'expérience professionnelle

Dans un CV par compétences, il n'est plus nécessaire de préciser la description de tâches au moyen de verbes d'action — les tâches du tuyauteur industriel ne sont peut-être pas claires pour tout le monde, mais elles le sont sûrement pour la personne qui souhaite en embaucher un. L'essentiel des tâches pertinentes est déjà synthétisé sous la rubrique « champs de compétences ». Il peut s'agir, entre autres, des compétences communes à tous les tuyauteurs industriels.

Si le candidat a accompli des réalisations dans le contexte de tous ses emplois, il peut être utile de les inscrire sous cette rubrique. Je n'ai pas eu l'occasion de rencontrer fréquemment de tels cas dans ma pratique. Vous savez, ce ne sont pas tous les emplois et tous les contextes qui permettent aux individus d'effectuer des actions significatives ou de « se réaliser », et ce, de façon reconnue par l'employeur.

Les réalisations professionnelles

Comme dans le CV fonctionnel, les réalisations professionnelles sont l'ensemble des gestes que le candidat a faits et qui ont été bénéfiques à l'entreprise (Landry, 1992). Elles gagnent en crédibilité lorsqu'on les **quantifie** et qu'on précise les **moyens**, les **procédures** ou les **méthodes utilisés**.

L'application d'une nouvelle technique, l'utilisation plus efficace des ressources, la réduction du temps d'entreposage ou la découverte d'une nouvelle clientèle jusque-là insoupçonnée sont quelques-uns des éléments qui pourraient entrer dans des énoncés de réalisations professionnelles.

Dans le cas où les candidats n'ont pas accompli de réalisations dans chacun des emplois occupés, on propose de regrouper celles-ci sous une même rubrique. Cette façon de faire s'apparente à la formule du CV mixte.

Attention, toutefois, à la distinction qui doit être établie entre **compétences** et **réalisations**. La compétence est rédigée sans égard à une résultante ; c'est une qualité, une habileté que vous avez acquise avec le temps. La réalisation est toujours rédigée en fonction d'un résultat concret, et elle s'inscrit dans le temps. Une réalisation est une action **terminée**, elle a eu lieu.

Exemples d'énoncés de compétences

- Programmation en système réseau
- Traitement des commandes et des expéditions
- Intégration et formation des nouveaux employés

Exemples d'énoncés de réalisations professionnelles

- Conception, en juillet 2000, d'un manuel de procédures d'automatisation des calendriers qui a permis à l'entreprise d'exécuter quatre conversions en moins de deux jours, tout en maintenant le service aux usagers.
- Définition et mise en œuvre d'un processus de traitement des commandes qui a favorisé une augmentation des profits de 50 % et éliminé les temps d'entreposage.
- Rédaction d'un guide d'accueil pour les nouveaux employés qui a permis d'orienter le processus d'accueil sur l'intégration dans l'équipe plutôt que sur les procédures administratives.
- Élaboration d'un programme de formation intitulé « Gestion de la base de données » pour les gestionnaires des 120 points de vente à travers le Québec.

On peut également employer d'autres titres pour cette rubrique, tels que ceux-ci :

- Principales réalisations
- Projets réalisés
- Récentes réalisations
- Principaux succès

La formation et le perfectionnement

Par souci d'économie d'espace, on propose, dans la présente démarche, de rassembler sous la même rubrique tous les éléments reliés à la formation, et ce, qu'elle ait été suivie en milieu scolaire ou en entreprise. Pour le lecteur, cela facilite le repérage. Il s'agit d'inscrire le type de formation, l'organisme ou l'institution où a eu lieu cette formation et la date d'obtention d'un diplôme ou d'un certificat.

Exemples d'énoncés de formation et de perfectionnement

- 2002

Diplôme de deuxième cycle en gestion de la formation
Université de Sherbrooke

- 1999

Maîtrise en andragogie
Université de Montréal

- 1997

Attestation de formation collégiale en gestion intégrale de la qualité (625 heures)
Cégep de Saint-Jean-sur-Richelieu

- 1996

Agrément pour l'utilisation professionnelle de l'indicateur des types psychologiques Myers-Briggs (MBTI)
Psychometrics Canada, Montréal

- 1991

Baccalauréat en information et orientation professionnelle
Université du Québec à Trois-Rivières

Les atouts distinctifs

Cette rubrique n'est pertinente que dans certains cas. Même si ces atouts demeurent un point d'une extrême importance dans la recherche d'un emploi, un qualificatif ajoute peu de poids au CV. Outre le fait qu'un qualificatif personnel soit quelque peu arbitraire, le style de rédaction synthétique du curriculum vitæ ne permet pas toujours de mettre en valeur cette caractéristique. On peut toutefois inscrire ces atouts dans une lettre qui accompagne le CV. En effet, la lettre permet d'établir des nuances et favorise l'établissement d'une relation interpersonnelle.

Les atouts distinctifs peuvent mettre en valeur certains candidats en précisant des traits particuliers de leur personnalité ou d'autres particularités recherchées pour le poste. Dans cet espace, on peut inscrire des compétences génériques au sens traditionnel du terme. Les atouts sont des cartes maîtresses que l'on met sur la table de façon stratégique.

Exemples d'énoncés d'atouts distinctifs

- Intérêt pour la recherche de solutions nouvelles
- Communicateur polyvalent
- Innovateur et sens du leadership
- Facilité d'adaptation et capacité à assumer de nouvelles responsabilités

Cette rubrique peut prendre d'autres noms, tels que :

- Caractéristiques personnelles
- Qualités et aptitudes
- Compétences génériques

L'engagement social

Cette rubrique n'est utilisée que dans le cas où l'engagement (bénévolat ou autre) représenterait une donnée fonctionnelle différente des expériences professionnelles. Elle devient inutile si l'engagement est de même nature que les expériences de travail ; dans ce cas, l'engagement devient partie intégrante de la rubrique traitant de l'expérience.

Par exemple, un éducateur spécialisé qui fait du bénévolat dans un centre de jeunes indique son expérience sous la rubrique « expérience professionnelle », et ce, même s'il n'a pas été rémunéré pour ce travail.

Exemples d'énoncés d'engagement social

- Président-fondateur de l'Association de pétanque de Longueuil
- Organisation de plusieurs tournois de golf provinciaux pour le financement d'œuvres de charité
- Conseiller de la Caisse populaire de Saint-Siméon
- Organisateur de la première campagne de financement du Carré de la jeunesse à l'emploi du Québec

Les loisirs et les intérêts

Cette rubrique est très peu utilisée dans le CV par compétences, à moins qu'il y ait un lien direct avec les types de postes sollicités. Et encore. Si cette rubrique est supprimée au profit de l'économie d'espace, personne ne versera de larmes là-dessus, croyez-moi. De toute façon, en entrevue, si le contexte s'y prête, le candidat aura la possibilité de parler de ses loisirs et de ses intérêts. Vous pourrez alors parler de golf si votre interlocuteur semble féru de la chose ou de votre engagement dans l'Association de la ceinture fléchée du Québec si vous remarquez que votre interlocuteur en porte une. Mais n'oubliez pas ceci : cette rencontre est d'abord et avant tout de nature professionnelle.

Les références

Les références n'ont pas leur place dans le CV par compétences. Une référence se divulgue en entrevue. Il n'est donc plus nécessaire d'inscrire une formule telle que « des références seront fournies sur demande ». Ça ne veut rien dire. Les employeurs savent que vous avez préparé une liste de gens qui vous ont aimé et qui ne diraient aucune méchanceté à votre sujet.

Finalement, le principe même du CV par compétences est de rendre le candidat responsable de tous ses écrits et de toutes ses paroles au cours d'un entretien. Dans cette optique, il va de soi qu'il est disposé à donner des références.

La présentation du curriculum vitæ

Souhaitant que leur CV se retrouve sur le dessus de la pile, certaines personnes mettent leur imagination à contribution et proposent une présentation originale, personnalisée, voire inhabituelle. Elles ont cent fois raison : un curriculum vitæ mesurant un mètre de long, présenté dans une pochette, accompagné d'un bouquet de bégonias tubéreux, rédigé sous la forme de bandes dessinées ou imprimé sur une chaise surprendra à coup sûr le destinataire.

Toutefois, l'effet obtenu ne sera pas nécessairement celui souhaité, et ce, même dans des milieux plus innovateurs comme le monde de la publicité, où les expressions de créativité les plus folles sont parfois bienvenues. Chose certaine, qu'ils travaillent dans un milieu créatif ou non, il est faux de croire que les employeurs ont tous le sens de l'humour. Si vous employez une méthode de présentation qui casse résolument la baraque, sachez que vous défiez le hasard. Peut-être avez-vous entendu parler de ce jeune finissant en publicité qui, en 2001, a joint à son CV un petit échantillon de liquide rouge qui ressemblait à du sang et la mention « Besoin de sang neuf ? ». Quelques agences réputées lui ont fait une offre sur-le-champ. Mais tous les candidats n'ont pas cette chance. Quand on envoie un CV, malgré toutes ses bonnes intentions, on ne sait jamais précisément le résultat que l'on obtiendra.

Nombre d'auteurs ont traité de la présentation visuelle du curriculum vitæ. À peu de chose près, ils sont d'accord sur le principe qu'un CV doit être attrayant tout en demeurant sobre. Sur ce point, le CV par compétences ressemble aux autres types de curriculum vitæ. Passons donc brièvement en revue quelques éléments fondamentaux.

Le format

D'abord et avant tout, au moment de vous consacrer à la première version de votre CV, demeurez sobre sur le plan de la mise en pages. Évitez les caractères gras, la couleur et les petites fleurs dans la marge ; privilégiez un seul alignement. À la limite, optez pour une présentation d'une grande austérité. Le contenant importe peu à cette étape.

Cette première version vous aidera à vous concentrer exclusivement sur le contenu de votre CV. Elle en constituera le squelette informatif. Agir ainsi vous permettra toute la latitude voulue par la suite pour y apporter les soins esthétiques souhaités et vous économisera, comme nous le verrons au chapitre 10, un temps précieux de traitement.

Sur le plan du format, le curriculum vitæ par compétences propose de se refaire une beauté tout en demeurant sobre.

L'élégant

J'ai expérimenté avec grand succès un CV reproduit sur une feuille de 28 cm x 43 cm (11 po x 17 po) pliée au centre pour obtenir un format de 21,5 x 28 cm (8 1/2 po x 11 po). Voilà une façon à la fois sobre et originale d'actualiser le curriculum vitæ pour le nouveau millénaire.

Ce format offre différents avantages : il ne nécessite aucune agrafe, évite d'égarer une page, se voit en un coup d'œil et permet de joindre une carte de visite. De plus, bien que le texte soit généralement réservé aux deux pages intérieures, on peut utiliser les couvertures avant et arrière pour inscrire des renseignements. Bref, un CV plein d'élégance à peu de frais! Il est à noter cependant que ce format est difficilement compatible avec un envoi par télécopieur ou par courrier électronique.

EXEMPLE DE CV FORMAT ÉLÉGANT

Michel Couture Mailhot
michel.mailhot@usa.net
Compétences linguistiques : français et anglais

Champs de compétences
Conception publicitaire
- Évaluation des besoins et des ressources disponibles (budget, échéance, etc.)
- Création des concepts et du contenu (textes et illustrations)
- Choix des moyens, méthodes et techniques de réalisation
- Recherche et préparation de matériel (croquis, photographies et illustrations)

Représentation et relations publiques
- Élaboration, application et évaluation de stratégies de communication
- Préparation de rapports, de communiqués, de brochures et montage de dossiers de presse
- Organisation d'événements spéciaux (réunions, conférences, collectes de fonds)
- Représentation corporative auprès de différents médias (entrevues, conférences de presse)

Vente et représentation
- Promotion de produits et de services
- Ciblage et sollicitation de clients potentiels
- Rédaction de contrats, service et suivi après-vente

Technique et informatique
- Maîtrise des logiciels Microsoft Office et des environnements Mac et PC
- Utilisation fonctionnelle (3/5):
  - Logiciels d'édition de pages Web (Dreamweaver, FrontPage et programmation fonctionnelle en html)
  - Logiciels d'infographie et de mise en pages (Photoshop, Illustrator, QuarkXpress et PageMaker)

Formation et perfectionnement
Baccalauréat ès Arts — 2001
Université de Montréal
Certificat d'études individualisées concentration créativité (2001)
Certificat en publicité (2000)
Certificat en relations publiques (1999)

Diplôme d'études collégiales en gestion de l'imprimerie — 1996
Collège Ahuntsic, Montréal

Principales réalisations
Académiques
- Création et réalisation d'une présentation corporative sur support cédérom. Cette présentation a été distribuée auprès d'une centaine de clients potentiels dont une vingtaine ont retenu nos services. Nous avons obtenu des retombées directes d'au moins 10 000 $ (2001).
- Réalisation d'une campagne publicitaire pour le Groupe Bayer's, incluant l'évaluation de marché, le positionnement du produit et la conception de la campagne. Ce travail a été reconnu comme digne de mention (2000).
- Réalisation d'une étude de positionnement corporatif pour Coca-Cola ltée (1996).

Professionnelles et implications sociales
- Réalisation de plusieurs événements spéciaux (fêtes corporatives, à l'occasion de Noël et de l'Halloween par exemple) dans le domaine de la restauration et participation à de nombreuses ouvertures de restaurants.
- Organisation de deux collectes de fonds pour le Championnat canadien de plongeon en 1995 et pour les Jeux panaméricains de 1996. Ces collectes de fonds ont permis d'empocher plus de 5 000 $ pour le bénéfice de la relève québécoise du plongeon.
- Obtention d'une entente de commandite en vue d'une collaboration entre les restaurants Prime du Québec inc. (East Side Mario's et Casey's) et les Maisons Sony (1999).

Expérience de travail
Serveur (depuis 1998)
Resto bar billard ISTORI, Montréal
Restaurant Jack Astor, Montréal
Restaurant East Side Mario's, Dollard-des-Ormeaux

Cuisinier de ligne (1997-1999)
Restaurant Planet Holllywood, Montréal
Grilladerie Casey's, Montréal

Gérant de promotion (1994-1996)
Restaurant Pub O'Toole's, Montréal

Septembre 2001

Merci à M. Couture Mailhot de nous avoir accordé la permission de présenter intégralement son CV.

L'étudiant

On pourrait dire qu'il s'agit de la version réduite du format élégant. Au lieu d'avoir recours à une grande page, on plie en deux une feuille de 21,5 x 28 cm (8 1/2 po x 11 po). Ce format est parfait pour les étudiants qui ont peu d'expérience ou qui cherchent un premier emploi, car il permet de réduire «l'aération» que leur CV subirait dans les formats plus traditionnels. Il permet également l'ajout d'une carte de visite.

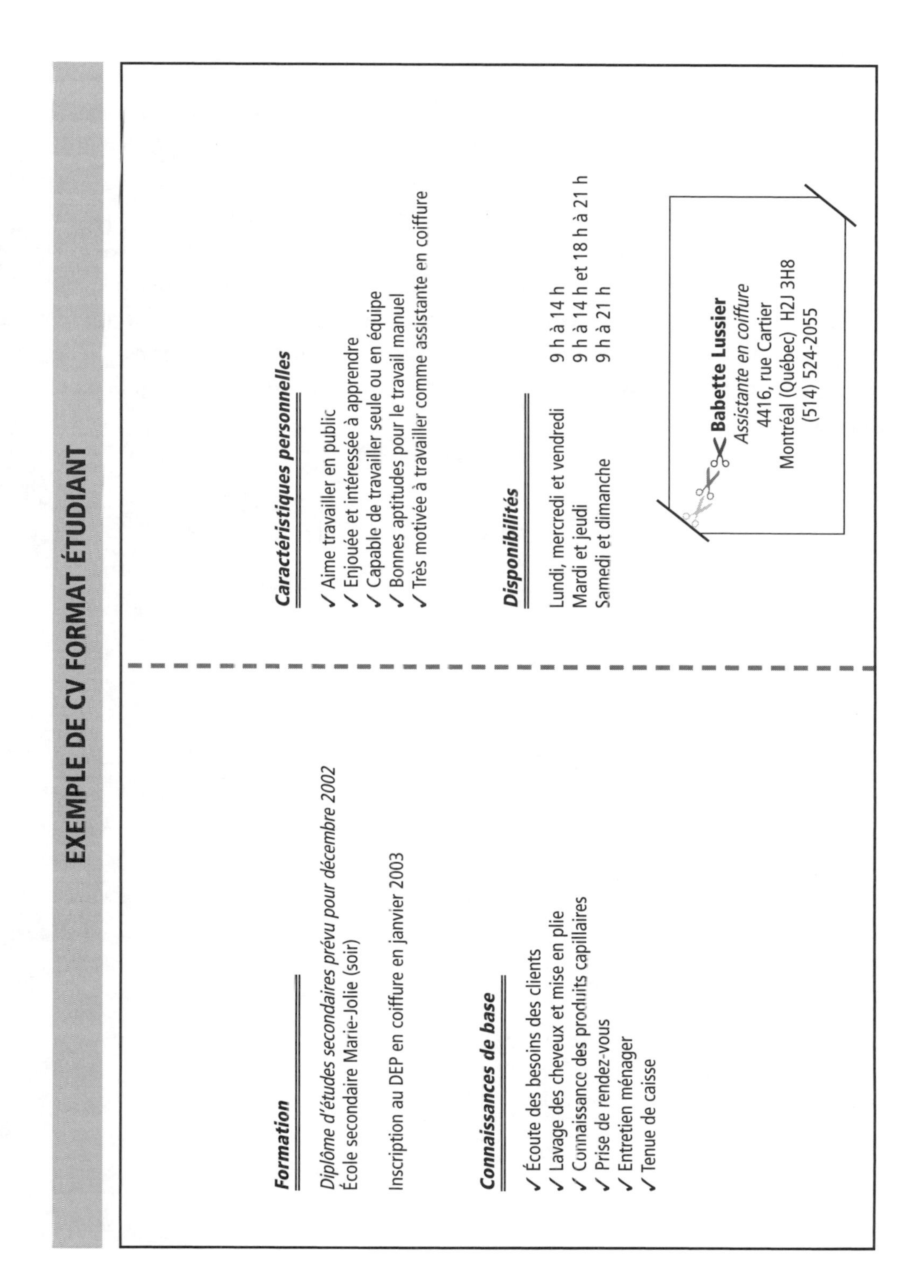

EXEMPLE DE CV FORMAT ÉTUDIANT

Formation

Diplôme d'études secondaires prévu pour décembre 2002
École secondaire Marie-Jolie (soir)

Inscription au DEP en coiffure en janvier 2003

Connaissances de base

- ✓ Écoute des besoins des clients
- ✓ Lavage des cheveux et mise en plie
- ✓ Connaissance des produits capillaires
- ✓ Prise de rendez-vous
- ✓ Entretien ménager
- ✓ Tenue de caisse

Caractéristiques personnelles

- ✓ Aime travailler en public
- ✓ Enjouée et intéressée à apprendre
- ✓ Capable de travailler seule ou en équipe
- ✓ Bonnes aptitudes pour le travail manuel
- ✓ Très motivée à travailler comme assistante en coiffure

Disponibilités

Lundi, mercredi et vendredi	9 h à 14 h
Mardi et jeudi	9 h à 14 h et 18 h à 21 h
Samedi et dimanche	9 h à 21 h

Babette Lussier
Assistante en coiffure
4416, rue Cartier
Montréal (Québec) H2J 3H8
(514) 524-2055

Judith Langevin
Membre de l'Ordre des technologues du Québec

228, rue de Bienville
Montréal (Québec) H2J 1T8

(514) 524-6721
judith@langevin.ca

Sommaire
Jeune finissante en électromécanique, je me demande : en ce millénaire, y a-t-il des employeurs qui ignorent encore la minutie des femmes pour ce genre de travail ? Si oui, contactez-moi !
Maîtrise du français et de l'anglais.

Champs de compétences
Conception, élaboration et mise à l'essai de prototypes selon les normes et instructions
Mise en œuvre et supervision de l'installation, de la mise en service et du fonctionnement de l'équipement et des systèmes (électrique et électronique)
Recherche appliquée en collaboration avec des équipes multidisciplinaires
Mise à l'essai et analyse de rendement
Rédaction de devis, de calendriers d'exécution et de rapports techniques

Formation et perfectionnement
Diplôme d'études collégiales en électromécanique
Cégep de Saint-Jean-sur-Richelieu

Diplôme d'études professionnelles en mécanique de machine fixe
École de formation professionnelle Marcel-Landry

Diplôme d'études secondaires
Polyvalente Antoine-Racicot

Réalisations
Distinction honorifique à Expo-Science pour la conception d'une machine à faible besoin en énergie et pouvant être alimentée à l'énergie solaire

Élue travailleuse d'équipe de l'année dans sa classe dans le cadre d'un concours amical

Stage de fin d'études – 2001
Électromécanicienne d'entretien
Firme avionique Plein-Vent, Laval

Expérience de travail
Serveuse depuis 1997
Restaurant La table argentée, Montréal

Pompiste 1995-1997
Station-service Pétrole pas donné, Montréal

Animatrice de camps de vacances étés 1993-1994
Les Jeunes de la forêt, Saint-Donat

Le coup d'œil

Idéale pour les envois par télécopieur, cette présentation sur une seule page de 21,5 x 28 cm (8 1/2 po x 11 po) contient, malgré les apparences, une bonne quantité d'information. Par contre, compte tenu de son format condensé, ce CV peut être difficile à lire par certaines personnes, car, pour qu'on puisse conserver un maximum de renseignements, la police de caractères doit être petite (9 ou 10 points). Même si aucun apport informatif n'est perdu, ce format peut aussi donner l'impression d'un manque de profondeur en raison de sa petite taille.

EXEMPLE DE CV FORMAT COUP D'ŒIL

Judith Langevin
Membre de l'Ordre des technologues du Québec

228, rue de Bienville
Montréal (Québec) H2J 1T8

(514) 524-6721
judith@langevin.ca

Sommaire
Jeune finissante en électromécanique, je me demande : en ce millénaire, y a-t-il des employeurs qui ignorent encore la minutie des femmes pour ce genre de travail ? Si oui, contactez-moi !
Maîtrise du français et de l'anglais.

Champs de compétences
Conception, élaboration et mise à l'essai de prototypes selon les normes et instructions

Mise en œuvre et supervision de l'installation, de la mise en service et du fonctionnement de l'équipement et des systèmes (électrique et électronique)

Recherche appliquée en collaboration avec des équipes multidisciplinaires

Mise à l'essai et analyse de rendement

Rédaction de devis, de calendriers d'exécution et de rapports techniques

Formation et perfectionnement
Diplôme d'études collégiales
en électromécanique
Cégep de Saint-Jean-sur-Richelieu

Diplôme d'études professionnelles en mécanique de machine fixe
École de formation professionnelle Marcel-Landry

Diplôme d'études secondaires
Polyvalente Antoine-Racicot

Réalisations
Distinction honorifique à Expo-Science pour la conception d'une machine à faible besoin en énergie et pouvant être alimentée à l'énergie solaire

Élue travailleuse d'équipe de l'année dans sa classe dans le cadre d'un concours amical

Stage de fin d'études – 2001
Électromécanicienne d'entretien
Firme avionique Plein-Vent, Laval

Expérience de travail
Serveuse — depuis 1997
Restaurant La table argentée, Montréal

Pompiste — 1995-1997
Station-service Pétrole pas donné, Montréal

Animatrice de camps de vacances — étés 1993-1994
Les Jeunes de la forêt, Saint-Donat

Le papier

On suggère d'utiliser un papier conventionnel, c'est-à-dire blanc, gris ou beige. La qualité du papier croît avec le prix. Toutefois, mon expérience me démontre que cela ne joue qu'un rôle mineur dans la sélection d'un curriculum vitæ. Évitez les papiers de couleur rose ou fluorescents, car quelques employeurs peuvent percevoir ce geste comme un manque de sérieux.

Par ailleurs, il est fortement recommandé de consacrer un soin minutieux à la reproduction de votre CV. N'hésitez surtout pas à investir dans des photocopies de qualité, car une reproduction de mauvaise qualité produit un mauvais effet et le CV peut se retrouver plus rapidement au panier. Mieux encore : ne photocopiez pas votre CV, faites-en des sorties laser. L'employeur potentiel n'aura pas l'impression d'être l'un des quelque 50 patrons à qui vous avez décrit « la fierté que je ressentirais à travailler pour votre entreprise »...

L'utilisation de la couleur

L'impression en couleur doit également être utilisée avec parcimonie. Trop de couleurs ou une couleur trop voyante (par exemple, le rouge) peuvent donner l'impression d'une carte d'anniversaire. Encore une fois, **jouez la sobriété**. Personnellement, je suis plutôt sensible à l'utilisation d'une ou de deux couleurs, sans tomber dans le flamboyant. Toutefois, je ne peux assurer que cette façon de faire est déterminante dans la considération d'une candidature.

À retenir

Dans le contexte nord-américain, à l'ère du traitement de texte, un curriculum vitæ manuscrit ou rédigé à la machine à écrire « qui saute un R » sont à bannir. De nombreux services de secrétariat font ce travail à peu de frais ; un ami ou un membre de votre famille qui possède un ordinateur vous rendra bien ce petit service.

Peu importe le format ou la mise en pages choisis, n'oubliez pas de conserver une « version maîtresse », c'est-à-dire le squelette informatif (contenu) de votre CV. J'ai trop souvent commis l'erreur de m'emballer et de corriger directement des versions accessoires. Résultat :

j'ai perdu ma version d'origine à force d'apporter des correctifs et j'ai dû refaire le modèle initial dans le contexte d'une utilisation différente.

Il m'apparaît important de préciser, à ce stade, que l'utilisation de différents modèles nécessite un grand investissement en temps et quelques connaissances techniques de la mise en pages. J'estime que cette façon de faire ne devrait en aucun temps devenir plus importante que l'essentiel, soit de rencontrer des gens et de solliciter des entrevues. Il est également à considérer que plus vous aurez de versions de votre CV, plus cela nécessitera une gestion rigoureuse.

La notion de compétence

Le mot « compétence » se définit comme une connaissance approfondie, reconnue, qui confère le droit de juger ou de décider en certaines matières (*Le Petit Robert*). Au sens figuré, le verbe *competere* se traduit par « coïncider avec », « convenir à ».

Il existe une vaste documentation sur la notion de compétence ; elle se situe au carrefour de nombreux champs disciplinaires, chacun apportant un éclairage distinct à la notion. La compétence peut être analysée selon les champs suivants :

- La psychologie
- L'ergonomie
- Les sciences de l'éducation
- La sociologie
- La psychologie sociale
- Le droit
- La micro-économie
- Les sciences de la gestion

J'adhère à plusieurs principes de ces disciplines. Toutefois, la raison d'être d'un CV m'apparaît de nature sociale : il permet de faire preuve de ses compétences devant un employeur. Catherine Paradeise (Aubret, 1987) illustre bien ce propos : « La compétence est le résultat d'une négociation sociale permanente dans laquelle interviennent divers acteurs élaborant leurs stratégies au mieux de leurs intérêts, en fonction des situations propres au segment de marché du travail où ils se trouvent à un moment précis. »

Pour favoriser une interface dynamique entre les besoins de l'employeur et les compétences d'un candidat, il s'agit de trouver un point de convergence afin d'adopter un vocabulaire commun. À cet égard, j'estime que le point de vue des sciences de la gestion et de l'éducation me semble le plus approprié. Le CV par compétences s'appuie sur le postulat suivant : d'une part, il doit permettre aux personnes de se connaître davantage en définissant leurs différents savoirs tout en précisant leur objectif professionnel et, d'autre part, il doit servir d'outil de commercialisation en vue d'obtenir un emploi.

Dans la première édition de ce livre, je vous ai brièvement présenté la notion de compétence. Les compétences sont habituellement représentées par des « savoir-être » et, de façon plus particulière par de différents « savoirs » et des « savoir-faire ». Plusieurs milliers de lecteurs ont utilisé la première édition et certains m'ont posé des questions à ce sujet. Il m'apparaît donc à propos d'approfondir cette notion complexe.

Pour ce faire, je vous propose un bref tour d'horizon de quelques modèles pertinents qui peuvent orienter la préparation de votre CV par compétences. L'ensemble de ces approches, modèles ou composantes peuvent apporter un éclairage, chacun à leur façon, et susciter la réflexion sur les différentes caractéristiques des compétences.

Cette présentation ne se veut pas exhaustive. Par cet aperçu de quelques modèles, je souhaite simplement vous donner un maximum de pistes en vue de la rédaction de vos propres compétences.

Tâches ou compétences ?

De façon classique, Valérie Marbach (1999) rappelle que les compétences sont étroitement assimilées aux connaissances. On utilisera plus volontiers le terme compétence pour désigner des **savoir-faire**, alors que les connaissances font référence à des **savoirs**. Néanmoins, l'auteure précise que les deux catégories sont orientées vers l'action à réaliser.

Guy Le Boterf (2000) propose, pour sa part, de définir la compétence requise comme un **savoir-faire** ou comme un **savoir-agir en situation de travail**. Bref, ce qui est demandé à un employé n'est pas tant d'être compétent que d'agir avec compétence. Étant donné que la définition de la compétence varie selon les organisations et les contextes de travail, Le Boterf souligne que la compétence évolue entre deux pôles :

1. *Le pôle des situations de travail caractérisées par la répétition, par ce qui est routinier, par ce qui est simple et par l'exécution des consignes (entreprise à prescription stricte).*

La compétence se définit alors comme un « savoir-faire ». Elle se réduit à l'exécution d'une opération ou d'un ensemble d'opérations, à l'application des instructions et au respect des consignes. Elle est également pertinente dans les situations où la prescription devient stricte pour des raisons de sécurité (ex. : opérateur de centrale nucléaire).

Il est possible de décomposer des savoir-faire élémentaires, mais Le Boterf précise que la compétence ne peut se résumer à une addition de savoirs partiels. Elle doit être considérée comme une sorte de connexion entre différentes ressources de sorte que ces dernières s'organisent en fonction d'une responsabilité.

2. *Le pôle des situations caractérisées par la variété, la complexité des décisions à prendre au quotidien, la résolution de problèmes, la prise d'initiative, le choix des moyens et l'interprétation de consignes générales (entreprise à prescription ouverte).*

Dans ce type de contexte, il n'y a pas qu'une seule bonne façon de réaliser une tâche. La compétence tend à se définir plutôt comme un « savoir-agir » ou un « savoir-réagir ». Dans ces circonstances, être compétent c'est **savoir quoi faire** et **savoir quand le faire**. Le professionnel devra savoir prendre des initiatives et des décisions, négocier et arbitrer, faire des choix, prendre des risques, réagir à des imprévus, innover au quotidien et prendre des responsabilités. Pour être reconnu comme compétent, il ne suffit plus d'être capable d'exécuter le prescrit, mais d'aller *au-delà* du prescrit.

Le savoir-faire d'exécution (ou la tâche) est le degré le plus élémentaire de la compétence et constitue un objectif à atteindre dans des conditions déterminées. Plus une tâche devient complexe, plus il est difficile de la traduire en une procédure précise. À la limite, la tâche à accomplir sera laissée à la discrétion de l'acteur qui devra la réaliser.

Une compétence est plus qu'une simple tâche, **c'est un ensemble de tâches**. Les activités des travailleurs supposent qu'il existe des structures accessibles, adaptées à l'accomplissement de certaines tâches, et même à certaines familles de tâches. Richard Bolles (1972, p. 75) souligne que les compétences obéissent toujours à la même règle : « Si nous les classons en fonction des charges qu'elles impliquent aux yeux d'un employeur, nous constatons que plus elles sont complexes, moins ces charges sont explicites en détail, et la part de l'employé s'en trouve accrue ; plus elles sont simples, plus les obligations correspondantes sont denses, codifiées et "encadrent" l'employé. »

Quelques modèles de référence

Modèle 1

Ce portrait, lié à la psychologie cognitive et issu de l'analyse détaillée d'objectifs de formation générale au Québec, rend compte d'objectifs visant le développement d'habiletés et d'attitudes (www.discas.ca). La rédaction d'une compétence dans le curriculum vitæ peut tenir compte de l'ensemble de ces applications. Ainsi, une compétence peut être appliquée aux aspects suivants :

1. La maîtrise des **contenus** (connaissance d'information et de concepts généraux ou spécifiques)

Exemples

- Connaissance des principes en électricité de construction
- Connaissance des lois régissant la protection de la jeunesse
- Connaissance des normes ISO 9000
- Connaissance de la thermodynamique
- Lecture et interprétation des plans et devis de pièces métalliques

2. La maîtrise des **langages** (comprendre des signes ou un système de représentation, de significations et de traduction des significations)

Exemples

- Interprétation des indicateurs économiques
- Interprétation du langage non verbal en psychologie clinique
- Analyse des données des rapports statistiques et vulgarisation de l'information quant à la fréquentation du transport en commun
- Compilation des données à partir de photographies aériennes, de notes d'arpentage, de dossiers et de rapports

3. La maîtrise des **structures** (classement des éléments et compréhension des mécanismes, des lois ou des systèmes)

Exemples

- Élaboration des lois fondées sur des analyses démographiques, sociales et économiques
- Prévision des besoins en main-d'œuvre spécialisée en fonction des développements en matière de technologie
- Surveillance des activités de scarification, de plantation et de contrôle de la végétation ainsi que la mise en œuvre de politiques de protection
- Évaluation des incidences économiques sur la politique du logement
- Élaboration, application et évaluation des stratégies de communication

4. La maîtrise des **procédures** (connaissance des opérations, des séquences d'opération et des standards d'exécution ainsi que l'exécution ou l'automatisation de procédures)

Exemples

- Contrôle des débits et des niveaux de pression et de température dans les procédés d'extrusion
- Contrôle des conditions sanitaires commerciales et institutionnelles
- Établissement des procédures de fonctionnement des opérations de production

5. Le développement des **attitudes** (ouvert, critique, solidaire, autonome, créatif, responsable, etc.). À mon avis, il est difficile d'exprimer les attitudes dans un curriculum vitæ.

6. L'expertise en **communication** (compréhension des rôles, des contextes, des intentions et des messages, formulation des messages et production d'œuvres personnelles)

Exemples

- Négociation de conventions collectives en contexte de croissance (ou de réduction de personnel)
- Création de concepts, de la nature et du contenu des illustrations
- Conception et formulation des messages publicitaires

7. La prise de **décision** (utilisation de l'information, détermination d'objectifs, planification et résolution de problèmes, réalisation de projets)

Exemples

- Résolution de problèmes reliés à la production
- Détermination des objectifs de vente annuels et planification des ressources nécessaires en matière de publicité et de représentation
- Élaboration des programmes visant à assurer l'utilisation efficace des matériaux

Modèle 2

Une personne compétente est celle qui sait agir avec pertinence dans un contexte particulier. Ce modèle (inspiré de Le Boterf, 2000) comporte plusieurs types de ressources au sein desquelles la personne peut puiser pour agir avec compétence.

Des connaissances générales

Selon ce modèle, les compétences servent à comprendre un phénomène, une situation, un problème ou un procédé. Au fond, elles répondent à la question : « Comment fait-on fonctionner [telle chose] ? »

Exemples

- Connaissance des composants de circuits imprimés
- Connaissance des enjeux politiques, sociaux et économiques des pays en voie de développement
- Opération de tour cylindrique à colonne verticale

Des connaissances spécifiques par rapport à l'environnement professionnel

Ce sont les connaissances du contexte de travail de la personne : équipement, règles de gestion, culture organisationnelle, codes sociaux, organisation de l'entreprise ou de l'unité. Elles permettent d'agir « sur mesure ».

Exemples

- Exécution des tests de laboratoire dans des milieux sans poussière (ou antistatiques, aseptisés ou en hygiène contrôlée)
- Connaissance des principes de bienséance dans le contexte d'événements protocolaires
- Connaissance des cultures asiatique, américaine, africaine et de celles des pays scandinaves

Des connaissances procédurales ou opérationnelles

Elles visent à décrire « comment il faut faire », « comment il faut s'y prendre pour ». Elles décrivent des procédures, des méthodes, des instruments pour lesquels la personne maîtrise l'application pratique. Ces savoir-faire permettent de savoir opérer.

Exemples

- Conduite et contrôle de l'équipement de placage et d'enduit par trempage à chaud
- Réglage, programmation et conduite de machines électriques, électroniques ou manuelles pour la fabrication de pièces en bois
- Réglage et conduite de machines et de l'équipement de façonnage
- Supervision des opérations de mise en œuvre de projets régionaux de développement économique
- Détermination des besoins et préparation des soumissions

Des connaissances et des savoir-faire reliés à l'expérience

Ils sont issus de l'action. On les désigne souvent sous le terme de « connaissances tacites », « tours de main », « façons de faire » ou « astuces ». Les savoir-faire reliés à l'expérience sont difficiles à formuler dans un CV. Le nombre d'années d'expérience que l'on peut retrouver dans la synthèse laisse, en quelque sorte, présager ce type de connaissances. C'est également possible d'illustrer cette sagesse de l'expérience à l'intérieur de la rubrique des réalisations professionnelles.

Exemples

- Montage des fondations selon les règles de l'art
- Mise en place de mesures correctives innovatrices qui ont permis de doubler la capacité de production

Des savoir-faire relationnels

Ce sont des capacités qui permettent de coopérer efficacement avec autrui : capacité d'écoute, de négociation, de travail en équipe, de travail en réseau.

Exemples

- Négociation des contrats de service
- Coordination et animation des réunions des équipes de projets ponctuels
- Intervention de crise, suivi individuel et de groupe dans une perspective de réinsertion sociale
- Réalisation d'entrevues de « counseling »
- Animation d'activités en matière de consolidation d'équipes de travail pour le personnel d'encadrement et les comités de direction

Des savoir-faire cognitifs

Les savoir-faire cognitifs correspondent à des opérations intellectuelles nécessaires à l'analyse et à la résolution de problèmes, à la conception et à la réalisation de projets, à la prise de décision ainsi qu'à l'invention. Induction, déduction, raisonnement par analogie, production d'hypothèses, généralisation... autant d'opérations qui permettent d'inférer, c'est-à-dire de créer de l'information nouvelle à partir d'information existante.

À mon avis, ce type de savoir s'exprime par des énoncés plus « concrets ». À plusieurs reprises, des ingénieurs m'ont raconté qu'ils étaient des experts en résolution de problèmes. C'est bien en principe, mais de quelle façon cela se traduit-il concrètement ? Un énoncé de compétence comme « Élimination des causes occasionnant des pertes de productivité en redéfinissant les séquences et les procédés de travail » démontre, hors de tout doute, que cet individu est bien adapté à son travail et sait résoudre des problèmes.

Ainsi, si vous êtes un spécialiste de la résolution de problèmes, précisez votre pensée : quel genre de problème ? dans quel contexte ? Mentionnez aussi la façon dont s'est effectuée la résolution de problème.

Des aptitudes, qualités et ressources émotionnelles

Ce ne sont pas, à proprement parler, des savoirs et des savoir-faire mais plutôt des caractéristiques de la personnalité : rigueur, force de conviction, curiosité d'esprit, initiative, etc.

Ces aptitudes sont difficiles à formuler dans un CV étant donné le style de rédaction synthétique. À moins de définir vos qualités de façon inusitée, à moins de sortir de l'ordinaire, laissez tomber. Peu de choses sont aussi ennuyantes à lire que « sens du travail en équipe », « leadership », « autonomie » et « sens des responsabilités ». Sorties de leur contexte et sans une petite illustration ou une anecdote, ces qualités ne sont pas significatives. Faites travailler votre imagination et distinguez-vous des autres !

Exemples

- Intérêt marqué pour la recherche de solutions nouvelles
- Facilité d'adaptation et capacité d'assumer de nouveaux rôles
- Vulgarisateur polyvalent
- Capacité démontrée à travailler sous pression et en respectant des échéances serrées

Des ressources physiologiques

Les ressources physiologiques servent à gérer l'énergie individuelle, tout simplement. Vous êtes un champion canadien de triathlon ? Dites-le, vous révélerez ainsi des traits de personnalité qui joueront en votre faveur. Vous pouvez effectuer un travail très physique pendant plusieurs heures consécutives sans faire d'erreurs ? N'hésitez pas à le faire valoir. Aucun employeur n'y sera insensible !

Exemples

- Capacité de maintenir un effort physique sur des quarts de travail de 10 heures
- Entraînement de compétition nationale en judo
- Entraînement pour le record du monde de la personne s'étant maintenue le plus longtemps sur une seule jambe

Modèle 3 (Répertoire opérationnel des métiers et des emplois – équivalent français de la Classification nationale des professions ; www.anpe.fr/index.jsp)

Le Répertoire opérationnel des métiers et des emplois (ROME) illustre le concept de « compétence cognitive » ou de « démarche intellectuelle » par la capacité à résoudre des problèmes dans un contexte donné. Par conséquent, elle est toujours liée à une activité ainsi qu'à un contexte, et sa mesure représente le résultat attendu par l'organisation. Une telle démarche permet d'appeler et d'utiliser, au cours de l'action, les compétences les plus appropriées, qu'il s'agisse de savoirs, de comportements ou d'habiletés.

La résolution de problèmes est définie comme la nécessité de changer une situation, ce qui implique qu'il faille intervenir, agir ou modifier l'environnement. Ainsi, tous les jours, dans tous les métiers, des personnes résolvent des problèmes à travers leurs activités et leurs emplois.

Cette approche s'appuie sur un postulat : dès qu'il y a une action efficace, il y a compétence. Il s'agit donc de repérer le type de démarche utilisée de manière dominante pour tenir un emploi ou un métier et y réussir. Certaines démarches de résolution de problèmes s'avèrent plus efficaces, plus adaptées que d'autres par rapport à un type de situation donnée.

Le ROME propose une typologie qui conduit à trois grandes familles :

1. Les démarches intellectuelles de type **application** (production, procédure, diagnostic, régulation)

Dans le processus intellectuel de type application, la procédure de résolution de problèmes est parfaitement définie. L'activité nécessite une représentation très claire de la solution. C'est en se reportant continuellement à un modèle que l'on sait ce qu'il faut faire.

Exemples

- Saisie de texte (70 mots à la minute)
- Programmation des séquences multimédia en production animée
- Coordination de la production et des activités du service de la réception, de la production et de la livraison, et ce, en fonction des commandes

2. Les démarches intellectuelles de type **transposition** (conception, analyse, régulation, formalisation)

Ce sont des démarches d'ajustement, de traduction, d'installation. Ces activités exigent une représentation claire, mais de nombreuses marges de manœuvre sont possibles. Il y a, en fait, plusieurs solutions à un même problème et tout dépend du contexte, des circonstances et des conditions. Il s'agit de choisir la solution qui sera la mieux adaptée à un contexte donné.

Exemples

- Analyse comparative des bilans financiers et évaluation des écarts
- Élaboration des mesures d'amélioration continue
- Rédaction de politiques, de cahiers de charges et de procédures administratives pour les franchisés

3. Les démarches intellectuelles de type **conception**

Il s'agit de démarches au cours desquelles il faut résoudre un problème sans avoir de représentation claire de la solution, et ce, ni au sens de « processus de résolution » ni au sens de « solution définitive ». Par définition, la solution doit être découverte puisqu'elle est nouvelle, et qu'il est quasiment impossible de se reporter à un modèle quelconque, à des normes ou à des règles. Il s'agit d'inventer, d'innover, de créer (comme dans des domaines de recherche et développement, de publicité, de graphisme et des métiers relatifs aux arts).

Exemples

- Création d'une œuvre littéraire
- Composition (paroles et musique) d'un album
- Création d'une gamme de cosmétiques aromatisés

Ces grandes familles se divisent à leur tour en processus cognitifs spécifiques. Ce modèle précise que c'est en matière de **croisement** qu'il faut réfléchir pour mobiliser les compétences dans un domaine ou contexte particulier. En effet, l'ensemble de ces grandes familles de résolutions de problèmes peuvent être combinées avec des listes de savoirs de référence, des champs d'application, des domaines d'activités et des logiques de milieu, d'appartenance et d'identité professionnelle. D'ailleurs, la notion de croisement est partagée par l'ensemble des théoriciens qui traitent de compétences.

Modèle 4

Valérie Marbach (1999), qui s'est attardée de façon particulière à l'évaluation et à la rémunération des compétences au sein d'entreprises européennes, identifie quatre familles de compétences qui englobent les typologies les plus communément utilisées.

1. Les connaissances **théoriques** et pratiques renvoient à une théorie reconnue et enseignée.

Exemples

- Connaissances des principes d'aérodynamisme
- Procédés en chimie analytique
- Calcul différentiel et intégral, et statistiques
- Calcul des dimensions et des seuils de tolérance

2. Les connaissances **pratiques** requièrent une maîtrise des tâches assignées sans impliquer ni connaissance de leur finalité ni possibilité de les remettre en cause. Ce type de connaissances élimine toute autonomie de la part du titulaire : elles relèvent d'une stricte application des consignes.

Exemples

- Mise en œuvre des consignes de sécurité au moment d'accidents écologiques (préciser la nature)
- Application des procédures administratives au moment du dépôt des griefs et des plaintes
- Exécution des opérations de transport de marchandise à haute sécurité
- Triage des feuilles de métal et de la ferraille selon les consignes

3. Les connaissances **opérationnelles** s'apparentent beaucoup à du savoir-faire.

Exemples

- Manœuvre des panneaux de commandes centraux dans la fabrication du papier
- Exploitation des systèmes de conception et de dessins assistés par ordinateur
- Détermination des méthodes de collecte et d'analyse d'échantillons

4. Les **bonnes connaissances générales** correspondent à la connaissance des grands principes d'actions propres à un domaine. Il s'agit des connaissances requises pour communiquer et travailler efficacement avec un professionnel du domaine de référence.

Exemples

- Connaissance de la négociation de relations de travail en milieu syndiqué
- Connaissance du système carcéral québécois
- Connaissance des principes en matière de sites transactionnels sur Internet

Marbach précise que chaque profil de compétences comprend à la fois des compétences essentielles, des génériques et des compétences additionnelles. Les compétences essentielles désignent le noyau dur de la fonction ; les compétences « génériques » sont inventoriées pour chaque fonction sur les cinq axes suivants : connaissance de l'organisation, latitude d'action, management, relations interpersonnelles, connaissance de lois et procédures ou règlements.

Enfin, il y a les compétences additionnelles qui sont requises par une fonction sans être considérées comme essentielles. Lorsqu'il s'agit d'établir un profil ou un CV par compétences, il est important, en raison du croisement énoncé plus haut, de réfléchir à la **complémentarité** de ces différents types de compétences.

Les autres composantes de la compétence

Les compétences sont une construction mentale difficile à circonscrire. Une même compétence peut s'appliquer à différents niveaux. Être doué pour le service à la clientèle ou manifester des comportements orientés vers le client n'a pas la même signification chez un caissier de supermarché, un serveur dans le domaine de la restauration rapide, un serveur de repas gastronomiques, un directeur du service à la clientèle ou un travailleur autonome. Chacun de ces postes nécessite cette même compétence selon une perspective différente. L'approche cognitive permet de situer une compétence selon sa relation au temps et à l'espace.

La relation au temps

Elle concerne la ou les perspectives temporelles dans lesquelles se situe l'action au cours de la démarche de résolution de problèmes.

Court à moyen terme : l'action nécessite de se projeter dans un temps variant de 0 à 6 mois.

Moyen à long terme : l'action nécessite de se projeter dans un temps variant de six mois à deux ans.

Exemples

- Planification trimestrielle des activités
- Élaboration des orientations stratégiques d'entreprises
- Prévision des besoins en main-d'œuvre dans une perspective de pénurie de main-d'œuvre – gestion stratégique de la relève
- Mise en place des comptoirs de vente dans un commerce de fruits et légumes
- Accueil de la clientèle dans un commerce au détail
- Gestion de la réception des appels d'un standard de 250 usagers

La relation à l'espace

La relation à l'espace fait référence à l'analyse de l'espace quasi géographique qui est visé au moment de la résolution de problème, tels l'unité de travail, l'environnement immédiat (bureau, chantier) ou élargi (service, division, direction).

Exemples

- Coordination des activités de plusieurs divisions
- Surveillance de chantiers
- Élaboration de partenariats avec des fournisseurs et des distributeurs internationaux
- Supervision des activités des comptoirs de vente nationale

L'organisation du travail

- Travail peu varié sans imprévu
- Travail peu varié avec imprévu
- Travail varié sans imprévu
- Travail varié avec imprévu

La **variété** est définie comme le fait d'avoir à réaliser plusieurs activités de natures différentes. L'**imprévu** est défini comme le fait de ne pas pouvoir dire à l'avance ce que seront les activités dans une journée de travail et dans quel ordre elles seront effectuées.

Exemples

- Chargement et déchargement de camions
- Élaboration des rapports d'accident au moment de collisions frontales sur les autoroutes
- Rédaction de correspondance pour le personnel de direction
- Ajustement des méthodes de production au moment des périodes d'entretien

Nota : ce paramètre dépend largement du point de vue selon lequel on se place.

Je me permets maintenant d'introduire les notions de niveaux de maîtrise et de transférabilité des compétences ainsi que celle de la hiérarchisation des postes de travail. Tout en étant un approfondissement de la notion complexe qu'est la compétence, cette section permet (entre autres) de répondre à une question qui émerge toujours pour qui cherche à définir son niveau de maîtrise d'une compétence.

« Qu'est-ce qui permet d'affirmer que je suis plus compétent qu'une autre personne ? » Les quelques indicateurs proposés vous permettent de répondre à cette question. Cette partie du chapitre peut paraître quelque peu aride, mais elle est utile pour se familiariser avec quelques outils et termes utilisés par les gestionnaires. Une personne avisée en vaut deux ! Toutefois, si votre objectif est simplement de faire votre CV, passez au chapitre suivant.

Les niveaux de maîtrise

L'un des indicateurs est celui du **temps nécessaire à l'apprentissage** d'un emploi ou d'un métier. La Classification nationale des professions (CNP) définit aussi le niveau de compétence en fonction de l'**expérience** et du **niveau d'études requis** pour accéder à l'emploi. La complexité des tâches et des responsabilités est également prise en compte.

Au Québec, au cours de la dernière décennie, de nombreux programmes de formation ont été élaborés. En fonction de la durée des études, les qualificatifs d'emploi sont apparus : non spécialisé, semi-spécialisé et spécialisé. Cette classification est déterminée par la **durée** de l'apprentissage nécessaire à la réalisation d'une famille de tâches :

- Le niveau A implique l'obtention d'un diplôme universitaire.
- Le niveau B est généralement accordé au personnel de supervision et exige une combinaison de scolarité postsecondaire et de quelques années d'apprentissage en cours d'emploi.
- Le niveau C s'appuie sur quelques années d'études secondaires et sur deux années d'expérience de travail spécifique.
- Le niveau D n'exige souvent que quelques années d'études secondaires et une brève démonstration ou une courte formation en cours d'emploi.

Ces niveaux sont applicables dans tous les secteurs d'activité répertoriés dans cet ouvrage. Une autre façon d'exprimer ces niveaux de compétences serait celle-ci :

1. *La sensibilisation.* Il s'agit de la connaissance d'un environnement ou d'un milieu de travail, de la connaissance générale d'un emploi ou métier, des conventions, des codes ou

règlements liés à cet emploi ou métier et de la compréhension du vocabulaire attaché à l'emploi ou au métier. Ces savoirs ont été acquis sur le terrain, par l'expérience. « Je connais, j'en ai entendu parler. »

2. *La mise en pratique d'un savoir-faire.* Dans un domaine professionnel, il s'agit de la capacité d'appliquer des règles, des conventions, des codes de règlements. Ces savoirs sont liés à un contexte d'application. L'activité exige du travailleur d'être à l'aise dans un domaine professionnel et de posséder une connaissance approfondie des « produits » (au sens large du terme), de l'administration et de l'organisation. « Je pratique, je sais faire. »
3. *La compréhension et la maîtrise.* Il s'agit de la compréhension et de la maîtrise théorique de la majeure partie du champ de connaissances. L'activité nécessite de comprendre la logique sous-jacente à l'action et les données théoriques qui permettent d'expliquer la pratique. Cette compréhension permet de transmettre ce savoir dans un contexte professionnel. « Je comprends, je maîtrise. »
4. *L'expertise.* L'activité nécessite de comprendre et de maîtriser les grands mécanismes fondamentaux et les principes d'un domaine scientifique ou technique en relation avec d'autres domaines. C'est le niveau le plus abstrait, le plus conceptuel. Cette maîtrise permet de faire évoluer le savoir et de l'enseigner à haut niveau. « Je fais évoluer, j'enseigne. »

Les emplois qui nécessitent des savoirs de référence appartenant à ces deux derniers niveaux comportent d'autres caractéristiques communes : ils font appel à des savoirs acquis hors d'un contexte professionnel (formation initiale/continue) et ils sont tenus par des personnes — ayant conscience de leurs connaissances — qui, le plus souvent, en mobilisent d'autres. Ces gens connaissent aussi le périmètre de leurs savoirs et son degré d'actualisation (processus actif d'autoperfectionnement) et transmettent leurs connaissances (capacités à enseigner).

La transférabilité des compétences

Le Boterf (2000, p. 98) estime que transférer un savoir-faire ou une compétence ne signifie pas de les transporter comme s'il s'agissait d'objets. Selon lui, on ne doit pas rechercher la transférabilité dans les compétences, les savoir-faire ou les connaissances du professionnel, mais dans sa capacité à établir des liens, à construire des connexions entre deux situations.

« Celui qui sait le mieux transposer est souvent celui qui sait, dans un domaine particulier, élever son niveau d'expertise à un point tel que sa conceptualisation en fait un point de départ possible pour une transposition à des domaines distincts. »

À la différence de l'application qui consiste simplement à mettre en pratique un apprentissage déjà réalisé, le transfert consiste, pour un sujet, à recontextualiser un apprentissage effectué dans un contexte particulier. Enfin, ce processus de transférabilité n'est pas seulement un transfert, mais bien une transposition dans un nouveau contexte. Vous trouverez, au chapitre 8, des pistes de rédaction pour mieux rédiger vos propres compétences.

Une application pratique

Le CV par compétences peut avantageusement se mettre au service des transferts de compétences. Cela dit, il est tout aussi avantageux pour les candidats au profil plus classique. Ce principe de mobilité s'applique tant sur le plan de l'insertion professionnelle que sur celui de la réorientation de carrière. Vous pouvez convoiter :

- le même type de poste
- un poste plus spécialisé avec plus de responsabilités
- un poste dans un domaine professionnel apparenté
- un nouveau poste dans un nouveau contexte

Dans tous les cas, le CV par compétences est une solution idéale. Il permet de poser sa candidature pour :

- le même genre de travail dans un contexte similaire
- le même genre de travail dans un contexte différent
- un travail un peu différent (activités associées) dans un contexte similaire
- un travail un peu différent (activités associées) dans un contexte différent
- un autre type de travail dans un contexte similaire
- un autre type de travail dans un contexte différent

Nota

Activités associées peut signifier la mise en œuvre d'une compétence issue d'une même famille de tâches (au sens élargi) et d'une compétence d'un niveau supérieur de maîtrise ou de spécialisation.

Contexte fait référence à une culture organisationnelle, à un secteur d'activité (ex. : administration) ou à un même secteur industriel (ex. : métallurgie, assurances)

Les premières questions à se poser en matière de transfert sont :

- Qu'est-ce que j'ai aimé, qu'est-ce que j'aime encore et que je suis toujours capable de faire ?
- Qu'est-ce que je ne veux plus faire même si j'en suis capable ?
- Qu'est-ce que j'aimerais faire (et que je n'ai jamais fait) et qu'est-ce qui me permet de croire que je suis capable de le faire ?

Vous trouverez des façons de procéder dans la section qui traite des méthodes de rédaction.

Techniquement parlant

Une personne peut avoir acquis des compétences dans un secteur d'activité et, après une réorientation, une formation ou d'autres événements de la vie, avoir développé des compétences dans un autre secteur. Les deux champs de compétences peuvent alors être définis successivement, simultanément ou être liés pour former une nouvelle réalité par la transformation des énoncés en fonction du projet de vie professionnelle.

À peu de chose près, il s'agit **d'inventer son poste à la mesure de son profil**. Cette démarche, quoique exigeante, donne de très bons résultats. Évidemment, le tout doit démontrer en quoi le profil répond à un besoin réel de l'entreprise. Cela implique également l'exploration préalable à la fois de soi et du marché du travail.

Exemple

Une grande amie à moi a cumulé plusieurs années d'expérience comme cadre intermédiaire. Bien que très expérimentée et très appréciée dans tous les milieux où elle a évolué, elle a décidé, après 20 ans, de s'adonner à sa passion : la rédaction. Elle a démarré son entreprise et met maintenant en valeur des compétences qui sont demeurées, une grande partie de sa vie, des compétences dites secondaires.

La disposition des postes selon la structure hiérarchique

Je l'admets, j'accorde peu d'importance aux titres de postes, même si cette donnée est valorisée tant par les postulants que par les employeurs. J'estime que les compétences sont plus significatives que le titre du poste, aussi prestigieux soit-il ! Voyons comment le CV par compétences peut avantageusement favoriser la création d'une zone conviviale entre les attentes et les besoins des employeurs et ceux des chercheurs d'emploi.

Malgré l'aplanissement des structures organisationnelles, les niveaux de responsabilités sont encore couramment définis par un niveau hiérarchique.

Les cadres supérieurs

Les compétences recherchées chez les cadres supérieurs s'apparentent aux compétences génériques. Plus une personne occupe un poste élevé, plus on fait appel à des habiletés cognitives et relationnelles, comme rallier des personnes vers un objectif commun, être en mesure de se projeter dans le temps (vision) dans une perspective à long terme et de posséder d'autres habiletés génériques en fonction des valeurs organisationnelles.

Le CV fonctionnel, qui regroupe des réalisations professionnelles en classe fonctionnelle, est adéquat pour mettre en valeur ce type de poste. Généralement, les cadres de niveau supérieur ont une feuille de route bien remplie. Le CV par compétences permet d'illustrer davantage ce qu'une personne souhaite mettre à l'avant-plan, ce que ne permet pas le CV fonctionnel. Le CV par compétences peut mettre en évidence les compétences sur lesquelles une personne mise en reléguant au second plan celles qu'elle ne désire plus mettre en pratique — même si elle les maîtrise encore.

Le personnel d'encadrement (cadres intermédiaires et personnel de supervision)

Le personnel d'encadrement veille à ce que le système fonctionne adéquatement malgré les aléas du quotidien. La perspective temporelle de ce niveau hiérarchique se situe généralement dans l'ordre de six mois à un an. Au-delà de la maîtrise des aspects opérationnels (compétences techniques appropriées), on exige des personnes qui occupent ce type d'emploi qu'elles aient des habiletés relationnelles de nature à susciter la collaboration du personnel aux opérations.

Le personnel d'encadrement doit gérer beaucoup d'informations de nature technique et humaine. On lui demande d'avoir des compétences techniques relatives au secteur d'activité tout en manifestant des habiletés relatives à la gestion du personnel. Dans le CV par compétences, deux champs de compétences peuvent être mis de l'avant : une rubrique qui traite des compétences techniques et une autre qui met en évidence des compétences en gestion.

Les professionnels

Au Québec, le professionnel est celui qui est membre d'un ordre professionnel dont le mandat est d'assurer la protection du public en certifiant la compétence de ses membres. Le Québec compte 45 ordres professionnels (www.opq.gouv.qc.ca). Les membres de ces regroupements sont les seuls à pouvoir porter certains titres ou à pouvoir placer certaines abréviations à la suite de leur nom.

Le CV par compétences est tout à fait adéquat pour l'ensemble des professionnels, qu'ils soient expérimentés ou pas. La personne d'expérience aura tendance à proposer une formulation plus générale alors que le novice rédigera ses énoncés de façon un peu plus précise. Que l'on soit dentiste, comptable, psychologue, avocat, ingénieur, conseiller en ressources humaines agréé ou technologue en radiologie, on évolue dans un champ d'activité déterminé qui s'exprime parfaitement en compétences. Il est donc tout à fait à propos de bien présenter les réalisations professionnelles, car ce sont souvent ces dernières qui rendent unique le parcours du candidat.

Le personnel technique (métier/technicien/opérateur)

Le Boterf (2000) soutient que le « professionnel » est celui qui exerce son métier avec professionnalisme. Un client peut lui faire confiance pour obtenir des réponses pertinentes dans le contexte d'une situation ou d'un problème ; le professionnel ne laisse rien échapper d'important.

La notion de métier se caractérise par un ensemble de savoirs de nature technique qui permettent de produire un travail avec professionnalisme ou « dans les règles de l'art ». Elle implique la définition d'une identité sociale et l'appartenance à un groupe (ex. : Je suis électricien, mécanicien, agent d'assurances, soudeur, technicien en administration, etc.). Tout comme les professionnels, le personnel technique détient souvent des compétences propres à un ou des secteurs d'activité. Un ou plusieurs champs de compétences peuvent donc être définis.

Le personnel aux opérations

Nous avons trop souvent associé la notion de professionnalisme au niveau supérieur alors que le personnel qui se rapproche le plus des opérations (non spécialisé ou semi-spécialisé) peut pratiquer une activité avec professionnalisme. Toute action peut se manifester avec compétence. On associe trop le personnel « journalier » à des emplois qui ne nécessitent pas la mise en œuvre de compétences particulières. Toute occupation à la production de biens ou de services peut devenir une action compétente.

La formulation des énoncés a toutefois tendance à être plus concrète. En conséquence, elle se rapproche davantage de la formulation de la description de tâches traditionnelle. Dans un contexte où la mobilité de la main-d'œuvre est en mouvance, il est parfois fort pertinent de généraliser les énoncés afin de pouvoir les utiliser dans d'autres secteurs d'activité qui demandent des actions similaires.

Le titre du poste et la fonction : vers une plus grande mobilité

Pour la majorité des clients que j'ai eu le privilège de rencontrer, l'usage d'un titre de poste a été relégué, dans la présentation du CV, au second plan, voire au troisième, quatrième ou cinquième, quant à l'ordre de la présentation. Une rubrique qui traite de l'historique d'emplois justifie que les compétences soient présentées au début du curriculum vitæ. J'estime encore que les compétences d'une personne sont plus significatives que la somme des emplois qu'elle a occupés.

Il semble que l'époque où l'importance était donnée aux titres de postes est révolue. Certes, il est bon de cibler un type de postes, mais croyez-moi, il ne faut jamais le cloisonner ! La raison en est bien simple : la terminologie associée au titre de poste varie d'une entreprise à l'autre et d'un pays à l'autre. J'estime que des compétences bien définies favorisent davantage la mobilité, à plus forte raison si l'on considère qu'une personne pourra être appelée à vivre de nombreuses reconversions professionnelles au cours de sa vie active. En fait, personne ne sait combien de fois il lui faudra changer de travail ou de profession. Mais une certitude demeure : le nombre de cas de reconversion de carrière augmente sans cesse.

En ce qui a trait au champ de compétences, de nombreux auteurs sérieux ont abordé la notion de « classes fonctionnelles ». Cette notion est conservée et transférée dans une rubrique exclusive aux compétences et n'est plus réservée seulement aux réalisations professionnelles.

CHAPITRE 6

Le curriculum vitæ par compétences

Comme tous les autres CV, le curriculum vitæ par compétences est fondé sur le postulat qu'un CV doit être **clair** et **concis**. Il doit présenter exactement et respectueusement ce que le candidat désire exprimer.

Jusque-là, le curriculum vitæ par compétences n'innove pas. Il est cependant le premier à appliquer ce principe à la lettre. En effet, sa conception implique que la personne qu'il représente sait ce qu'elle veut faire à un moment précis de sa vie. Le CV par compétences est donc préparé en fonction de **ce que vous voulez faire** et met en lumière ce qui vous permet de croire **que vous êtes en mesure de le faire**.

Un des grands principes de la rédaction d'un CV est d'écrire une information qui soit à la fois juste et bien ficelée. Le curriculum vitæ par compétences propose une terminologie qui a déjà été analysée, ce qui en facilite la préparation. Ainsi, la consigne de rédaction est de demeurer précis tout en faisant valoir en quoi vos compétences sont applicables dans un ou des milieux déterminés, en vue de l'atteinte d'un objectif.

Miroir du passé, fenêtre sur l'avenir

Selon de nombreux auteurs, à la première lecture du CV, le recruteur cherche à voir si le candidat sait se présenter. Il veut ensuite s'assurer que celui-ci possède les qualifications indispensables au profil du poste. Un curriculum vitæ ne sert pas qu'à refléter le passé, il donne de l'information sur les savoirs des candidats. Il s'agit donc de présenter les expériences afin que le lecteur perçoive rapidement le bénéfice qu'il peut retirer en vous embauchant. Quoique l'ensemble des auteurs consultés soient d'accord sur ce principe, nul ne propose une terminologie fonctionnelle qui définirait cette argumentation en fonction de l'avenir. Chacun propose une façon de définir ce que l'on a *déjà fait*, mais pas ce que l'on *peut faire*.

Le curriculum vitæ par compétences nécessite que « les candidats se donnent un projet à la fois ciblé et suffisamment souple pour maintenir une ouverture aux possibilités qui se présentent ». Si vous n'avez pas encore de projet d'emploi, pensez-y avant de faire votre CV, car le CV par compétences est toujours construit en fonction d'un projet professionnel.

La reconnaissance de la compétence

À mon avis, le terme compétence convient à la rédaction d'un curriculum vitæ, et ce, pour de nombreuses raisons. La référence aux compétences tend à devenir omniprésente dans les organisations d'aujourd'hui. Définie déjà depuis longtemps, la compétence demeure un terme à la mode : les analystes du marché du travail parlent de la *compétence de la main-d'œuvre*, les établissements d'enseignement élaborent dorénavant leurs programmes par *modules de compétences*, les personnes en réorientation font un *bilan des compétences*, les entreprises mettent au point leurs profils de postes en termes de compétences. Visiblement, le document qui répertorie les compétences est plus significatif dans des conditions prédéterminées, car sa globalité permet une zone plus conviviale.

La compétence est un terme que tout le monde connaît même si chacun le définit à sa façon. En utilisant un tel dénominateur ou terme commun, que chaque partie peut traduire à sa manière, on propose une interface de communication en situant le contexte dans lequel se déroulera la négociation, ce qui permettra subséquemment d'enclencher le processus de la reconnaissance.

Jacques Aubret (1993) propose aux entreprises un concept de compétences opératoire, à la fois contingent et rigoureux. Il précise que nous avons besoin d'un construit social appelé compétence, lequel définit les capacités des individus, a un caractère prédictif, intègre des modalités variées, identifiables et utilisables dans différents contextes de gestion.

Chose certaine, tout le monde a quelque chose à dire sur les compétences. Nous sommes tous compétents pour quelque chose. D'ailleurs, ne pas être reconnu comme compétent, c'est presque admettre être inutile socialement. Le terme compétence favorise la discussion et est suffisamment global pour inclure beaucoup d'informations de nature professionnelle tout en favorisant une interface de communication entre les besoins d'un employeur et ceux de la personne qui veut obtenir un poste.

Les principes du curriculum vitæ par compétences

Le tableau suivant illustre les principes sur lesquels se fonde ce type de curriculum vitæ.

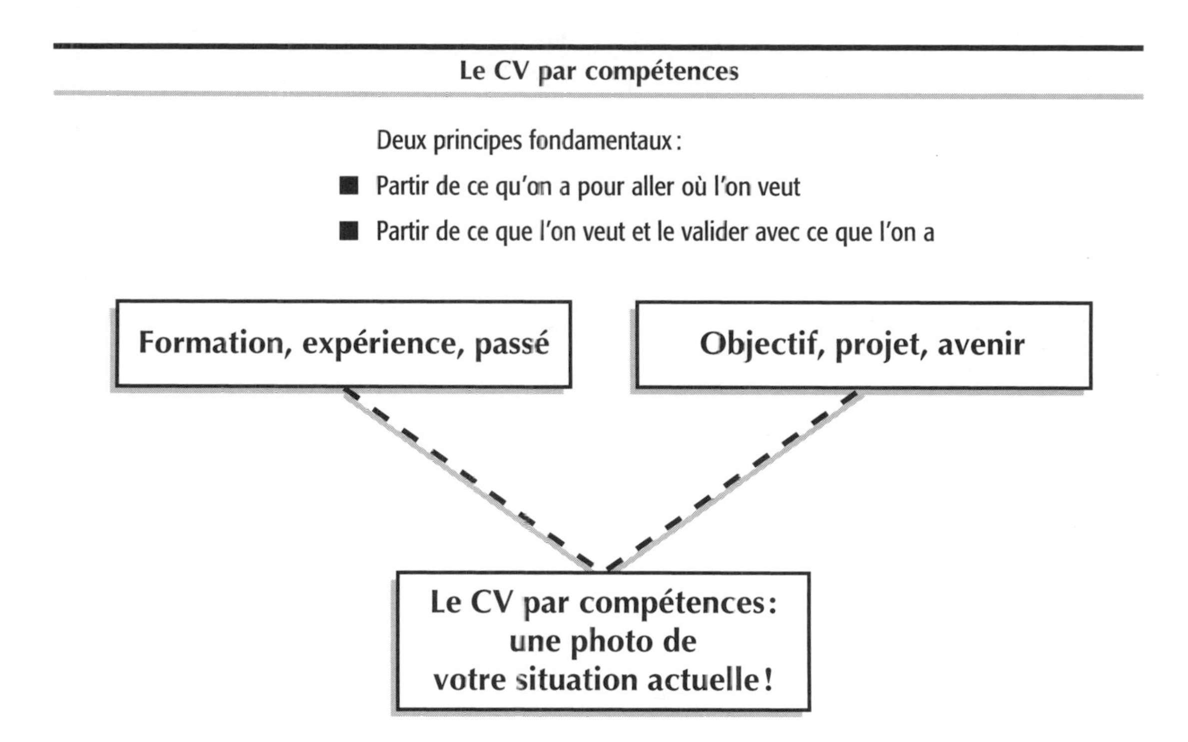

CHAPITRE 7

Rédigez votre CV à l'aide du répertoire de compétences

Nous retrouvons fréquemment des **verbes d'action** dans les CV. D'ailleurs, les répertoires de professions consultés désignent les professions en fonction d'un titre de poste et décrivent les compétences en débutant par un verbe d'action. En conséquence, les énoncés sont précisés dans un cadre plus ou moins cloisonné.

Comme nous l'avons vu dans les pages qui précèdent, le **savoir-faire d'exécution** est le degré le plus élémentaire de la compétence. C'est le genre de tâche que nous attribuons souvent aux métiers dits non spécialisés. Moins une tâche est complexe, plus sa description est axée sur une action encadrée. De façon générale, on utilise le verbe à l'infinitif. L'énoncé est donc décrit en fonction de l'action.

Certains se sentent plus à l'aise dans des emplois à prescription stricte où les règles sont définies. D'autres préfèrent les prescriptions ouvertes où ils peuvent faire preuve de latitude dans leurs décisions. Peu importe, pourvu que vous soyez en mesure de démontrer que vous pouvez faire avec professionnalisme ce que vous prétendez être capable de faire.

La Classification nationale des professions (CNP) a l'avantage d'être descriptive et nuancée. Toutefois, elle s'avère parfois complexe pour des non-initiés. Il est plus facile pour certaines personnes de se définir par rapport à une formule plus générique, car elles peuvent interpréter le sens de l'exposé selon leur cadre de référence sans être gênées par des précisions qui ne leur conviennent pas.

Dans un CV par compétences, la règle est de généraliser le plus possible et de ne donner de précisions que lorsqu'il s'agit d'une donnée distinctive présentant une « valeur ajoutée » au candidat.

Je peux détenir des compétences en mécanique industrielle. Il s'agit d'une **généralité**. Toutefois, je peux avoir des connaissances très spécifiques quant à un type de machinerie ou à un procédé. C'est une **précision**. Si cette compétence est très recherchée par les entreprises cibles, il sera pertinent de faire cette précision.

Les verbes et les noms

Sur le plan de la terminologie, les énoncés de compétences que présente cet ouvrage commencent par un nom, et ce nom représente une action. Contrairement à un verbe qui se limite dans le temps (selon qu'il est employé au présent, au passé, au futur, au conditionnel, etc.), l'utilisation d'un nom fixe l'action sans égard au temps. Ainsi, on ne peut plus déterminer si l'énoncé appartient au passé, au présent ou à l'avenir. De plus, puisque les noms ont un aspect statique, la situation qu'ils décrivent s'en trouve généralisée ; cela suscite l'intérêt du lecteur, qui voudra en savoir plus.

En utilisant, au début de l'énoncé, un nom qui représente une action, on fait en sorte que l'énoncé soit rédigé en fonction de l'activité à réaliser. Plus l'activité est complexe, plus la marge de manœuvre d'action est large et est laissée au jugement de celui qui exécute.

L'utilisation du nom donne l'impression que le discours est plus générique et plus adaptable à toute situation. Par exemple, un énoncé comme « Faire fonctionner une rectifieuse » laisse entendre que le candidat n'a su faire fonctionner qu'une seule machine dans un seul type d'industrie, alors qu'un énoncé comme « Opération de machines-outils » suggère que le candidat est capable de faire fonctionner nombre de machines dans différents contextes.

Curieusement, la publicité des entreprises présente l'information par des énoncés qui débutent par un nom. Ces « produits-services » ont alors une connotation qui s'apparente à une sphère d'activités, un domaine dans lequel s'applique la compétence. Elle met ainsi en relief une approche davantage axée « sur le produit livrable » que sur l'action qui mène à la livraison de ce produit.

Ainsi, l'approche du CV par compétences tend à orienter les compétences vers une sphère d'activités livrables. À cet égard, elle privilégie une approche axée sur l'activité à réaliser plutôt que sur l'action qui y mène ; cela sous-tend que le candidat choisira l'action appropriée selon le contexte. J'estime que cette façon de procéder favorise une meilleure communication entre le candidat et l'employeur potentiel.

De plus, comme nous le verrons au chapitre 10, traitant de l'emploi à l'heure du Web, l'ensemble des moteurs de recherche utilise davantage le nom que le verbe.

Exemples d'énoncés de tâches et d'énoncés de compétences

TÂCHES	COMPÉTENCES
Charger et décharger les camions Disposer la marchandise sur les étalages Étiqueter les articles Assurer la rotation des stocks Entretenir l'aire de travail	**Manutention de marchandises**
Accueillir la clientèle Répondre à ses questions Diriger les clients vers le service approprié Écouter les plaintes et prendre les mesures nécessaires à la correction de la situation	**Service à la clientèle**

Ce type de présentation, plus global, permet aux candidats de préciser les renseignements au cours d'une entrevue (par exemple, pour les tâches reliées à la compétence) tout en fournissant une information synthétisée, complète et concise. Cette façon de procéder démontre également que le candidat a fait sa propre analyse et que ce type de CV a suscité chez lui une bonne réflexion ; ainsi il est perçu comme un candidat qui sait ce qu'il veut et peut faire.

La rédaction d'un énoncé

De façon générale, un énoncé de compétence est composé d'une action, d'un objet sur lequel porte l'action et d'un contexte de réalisation. Certes, il ne s'agit pas d'une règle absolue, mais je vous recommande de garder ces éléments en tête. Vous pourrez ainsi, à coup sûr, rédiger des énoncés **complets**.

Maintenant, doit-on parler de « compétence » ou de « compétences » ? Sachez que la définition de la compétence dépend largement du contexte et du point de vue. Le mot « compétence » résulte d'une construction mentale invoquée pour expliquer des réalisations personnelles, sociales et professionnelles, ainsi que pour démontrer l'efficacité et la performance de certaines personnes dans des situations ou pour des activités déterminées. Il n'y a donc pas plus de réalités au singulier qu'au pluriel.

Dira-t-on…

- « Traiter une plainte » ou « Traitement de plaintes » ?
- « Rédiger un rapport » ou « Rédaction de rapports » ?
- « Nettoyage d'un chantier » ou « Nettoyage de chantiers » ?
- « Établissement d'une méthode de travail et d'un horaire » ou « Établissement de méthodes de travail et d'horaires » ?
- « Rédaction d'un rapport de production » ou « Rédaction de rapports de production » ?

L'emploi du pluriel, plus concret, rend mieux compte que le singulier de la **diversité** des réalisations professionnelles pour lesquelles on cherche à définir un savoir ou savoir-faire « en usage ». L'emploi du singulier tend à généraliser l'énoncé par son degré d'abstraction, alors que l'emploi du pluriel tend à encadrer l'énoncé dans des structures plus définies. Le singulier est pratique pour illustrer l'aspect générique des compétences, alors que le pluriel illustre davantage ses aspects plus particuliers. Alors soyez concret, utilisez le pluriel !

Quelques voies méthodologiques

Les méthodes qui suivent mènent toutes au même but malgré leurs variantes. Il s'agit de dégager vos compétences en vue de les mettre en lumière pour un poste convoité. Ces méthodes sont fréquemment employées en orientation professionnelle ou dans des approches qui traitent de la reconnaissance des acquis et du portfolio.

Inspirez-vous-en pour construire les modèles qui rendent compte à la fois de la compréhension des situations vécues et des pratiques professionnelles. Il ne s'agit pas de décrire (comme le fait une description de tâches) mais bien d'expliquer, de reformuler en termes généralisables, de procéder à un travail d'élaboration théorique qui mettra en vedette vos savoirs pragmatiques.

Ces méthodes ont les buts suivants :

- Se dégager de « l'effet de contexte », c'est-à-dire conserver « ce qui reste stable quand tout change »
- Gagner en généralités en acceptant de perdre des détails
- Construire des modélisations qui s'appliquent à une famille de situations

Dans tous les cas, il est essentiel de se donner des « règles d'arrêt ». Allez à l'essentiel, n'indiquez que les exigences professionnelles principales sans construire des listes interminables de tâches et de critères d'orientation. Pour vous aider, n'hésitez pas à utiliser les énoncés de compétences que vous trouverez au chapitre 7.

Méthode 1 : le CV portfolio

Cette approche, une sorte d'autoportrait, reflétera vos compétences actuelles et celles que vous comptez acquérir. Le CV portfolio doit révéler ce que vous êtes, ce que vous avez à offrir et ce à quoi servent vos compétences. Il se construit en trois étapes :

1. Faites l'inventaire de l'ensemble de vos cours et expériences de travail tout en dégageant les acquis pour chacun d'eux.

2. Classez vos acquis par catégorie indépendamment des expériences (faites des classes fonctionnelles).

3. Regroupez, synthétisez ou fusionnez les énoncés.

Quel style professionnel se dégage de ce portrait ? Quel est votre « couleur personnelle » ? À partir de ces questions, interrogez-vous sur vos aspirations professionnelles. Quel chemin voulez-vous parcourir ? Où souhaitez-vous que ce chemin vous mène ? Le portfolio constitue un portrait de ce que vous êtes actuellement. Il est normal que certaines de ses parties soient plus riches que d'autres, car il constitue une synthèse du chemin parcouru à ce jour.

Méthode 2 : l'intégration appliquée

L'intégration unit les éléments dans un rapport d'interdépendance afin de former un système nouveau et cohérent. Il s'agit de réunir et de coordonner de façon harmonieuse des choses d'apparence détachée et indépendante.

- Définissez votre objectif professionnel ou le défi que vous désirez relever.
- Brossez le portrait idéal des compétences de la personne qui relève ce défi.
- Faites l'inventaire de ce que vous avez acquis en matière de formation et d'expérience.
- Relevez et mettez en ordre de priorité les savoirs et savoir-faire qui seraient pertinents, utiles ou nécessaires et que vous pourriez mettre à contribution dans ce travail.
- Confrontez vos acquis et votre idéal.
- Dressez un plan pour pallier ce qui vous manque, c'est-à-dire les qualités ou compétences à acquérir.

Méthode 3 : le récit professionnel

Cette approche unit des données objectives et subjectives d'événements actuels et passés. En premier lieu, il fonctionne sur un mode spontané et subjectif. En second lieu, on dégage les éléments de compétence par un processus de systématisation et d'objectivation.

- Établissez les thèmes suivant lesquels vous désirez raconter votre expérience. Vous pouvez en faire des chapitres que vous pouvez formuler de façon imagée.
- Procédez à la narration en suivant spontanément votre instinct.
- Analysez votre récit en notant les qualificatifs utilisés (subjectifs, objectifs) ainsi que les facteurs de satisfaction et d'insatisfaction.
- Dégagez les significations personnelles de ces observations et projetez-les dans un idéal professionnel.
- Énumérez les moyens que vous prendrez pour atteindre cet objectif.

Méthode 4 : la formule simplifiée

Destinée aux situations urgentes (qui se produisent de plus en plus !), la formule simplifiée vous mènera directement au but. Il s'agit d'utiliser les énoncés de compétences qui suivent : recensez celles qui vous sont nécessaires pour occuper les fonctions auxquelles vous aspirez et rapportez-les dans votre ou vos champs de compétences en distinguant les compétences essentielles des compétences accessoires.

Votre démarche doit être empreinte d'**intégrité**. Vous devrez inévitablement, un jour ou l'autre, démontrer ce que vous avancez dans votre CV. Se rendre en entrevue, c'est bien. Convaincre votre interlocuteur et « livrer la marchandise » lorsque vous serez en poste, c'est mieux !

Les énoncés de compétences : le répertoire de la Classification nationale des professions (CNP) et les exemples de validation

Cette banque d'énoncés de compétences repose sur la Classification nationale des professions (CNP). En m'appuyant sur ce répertoire, il m'a été possible de passer en revue l'ensemble des professions tout en évitant de les recouper. De plus, les utilisateurs bénéficieront d'un accès plus rapide aux données de base, en cas de besoin. J'invite donc toutes les personnes intéressées à consulter cette classification ou à consulter d'autres ouvrages de référence pour plus de précision sur la nature des professions et des métiers. Vous trouverez le nécessaire à l'adresse suivante : www23.hrdc-drhc.gc.ca/2001/f/generic/welcome.shtml.

Le code à trois chiffres employé pour identifier les secteurs professionnels représente les sous-groupes professionnels de la CNP. Dans le but d'alléger la présentation, j'ai utilisé le titre des postes (qui représente les groupes de base) sans y inclure leur code CNP.

Le répertoire proposé dans cet ouvrage n'a pas la prétention de remplacer les énoncés de la CNP. Il en est tout au plus une adaptation qui permet de synthétiser les énoncés en présentant l'aspect générique des compétences. Cette façon de procéder permet à ceux qui l'utilisent de s'approprier les compétences en complétant les énoncés ou en les modifiant en fonction de leur histoire personnelle.

Le but visé est de présenter des données « génériques » au sens applicable du terme. Ce type de présentation tente d'attirer l'attention du lecteur en donnant, en premier lieu, suffisamment d'information sur la pertinence de la candidature et en provoquant, en second lieu, un questionnement ou un intérêt qui incitera l'employeur potentiel à rechercher des renseignements complémentaires au moment de l'entrevue.

Ces énoncés de compétences se veulent un guide, une source d'inspiration, une amorce qui vous permettra de pousser plus loin votre démarche en y ajoutant votre touche personnelle. Dans tous les cas, vous êtes convié à faire preuve de créativité, et ce, même si cela ne convient pas tout à fait à ma conception théorique de la chose. C'est vous qui aurez à débattre de votre petit chef-d'œuvre !

Les affaires et l'administration

Cette catégorie comprend les professions qui touchent à la gestion, à la supervision et à la prestation de services financiers et d'affaires, de services administratifs ainsi que de réglementation et de services de soutien administratif. Quelques-unes des professions classées dans cette catégorie appartiennent uniquement aux industries de la finance et des affaires ; la plupart se retrouvent dans les secteurs industriels (CNP, 1995).

Les cadres supérieurs, la direction et le personnel d'encadrement

La première édition soulignait une grande similitude entre les compétences exigées dans les différentes activités assurées par le personnel d'encadrement. En effet, plus le niveau de supervision est vaste et étendu, plus les compétences mobilisées sont d'ordre générique.

En règle générale, on reconnaît au personnel d'encadrement sa connaissance du secteur d'activité et des processus. Il est fréquent de trouver au moins deux champs de compétences, l'un relatif aux compétences liées à la supervision et l'autre, à l'appartenance à un domaine de connaissance technique.

Pour faciliter la tâche aux cadres supérieurs, aux directeurs et au personnel d'encadrement, j'ai regroupé l'ensemble des actions et leur ai accolé le complément d'information qui permet de définir la compétence de façon plus concrète. Pourquoi ai-je fait ce choix ? Pour une raison très simple : les secteurs d'activité dans lesquels travaille le personnel d'encadrement sont presque aussi nombreux que les entreprises elles-mêmes !

Afin de vous présenter des données à la fois génériques et applicables, je me suis limité aux actions que pose l'ensemble du personnel de direction. Vous devrez évidemment compléter et préciser vos énoncés avec des connaissances propres à votre ou vos secteurs d'activité. À cet égard, vous pouvez vous inspirer des milliers d'énoncés de compétences qui vous sont proposés dans les prochaines pages.

La CNP couvre bon nombre de secteurs :

- L'administration publique
- Les services financiers
- Les télécommunications
- Les services aux entreprises
- Le secteur de la santé
- L'enseignement
- Les services communautaires et sociaux
- Le commerce

Cela dit, pour faire l'exercice de façon rapide et efficace, oubliez le secteur d'activité. Après tout, le personnel d'encadrement peut se spécialiser dans des domaines comme la finance, le marketing, les ressources humaines et la vente d'un produit particulier ou la prestation d'un service déterminé.

Vous le constaterez rapidement : les possibilités sont **infinies**.

4 étapes toutes simples pour modeler une compétence selon votre situation

1. Utilisez une action inscrite dans la première colonne.
2. Terminez cette action par un ou des compléments (objets). Cette « matière première » vous permettra de dresser une première liste de compétences.
3. Soyez créatif ! Personnalisez votre énoncé lorsque nécessaire et fusionnez-le avec d'autres, puis dégagez les meilleurs. La meilleure formulation viendra avec un peu de travail et de polissage.
4. Terminez le tout, lorsque nécessaire, par un contexte de réalisation. Le tour est joué !

Je vous rappelle qu'il est important de s'imposer des **règles d'arrêt** en distinguant l'essentiel de l'accessoire. N'allez pas inutilement dans le détail ! N'hésitez pas à consulter les milliers d'énoncés de la CNP ou d'autres ressources pour compléter vos énoncés.

Les cadres supérieurs

ACTIONS	OBJETS SUR LESQUELS PEUT PORTER L'ACTION	CONTEXTES DE RÉALISATION
Établissement	• des objectifs de l'entreprise, des objectifs de l'organisation • des principaux services de l'organisation • des contrôles administratifs et financiers	
Formulation Approbation	• des politiques, des programmes • des procédures • des campagnes de promotion	
Création	• des postes de niveau supérieur	
Allocation	• des ressources financières nécessaires	• à la mise en œuvre de politiques et programmes
Approbation	• des plans d'ensemble	• en matière de gestion de ressources humaines
Sélection	• des cadres intermédiaires (ou gestionnaires intermédiaires), des directeurs, du personnel administratif (exécutif)	
Coordination	• du travail dans les régions, des divisions ou des services de l'organisation	
Représentation	• de l'entreprise, de l'organisation	• lors de négociations officielles

Le personnel de direction

ACTIONS	OBJETS SUR LESQUELS PEUT PORTER L'ACTION	CONTEXTES DE RÉALISATION
Planification Organisation Direction Contrôle Surveillance	• des opérations d'un service, d'une division de (comptabilité, vérification...), d'une banque • des activités (des ressources humaines, du personnel, d'achats, scolaires, de la Faculté) • de l'exploitation de services-conseils • de la prestation des services, de l'exécution de programmes • de l'élaboration des projets de recherches...	• en matière de (gestion de personnel, études de marchés, publicité, sécurité, soins de santé, etc.)
Planification Prévision	• des besoins en ressources humaines • des ressources budgétaires nécessaires aux opérations	• de concert avec les directeurs des différents services de l'entreprise
Gestion	• du fonctionnement et des activités de...	
Participation à Élaboration Mise en œuvre Mise en application Établissement	• des opérations, des procédures et des systèmes (ex. : financiers) • des politiques et procédures (de relations de travail, de services) • des principes directeurs régissant la mise au point, l'exploitation et le soutien des services de... • des normes et des directives pour l'exécution des travaux (d'ingénierie, d'architecture, des tâches scientifiques, etc.) • des plans pour les nouveaux programmes, des projets spéciaux, des projets d'acquisition • des programmes visant à assurer l'utilisation efficace des matériaux, de la main-d'œuvre et de l'équipement	• dans le domaine de...
Élaboration	• des spécifications en ce qui concerne l'équipement, les produits et le matériel • des systèmes d'évaluation afin de surveiller la prestation des services	
Développement	• des politiques (ex. : d'achat)	
Direction Coaching Encadrement	• des employés, du personnel, des membres de l'équipe • de professionnels (préciser le type de professionnels)	• dans la gestion des dossiers, des installations, de la finance, des achats, des ressources humaines, aux stratégies de ventes et de marketing
Coordination Direction	• des activités de formation internes et externes • des activités de recrutement, d'enseignement, de recherche • des tâches du personnel d'encadrement • des activités tenues entre les différents services concernés • du service ou des groupes d'études	
Négociation Supervision de la négociation	• de conventions collectives • auprès des fournisseurs (équipement, matériel, service) • des contrats d'achat	
Réalisation Participation	• des (aux) entrevues d'embauche	

Le personnel de direction (suite)

ACTIONS	OBJETS SUR LESQUELS PEUT PORTER L'ACTION	CONTEXTES DE RÉALISATION
Planification Administration Contrôle	• budgétaire (des fournitures, de l'équipement, des contrats de services, etc.) • des budgets réservés aux différents programmes ou services	
Préparation Coordination de la préparation	• des états financiers et d'autres rapports d'analyse et de gestion financière • des rapports financiers mensuels et des rapports sur l'évolution de la succursale	
Rédaction	• de rapports et de documents d'information	• à l'intention des comités de gestion
Préparation Administration	• des programmes (de perfectionnement, de la santé et sécurité) • d'organisations syndicales, d'associations de gens d'affaires ou de professionnels) • des budgets sous ma responsabilité	
Assistance-conseil	• auprès des autres directeurs en matière de politiques, de programmes du personnel • auprès des recherchistes, des experts-conseils, des professionnels, des hauts fonctionnaires • du personnel dans la résolution de problèmes d'ordre administratif ou technique	
Classification Évaluation	• des postes, du personnel sous ma responsabilité	
Analyse Évaluation	• des systèmes d'information financière, d'activités, de procédés • des installations, des services d'opération et d'entretien de... • des programmes, des méthodes et de la participation	
Proposition Formulation	• de mesures d'amélioration des méthodes de travail • de recommandations en vue d'améliorer le processus	
Organisation Animation	• de réunions, de comités de travail, d'équipes de travail, de conseils d'administration	• dans le contexte de, en matière de...
Application	• des règles et des procédures • de la réglementation	• conformément aux lignes directrices établies, en vigueur
Conception Élaboration Inspection	• des projets techniques, des travaux scientifiques (on trouve ce genre d'énoncé dans les secteurs relatifs aux sciences appliquées)	
Affectation	• des ressources de façon efficace	
Représentation	• de la société dans le contexte de réunions avec des autorités gouvernementales, à des tables de concertation régionale, dans les médias	
Recommandation et approbation	• des nominations du personnel	

Le personnel de supervision

ACTIONS	OBJETS SUR LESQUELS PEUT PORTER L'ACTION	CONTEXTES DE RÉALISATION
Planification	• des activités • des calendriers • des besoins en équipement • des moyens de transport • des horaires • des besoins en ressources humaines	• en respectant les budgets, les échéances, les commandes
Coordination	• des activités de production, d'expédition, de réception • des moyens de transport • du travail, des travaux de... (entre différentes divisions) • de différents services • des équipes de projet • des horaires de travail	• dans un contexte de « juste-à-temps »
Surveillance	• des opérations, de l'application de règlements (ex. en santé et sécurité) • de chantier	
Supervision	• des ressources humaines (travailleurs, équipes, personnel de..., ouvriers) • des opérations, des activités de... • de l'implantation de..., de la division de...	
Organisation	• des opérations de... • des activités de...	• dans un contexte de « juste-à-temps » • selon les normes et procédures
Répartition Attribution	• des tâches, du travail	
Établissement Élaboration Définition Instauration Mise en place	• des horaires de travail • des normes de qualité • des méthodes de production • des méthodes de travail	• en fonction de calendriers de production • en fonction d'échéances de livraison
Recommandation	• de mesures préventives, correctives • de mesures d'amélioration des processus, des méthodes de travail	• en matière de productivité, de santé et sécurité, de gestion de personnel • reliées aux méthodes de production • en fonction de...
Contrôle	• des opérations, des processus, de la sécurité, des délais dans l'application de la qualité, des procédures administratives ou budgétaires	
Embauche Formation	• des ressources humaines (travailleurs, équipes, personnel de..., ouvriers)	• sur le plan de l'accueil, de la santé et sécurité • dans les nouveaux postes de travail • dans l'intégration de... • dans le contexte de la formation à la tâche

Le personnel de supervision (suite)

ACTIONS	OBJETS SUR LESQUELS PEUT PORTER L'ACTION	CONTEXTES DE RÉALISATION
Participation	• à des comités spéciaux • aux réunions interdisciplinaires ou multidisciplinaires • aux réunions de production, de planification • aux équipes de projets • au comité de santé et sécurité • au comité de formation • à la formation	
Commande Réquisition	• de matériel, de fournitures, d'outillage (peut être comparé à la gestion des inventaires)	• selon les procédures en vigueur
Application	• des conventions (collectives) • des règlements touchant le... • des normes et procédures administratives	• de sécurité • de l'entreprise
Rédaction Préparation	• de rapports de • de rapports variés • de procédures	• production • d'assiduité • de vérification

Exemples de formulation de compétences dans différents secteurs

- Surveillance et coordination des activités d'opérations forestières
- Supervision de chantier
- Surveillance des activités de scarification, de plantation et de contrôle de la végétation
- Prévision des équipes de travail, de l'équipement et des moyens de transport sur différents chantiers
- Recommandation de mesures d'amélioration des méthodes de travail
- Modification des méthodes de travail en fonction de la sécurité et des conditions de travail
- Application des règlements gouvernementaux
- Participation à des comités interdisciplinaires quant aux plans, aux méthodes de coupe des arbres et de la gestion des forêts
- Rédaction de rapports de production
- Embauche et formation des travailleurs

Des validations

Vous trouverez ci-dessous des compétences réelles formulées par des superviseurs évoluant dans le secteur secondaire. Inspirez-vous de ces exemples et complétez les énoncés par des énoncés propres à votre secteur. Vous le verrez, quand on supervise, quand on coordonne, quand on dirige, les compétences finissent par se ressembler par leur aspect générique. Prêt ? Allez-y !

Validation

Diane Meunier, surveillante dans la fabrication des produits en caoutchouc et en plastique

- Surveillance, coordination et programmation des activités des ouvriers
- Établissement des méthodes de production et mise en place de procédures d'amélioration continue
- Coordination des activités entre les diverses divisions impliquées
- Réquisition des matériaux et fournitures
- Participation à la formation du personnel
- Rédaction de rapports de production et autres rapports
- Préparation de la machinerie et du matériel

Validation

Suzanne Laplante, surveillante dans la fabrication d'appareils électriques

- Surveillance, coordination et programmation des activités des travailleurs (de montage, de vérification ou de fabrication)
- Établissement des méthodes de travail en fonction des échéances de livraison et de la coordination interdivisionnelle
- Résolution de problèmes et soumission de recommandations
- Réquisition des matériaux et des fournitures
- Participation à la formation des travailleurs sur le plan des normes de sécurité et des politiques organisationnelles
- Rédaction de rapports variés
- Mise au point de la machinerie et du matériel

Validation

Michel Di Cesare, surveillant dans la fabrication d'autres produits métalliques et de pièces mécaniques

- Supervision, coordination et planification des activités des travailleurs
- Établissement des méthodes de travail en fonction des calendriers de production
- Proposition de l'adoption de mesures d'amélioration continue
- Commande de matériaux et de fournitures
- Participation à la formation du personnel
- Recommandation de mesures en gestion du personnel
- Rédaction de rapports de production et d'autres rapports
- Installation de la machinerie et de l'équipement

Validation

Linda Charette, surveillante dans la transformation des produits textiles

- Supervision, coordination et établissement des horaires de travail et de la production
- Établissement des méthodes de travail selon les échéances de production
- Coordination des travaux conjointement avec les autres divisions
- Soumission de recommandations de mesures préventives ou correctives (productivité, qualité, gestion du personnel)
- Réquisition de matériaux et de fournitures
- Rédaction de rapports de production et autres rapports

Validation

Agnès Germain, superviseure de commis administratifs

- Coordination, répartition et supervision du travail de bureau et du service à la clientèle
- Gestion des horaires de travail
- Coordination du travail en collaboration avec les autres services
- Élaboration de procédures de travail
- Tenue des inventaires relatifs aux fournitures
- Embauche, intégration et formation du nouveau personnel
- Rédaction et présentation des rapports à la haute direction

111 ➡ Les professionnels en finance, en vérification et en comptabilité

Vérificateur

- Vérification et analyse des livres comptables
- Rédaction de rapports de vérification et présentation de recommandations

Validation

Germaine Desrosiers, vérificatrice et conseillère en développement organisationnel (111-112)

- Finance et administration
  - Planification, organisation, direction et contrôle des opérations comptables et financières
  - Préparation des états financiers, des prévisions budgétaires et rédaction de rapports
  - Calcul des prix de revient et détermination des procédures de contrôle
  - Assistance-conseil dans le domaine de la comptabilité et de la fiscalité
  - Évaluation des procédés administratifs, soumission de recommandations et implantation de correctifs
- Développement organisationnel
  - Analyse de besoins, diagnostic et formulation de recommandations dans les domaines de la structure et de la culture organisationnelles, de l'organisation du travail ainsi que de l'ouverture et l'élargissement de marchés
  - Gestion des processus de changement et de résolution de problèmes organisationnels
  - Solide connaissance des lois, des réglementations et des enjeux socio-économiques, municipaux et régionaux
  - Élaboration de stratégies d'exportation
  - Sélection et analyse des indicateurs de rendement
- Relations publiques et ressources humaines
  - Représentation pour les entreprises et négociation auprès d'autorités décisionnelles municipales, régionales et provinciales
  - Élaboration et implantation de stratégies de promotions corporatives (domaines économique, entrepreneurial et social)
  - Embauche, formation et supervision du personnel

Comptable

- Conception et administration de systèmes comptables
- Préparation des états financiers et des déclarations de revenus
- Calcul des prix de revient
- Mise en place de procédures de vérification interne

Validation

Martin Cloutier, comptable (111)

- Gestion
  - Planification et coordination de la production
  - Calcul du prix de revient
  - Contrôle des inventaires (gestion des approvisionnements et des stocks)
  - Gestion des ressources humaines
  - Suivi des commandes
  - Interprétation des lois fiscales et du droit des affaires
- Administration
  - Analyse et préparation des états financiers
  - Solde de comptes clients et de comptes fournisseurs
  - Traitement de la paie
  - Calcul de remises gouvernementales (TPS, TVQ, DAS et autres)
  - Achats et facturation
- Informatique
  - Comptabilité : Bedford, Fortune 1000, Génie comptable, ACCPAC, Daccasy, dBase, Lotus 1-2-3
  - Fiscalité : Logitax, Hometax

Analyste financier

- Étude des indicateurs économiques
- Recueil et analyse des données financières et de placements (actions, obligations, rendement, tendances)
- Émission de recommandations
- Rédaction de prévisions économiques des entreprises

Agent de placement

- Achat et vente d'actions, d'obligations, de bons du Trésor, de fonds communs de placement et d'autres valeurs
- Étude de périodiques financiers, de rapports et de publications commerciales
- Assistance-conseil sur le rendement des investissements

Courtier

- Achat et vente d'actions, d'obligations, de biens et de devises
- Élaboration de stratégies commerciales

- Surveillance des conditions du marché sur le parquet de la Bourse
- Conclusion des détails de vente de billets de change commerciaux

Planificateur financier

- Étude et analyse de besoins et définition des objectifs financiers des clients
- Élaboration de plans financiers et émission de recommandations en gestion de portefeuille (investissement, retraite, succession)

Vérificateur financier

- Vérification de documents bancaires ou provenant d'autres institutions financières
- Analyse de conformité selon les lois et règlements
- Application des normes éthiques en matière de valeurs mobilières

Preneur ferme

- Souscription d'émission d'actions ou d'obligations
- Détermination de la catégorie des nouveaux titres émis
- Préparation des brochures d'émission

Agent de fiducie

- Administration des successions
- Gestion des comptes fiduciaires

112 ➡ Les professionnels en gestion des ressources humaines et en services aux entreprises

Professionnel ou conseiller en ressources humaines

- Élaboration, application et évaluation de politiques, de programmes et de procédures en ce qui a trait au personnel et aux relations de travail
- Assistance-conseil auprès des cadres et des employés sur l'interprétation des politiques
- Négociation de conventions collectives
- Arbitrage et médiation ; gestion de griefs
- Préparation et classification des postes de travail et des barèmes salariaux
- Administration des différents régimes et tenue de dossiers

- Évaluation de rendement
- Recommandation de modifications aux différentes politiques

Validation

Louis-Simon Meilleur, conseiller en ressources humaines (112)

- Rôle-conseil auprès des gestionnaires
- Communication avec les représentants syndicaux dans un contexte de gestion participative
- Mise en place de services des ressources humaines
- Mise en place de procédures visant à améliorer les réseaux de communications internes
- Planification et coordination des mouvements de main-d'œuvre dans un contexte « juste-à-temps » de gestion des stocks
- Coordination du processus de recrutement (analyse de CV, entrevue de sélection, etc.)
- Administration de tests de sélection (français, vitesse, classement) pour personnel administratif
- Négociation de conventions collectives
- Description de tâches et profil de compétences
- Évaluation des besoins en formation
- Participation à des ateliers et à divers comités ou animation de ces ateliers ou comités

Validation

Doris Masson, conseillère en relations de travail

- Relations de travail
  - Suivi de l'application et interprétation de conventions collectives selon les lois et la réglementation régissant le travail
  - Gestion des plaintes et participation aux négociations en cas de conflits ou de griefs selon les normes et les procédures
  - Coordination et suivi auprès des autorités en cause
  - Recherche d'information et préparation de dossiers
- Coordination, administration et secrétariat
  - Tenue d'agenda et planification logistique (convocation, réservation et soutien technique) au moment des réunions, des congrès et des assemblées
  - Accueil, réception et diffusion d'information auprès de membres syndicaux
  - Rédaction de rapports, de procès-verbaux et de correspondance variée
  - Comptabilité générale et analyse statistique

Professionnel ou conseiller en gestion

- Analyse des méthodes de gestion et de l'organisation du travail
- Évaluation de l'efficacité des politiques et des programmes de gestion
- Recommandation de correctifs d'amélioration
- Planification et réorganisation des opérations
- Coordination des équipes affectées aux différents projets

Validation

Samuel Desmarais, conseiller en redressement et parrainage de PME

- Production
  - Planification et coordination de la production
  - Calcul du prix de revient
  - Maximisation des procédés et de l'organisation du travail (description de poste, temps et mouvement)
  - Distribution et suivi des commandes
  - Contrôle de la qualité et amélioration continue
  - Entreposage, transport et gestion des stocks
- Gestion
  - Repérage de situations problématiques
  - Analyse des méthodes de gestion, des procédures administratives et interprétation de bilans financiers
  - Élaboration et mise en application de solutions correctives
  - Implantation de systèmes informatisés
  - Rédaction de cotations, évaluation de soumissions et sélection des fournisseurs
  - Négociation d'ententes auprès de diverses autorités (banques, fournisseurs, créanciers) et rétablissement de crédit
- Ressources humaines
  - Analyse de rendement
  - Formation, motivation et mobilisation du personnel
  - Méthode de communication organisationnelle
  - Gestion de conflit, travail d'équipe et médiation patron-employés
- Service à la clientèle
  - Traitement et gestion des plaintes
  - Prospection et gestion de comptes importants
  - Mise en marché : études et mise au point de stratégies

Validation

Mylène Mantha, conseillère junior en développement organisationnel (111-112)

- Facilitation des processus de changement ou de résolution de problèmes organisationnels
- Analyse des besoins et formulation de diagnostics touchant la structure et la culture organisationnelles ainsi que l'organisation du travail
- Planification de la main-d'œuvre (demande de travail et état de la main-d'œuvre)
- Production de prototypes de tableau de bord de gestion (détermination d'indicateurs de rendement pertinents pour l'organisation)
- Maîtrise des logiciels de l'environnement Windows (Microsoft Word et Excel)

Conseiller en publicité

- Évaluation des caractéristiques de produits ou services et de besoins en publicité
- Assistance-conseil en matière de stratégies de promotion des ventes
- Conception et mise en œuvre de campagnes publicitaires

Validation

Jocelyne Melançon, conseillère en planification et gestion de projets publicitaires et promotionnels (112-122)

- Production publicitaire
  - Planification et supervision des études de marché
  - Élaboration de l'orientation stratégique publicitaire
  - Supervision des placements et achats médias
  - Supervision de toutes les étapes de production de campagnes publicitaires multimédias
- Événements promotionnels
  - Recherche de commanditaires
  - Élaboration de plan promotionnel annuel et création des activités
  - Coordination de l'ensemble des événements entourant l'ouverture de bureaux
  - Organisation de conférences de presse locales
- Gestion et formation
  - Administration de budgets annuels
  - Supervision de personnel, embauche et formation
  - Organisation de rencontres annuelles pour les employés

122 ➡ Le personnel administratif et de réglementation

Agent d'administration

- Supervision et coordination des services administratifs et des procédures de travail
- Établissement des priorités, attribution des tâches et suivi des activités
- Planification des besoins du service quant au soutien logistique
- Collaboration et assistance-conseil dans la préparation des budgets d'exploitation
- Contrôle des stocks et contrôle budgétaire
- Rédaction de rapports

Adjoint de direction

- Établissement et coordination des politiques et procédures administratives
- Analyse documentaire variée (notes, rapports, mémoires, etc.) et préparation de rapports consultatifs
- Préparation de l'ordre du jour de réunions de travail (CA, comités, cadres supérieurs)
- Prise en charge des dispositions logistiques
- Représentation organisationnelle auprès de différentes autorités et au moment d'événements spéciaux

Agent du personnel et recruteur

- Gestion des demandes et des offres d'emploi
- Évaluation et présélection des curriculum vitæ
- Diffusion d'information auprès des candidats en regard de la nature des postes et des critères de sélection
- Coordination des entrevues et des comités de sélection
- Sélection, administration et correction de tests d'admission
- Assistance-conseil dans l'élaboration de politiques et de procédures de dotation

Agent de gestion immobilière

- Négociation des contrats de location et des baux
- Administration des services de soutien logistique, d'entretien et de sécurité
- Coordination des travaux de réparation, d'entretien et de rénovation

• Compilation et maintien des états financiers
• Suivi des réclamations
• Supervision de personnel administratif

Validation

Constance Nolet, agente de gestion immobilière (122)
- Gestion immobilière résidentielle et commerciale
- Négociation avec les locataires pour la location et le renouvellement des baux
- Relation constante avec les locataires en vue de s'assurer de leur satisfaction
- Supervision du personnel d'entretien et de la qualité des travaux exécutés par les entrepreneurs
- Collecte de loyers et comptabilité générale
- Utilisation de l'informatique d'usage

Validation

Justin Guyot, agent de gestion immobilière (122)
- Gestion immobilière
- Gestion des budgets d'exploitation et d'entretien
- Supervision de personnel
- Application des programmes d'entretien préventif
- Rentabilisation des coûts

Agent aux achats

• Achat de marchandises, d'équipement et de matières premières
• Évaluation des besoins et établissement des critères relatifs aux exigences en matière d'équipement et de fourniture
• Rédaction des appels d'offres, analyse des soumissions et consultation des fournisseurs
• Assistance-conseil auprès des autorités pertinentes quant aux choix des fournisseurs
• Établissement des calendriers de livraison et surveillance quant au respect des contrats

Planificateur de congrès et d'événements spéciaux

- Promotion des activités organisationnelles auprès des clients potentiels
- Évaluation des besoins, planification des activités et des échéances
- Coordination logistique (transport, hébergement, documentation, matériel et équipement, restauration)
- Préparation et mise en marché de la programmation
- Supervision du personnel de soutien
- Contrôle budgétaire

Agent de l'assurance-chômage

- Détermination de l'admissibilité des demandeurs
- Vérification de la véracité des renseignements et enquête en cas de possibilités d'abus ou de fraude
- Traitement des procédures administratives quant aux paiements des prestations
- Référence des demandeurs à des services de soutien
- Collaboration aux études de cas

123 ➡ Le personnel d'administration des finances et des assurances

Teneur de livres

- Maintien à jour des registres financiers
- Conciliation des comptes et préparation des soldes de vérification
- Mise à jour du grand livre et préparation des états financiers
- Émission des chèques et administration des comptes fournisseurs
- Préparation de différents formulaires (déclaration de revenus, indemnisation, accidents de travail)
- Préparation de rapports statistiques, financiers et comptables

Agent de prêts

- Accueil des demandeurs
- Étude et évaluation financière des demandeurs ainsi que leur solvabilité
- Rédaction des documents pertinents

- Présentation des demandes à la direction et émission de recommandations
- Promotion des services de prêts et de crédits
- Mise à jour des dossiers
- Gestion des comptes en souffrance et collaboration auprès d'agences de recouvrement

Expert en sinistres

- Enquête circonstancielle sur la validité des demandes d'indemnisation
- Inspection des dommages (véhicules, habitations)
- Consultation auprès des demandeurs, des témoins, des professionnels de la santé et des autorités policières
- Calcul et établissement des primes de recouvrement
- Négociation de règlements et rédaction de rapports d'expertise

Assureur

- Études des demandes de polices d'assurance (préciser le type d'assurance)
- Évaluation du besoin de la clientèle et assistance-conseil dans le choix d'un programme adapté
- Évaluation du potentiel de risque
- Approbation quant à la conformité légale des ventes
- Rédaction de rapports de tarification

Courtier en douanes

- Administration des documents de dédcuanement
- Gestion du règlement des droits, de l'entreposage, du transport et des acquits-à-caution pour les marchandises imposables
- Diffusion d'information auprès des clients quant aux tarifs, aux assurances, aux exigences et aux restrictions en rapport avec les douanes
- Représentation des clients devant les tribunaux administratifs

124 ➡ Le personnel en secrétariat (général, juridique, médical)

- Dactylographie, saisie de texte et mise en pages de documents variés

  Variantes

  Dactylographie et saisie de texte de correspondance et de documents juridiques

  Dactylographie et saisie de texte des dossiers médicaux et de la correspondance

  Connaissance des actes notariés et testaments

Validation

Jo-Ann Rottenberg, secrétaire juridique (124)

- Rédaction de documents : procès-verbaux, rapports de la Cour, déclarations sous serments et autres
- Recherche en matière de lois, de règlements, de doctrine, de jurisprudence
- Conservation et mise à jour de registres ou de banques de données
- Assistance dans la présentation et dans le suivi de dossiers juridiques
- Mise à jour de documents de consultation
- Spécialisation en droit des affaires et en droit du travail
- Logiciels spécialisés : Avocation, Lora, Cidreq, Datapac 3000, Soquij, Soquij plus
- Autres logiciels : WP 5.1 et 6.1, Excel 5.0, Windows 95, Claris Works

- Correction d'épreuves

  Variante

  Vérification de la conformité et de l'exactitude des documents

- Traitement de la correspondance

  Variante

  Ouverture et distribution du courrier

- Tenue d'agenda

  Variantes

  Préparation logistique des réunions

  Tenue d'agenda des réunions, conférences et audiences

  Établissement des itinéraires de voyages d'affaires et gestion des réservations

  Assistance technique au cours des audiences

- Service à la clientèle

  Variantes

  Accueil, prise et confirmation des rendez-vous

  Accueil, traitement des plaintes et service à la clientèle

  Prise de rendez-vous et confirmation

  Communication avec les patients pour la constitution des dossiers (formulaires, assurances et formulaires d'indemnité)

- Classement et gestion de documents

  Variantes

  Tenue du système de classement

  Classement et gestion documentaire

  Établissement, maintien et classement des documents

  Gestion documentaire des dossiers

  Gestion des dossiers confidentiels

  Gestion de dossiers selon les normes de confidentialité

  Tenue et maintien des documents médicaux sous le sceau de la confidentialité

- Administration

  Compilation de données et traitement statistique

  Préparation des relevés financiers et facturation

  Facturation, encaissement et préparation des relevés financiers

- Informatique : énumération des différents systèmes et logiciels connus ou maîtrisés

Validation

Jasmine Lorion, secrétaire de direction (124, 141)

- Coordination et soutien logistique
  - Coordination technique au moment d'événements (hébergement, transport, installation, etc.)
  - Gestion d'agenda professionnel
  - Collaboration à l'exécution de différents mandats
  - Mise à jour de l'information et de dossiers
  - Animation de comités de travail
- Administration et gestion des dossiers
  - Rédaction, révision et transcription de textes (excellente grammaire française)
  - Préparation de documents de présentation
  - Gestion des dossiers administratifs
  - Tenue de comptabilité de base
- Informatique et télécommunication

- Dictaphone/écriture rapide
- Modem et télécopieur
- Microsoft Word 2001
- Environnement Windows
- Systèmes téléphoniques
- Service à la clientèle
  - Accueil des clients
  - Réception et filtrage des appels

Validation

Mathilde Asselin-Provost, secrétariat et travail de bureau (124-141)
- Accueil, réception et service à la clientèle
- Tenue de livres (fournisseurs, clients, conciliation bancaire, paie)
- Classement et mise à jour de dossiers
- Prise de commandes, facturation et traitement des réclamations
- Tenue d'agenda
- Saisie de texte et entrée de données

141 ➡ Les commis de travail général de bureau

Commis de travail général de bureau

- Entrée de données, tenue et mise à jour des bases de données et des systèmes de classement
- Tri du courrier
- Préparation de factures et de dépôts

Validation

Charles Proulx, commis de bureau (141)
- Service à la clientèle
  - Accueil, évaluation de besoins, traitement de la demande ou de la référence appropriée
  - Diffusion d'information sur les lois, programmes, services et procédures
  - Assistance-conseil auprès de la clientèle afin de mettre au point les dossiers
  - Traitement des plaintes

- Tenue d'agenda de différents intervenants
- Utilisation de standards téléphoniques

• Gestion documentaire
- Traitement de la correspondance
- Classement et gestion de dossiers confidentiels
- Vérification de conformité et d'exactitude des dossiers
- Entrée de données, tenue et mise à jour des bases de données et des systèmes de classement
- Recherche d'information dans les terminaux ou auprès d'intervenants adéquats
- Coordination de la diffusion des dossiers et publications (intra et interdivisionnelle)
- Tenue d'inventaire

• Administration
- Facturation, gestion des comptes fournisseurs et clients
- Préparation de relevés financiers
- Supervision de personnel

Opérateur de système de traitement de texte

- Étiquetage, duplication et sauvegarde des documents informatiques
- Révision de documents
- Photocopies, assemblage et classement de documents
- Préparation et mise en forme de documents

Commis au classement et à la gestion de documents

- Codification, classement et rangement de documents divers
- Mise à jour des index et systèmes
- Traitement de l'information pour le montage des dossiers
- Vérification de la complétude des dossiers
- Maintien de la sécurité et du traitement confidentiel des données
- Gestion des plans de conservation et d'élimination des dossiers et documents
- Compilation statistique et rédaction de rapport d'activités
- Triage du matériel et classement selon les normes en vigueur

Réceptionniste - standardiste

- Accueil, diffusion d'information et service à la clientèle
- Traitement des admissions et facturation
- Utilisation des standards téléphoniques (ex. : 250 appels par jour)
- Filtrage d'appels et prise de messages

143 ➡ Les commis des finances et de l'assurance

Commis à la comptabilité

- Calcul, préparation et émission de factures et d'états de compte
- Traitement et vérification des registres financiers et des transactions (fournisseurs/clients)
- Entrée de données au grand livre
- Compilation de données à partir de différents rapports d'estimation ou des budgets précédents
- Calcul de frais quant aux matériaux et de frais généraux
- Maintien du système de classement et d'enregistrement
- Rédaction de rapports et service à la clientèle

Validation

Thierry Kurth, commis à la comptabilité (143)

- Facturation et prise de commandes
- Traitement des comptes fournisseurs et clients
- Repérage des irrégularités
- Conciliation des états de compte
- Tenue de caisse
- Service clients-fournisseurs
- Classement, entrée de données et travail général de bureau
- Capacité de travailler dans un environnement informatique (traitements de texte, chiffriers et logiciels comptables)

Validation

Mona Joseph technicienne en commerce international (144)

- Utilisation des formulaires administratifs quant aux transactions outre frontières
- Établissement des itinéraires et choix des transports
- Calcul de rentabilité par transporteur
- Conversion monétaire et calcul de taux de douane
- Montage de dossiers de recherche sur les pays étrangers
- Comptabilité de base et tenue de livres (fournisseurs, clients, conciliations)

Commis à la paie

- Maintien des rapports de présences, codification et compilation des heures de travail
- Calcul de la rémunération, des avantages sociaux et des cotisations (impôt, assurance, syndicale, etc.)
- Vérification et traitement des formulaires et documents administratifs liés aux différents régimes
- Diffusion d'information auprès des employés sur les questions relatives à la paie
- Préparation des rapports de fins de périodes et conciliation des registres

Caissier des services financiers

- Accueil de la clientèle
- Réalisation des différentes transactions bancaires (encaisse, versement, service)
- Promotion des produits financiers et ouverture de compte
- Traitement des devises étrangères
- Administration des soldes de transaction et gestion des bordereaux
- Traitement des plaintes ou des écarts des comptes clients

Commis de banque

- Compilation des différents relevés
- Traitement des demandes et des paiements
- Vérification de bilans de transactions

- Service à la clientèle, diffusion d'information auprès de la clientèle quant aux politiques et aux programmes
- Promotion des produits et vente de traites, de mandats, de chèques, de devises étrangères, et location de coffrets

Agent de recouvrement

- Communication auprès des clients dont le compte est en souffrance
- Négociation quant aux modalités de paiement
- Émission de recommandations relatives au traitement des dossiers délinquants (engagement de poursuites judiciaires ou suspension de la prestation des services)
- Recherche, enquête et dépistage afin de retrouver les débiteurs
- Maintien des registres et rédaction de rapports

Commis de soutien administratif

- Compilation, vérification, enregistrement et traitement de formulaires
- Préparation des dossiers, demande des autorisations pertinentes et suivi auprès des clients ou fournisseurs
- Maintien des inventaires de fournitures de bureau
- Préparation de rapports
- Coordination des procédures administratives relatives aux différentes divisions

Commis des services du personnel

- Traitement, vérification et consignation de la documentation reliée aux activités du service du personnel (dotation, recrutement, formation, griefs, évaluation de rendement et classification des postes)
- Maintien et mise à jour des systèmes de classement et d'enregistrement
- Diffusion des renseignements pertinents auprès du personnel
- Rédaction d'annonces et affichage des postes
- Collaboration à la sélection et à l'évaluation des candidats
- Vérification de références
- Administration et notation des examens d'emploi courants

145 ➡ Les commis de bibliothèque, de correspondance et à l'information

Commis de bibliothèque

- Accueil de la clientèle et inscription des nouveaux membres
- Mise en circulation, réception et rangement des livres et autres documents
- Assistance-conseil auprès des clients quant aux outils de recherche
- Gestion des prêts interbibliothèques

Commis au service à la clientèle

- Accueil et traitement des demandes de la clientèle
- Promotion et diffusion d'information quant aux produits et services
- Rectification de situation en cas de plainte quant aux produits, aux services ou aux politiques de l'entreprise
- Prise des dispositions nécessaires au moment de remboursements ou d'échanges
- Facturation, encaisse des paiements et gestion de caisse

Intervieweur et commis aux statistiques

- Réalisation d'entrevues d'enquête et de sondages
- Participation à la rédaction des questionnaires
- Compilation et traitement informatisé des données
- Vérification de la complétude et de l'exactitude des renseignements obtenus
- Codification des renseignements selon le système établi
- Analyse statistique et interprétation préliminaire des résultats

147 ➡ Les commis à l'expédition et à la distribution

Expéditeur et réceptionnaire

- Détermination du mode d'expédition et traitement de la documentation
- Assemblage et emballage des commandes
- Chargement et déchargement de camions
- Vérification des articles selon différents bordereaux
- Déballage et entreposage des articles

- Mise à jour du système interne des registres
- Manipulation de chariots élévateurs
- Connaissance des normes de santé et de sécurité et des normes ISO 9000

Magasinier et commis aux pièces

- Réception et triage de pièces, de fournitures et de matériaux
- Stockage des articles
- Traitement des demandes, distribution et vente de pièces pour des clients internes et externes
- Planification des besoins et préparation des commandes pour le réapprovisionnement des réserves
- Assistance-conseil auprès de la clientèle quant aux choix de pièces ou de matériaux

Validation

Sian Thi Lien Phong, commis aux pièces (147)

- Connaissance de base en mécanique (moteur, systèmes connexes et outillage), des principales marques de véhicules et des pièces correspondantes
- Vente et assistance-conseil auprès de la clientèle
- Réception et entreposage de pièces mécaniques
- Tenue d'inventaire (manuelle : cardex ; informatisée : véhilog)
- Traitement des bons de commandes et facturation
- Conduite de chariot élévateur
- Bonne connaissance de Montréal et des régions périphériques

Commis à la production

- Compilation des feuilles de travail relatives aux commandes et aux instructions
- Estimation des besoins en matériaux et en main-d'œuvre nécessaires à la production
- Collaboration étroite avec les contremaîtres et les chefs d'équipe
- Coordination entre l'entrepôt et les lieux de production
- Surveillance de l'utilisation des approvisionnements
- Rédaction et mise à jour de rapports de production

Validation

Stanislas Graham, technicien en gestion industrielle
(il est à noter que ce titre d'emploi n'est pas inclus dans la CNP)

- Planification et coordination de la production
- Calcul du prix de revient
- Maximisation des procédés et de l'organisation du travail (description de poste, temps et mouvements)
- Contrôle et gestion des stocks (MRP et JAT)
- Suivi des commandes
- Assurance de la qualité

Commis aux achats et à l'inventaire

- Examen des demandes d'achats et vérification d'inventaire
- Préparation des demandes d'achats
- Calcul du coût des commandes et transmission de la facturation au service en cause
- Préparation et mise à jour des dossiers d'achats, des rapports et des listes de prix

Commis à l'inventaire

- Surveillance d'inventaire
- Compilation de rapports sur les inventaires
- Préparation des commandes en vue du réapprovisionnement des réserves
- Élimination des stocks désuets
- Conciliation des inventaires

Répartiteur

- Réception et traitement des demandes d'aide d'urgence
- Coordination des activités des conducteurs
- Répartition du personnel selon les horaires et les feuilles de travail
- Diffusion d'informations relatives aux problèmes de circulation
- Supervision du traitement des feuilles de présence
- Compilation et calcul des frais de transport (kilométrage, carburant, réparation et entretien préventif)

Horairiste des transports

- Analyse d'achalandage et d'utilisation des transports (préciser)
- Élaboration de nouveaux horaires ou modification d'horaire existant
- Assignation d'itinéraires et établissement des horaires des équipes de travail
- Rassemblement de données et production de rapports d'exploitation
- Préparation de guides d'usagers et d'autres documents d'information ou de promotion

Les sciences naturelles appliquées

Cette catégorie comprend les postes de gestion et les postes professionnels et techniques en sciences, y compris les sciences physiques, les sciences de la vie, le génie et l'architecture (CNP, 1995).

211 ➡ Les professionnels des sciences physiques

Chimiste

- Analyse, synthèse, purification, modification et caractérisation des composés chimiques ou biochimiques
- Préparation et exécution des programmes d'analyses
- Contrôle de la qualité des substances brutes et des procédés de transformation
- Échantillonnage, collecte et analyse de données
- Identification et dénombrement de substances toxiques (eau, air, terre)
- Mise au point de nouvelles formules et de nouveaux procédés
- Conception de nouvelles applications pour les produits
- Recherche fondamentale et appliquée

212 ➡ Les professionnels des sciences de la vie

Biologiste

- Planification et exécution d'études environnementales
- Étude de répercussions écologiques
- Élaboration de protocoles d'expérience sur la croissance, sur l'hérédité et sur la reproduction végétale et animale
- Gestion des ressources renouvelables
- Rédaction de rapports

Validation

Jérôme Levert, biologiste (212)
- Biologie et écologie
- Extraction et dosage des composants cellulaires
- Décompte cellulaire et dosage
- Manipulation et ensemencement de bactéries et de levures
- Prise d'échantillons aidant à la caractérisation d'un écosystème
- Identification et classification des plantes et animaux
- Application des principes de lutte et de production intégrée
- Analyse statistique de données
- Évaluation et gestion de la dynamique des populations
- Aménagement diminuant les effets de l'activité humaine sur les écosystèmes
- Rédaction de rapports scientifiques

Microbiologiste et biologiste moléculaire

- Recherche appliquée en matière de biotechnologie, de génétique des micro-organismes et de biologie moléculaire
- Identification d'organismes pathogènes et de toxines
- Mise au point de mesures de contrôle
- Essais cliniques en évaluation et dépistage de drogues et de produits pharmaceutiques (ajouter les domaines de spécialisation, par exemple : pharmacologie, bactériologie, etc.)

Professionnel des sciences forestières

- Planification et direction des inventaires forestiers et d'études connexes
- Administration des ressources et terrains
- Planification et direction des programmes d'exploitation
- Contrôle du respect des conditions des contractants
- Connaissance de la réglementation gouvernementale
- Planification et direction des programmes de relations publiques et d'éducation de la population
- Élaboration et surveillance des programmes de reboisement
- Rédaction de rapports

Agronome et spécialiste en agriculture

- Assistance-conseil auprès des exploitants agricoles
- Préparation et direction de séances consultatives
- Recherche, analyse et rédaction de rapports
- Consultation auprès des chercheurs, des enseignants et des dirigeants (privés et gouvernementaux)
- Maintien des registres de biens et services accessibles dans le domaine agricole

(ajouter les domaines de spécialisation, par exemple : en production végétale, animale, en environnement ou autres)

Validation

Fernand Claveau, agronome (212)

- Environnement
  - Technologie de traitement des sols contaminés et des résidus organiques
  - Rédaction de plans agronomiques et de valorisation de résidus organiques
  - Supervision de chantiers
  - Préparation de demande de certificat d'autorisation
  - Caractérisation de lieux contaminés et de valorisation agricole
  - Technique d'échantillonnage (sol, eau et air)
  - Vérification de conformité environnementale immobilière
  - Suivi environnemental de systèmes de traitement de sol contaminé
  - Gestion de l'eau par bassin versant en milieu agricole
- Gestion
  - Démarrage et gestion d'entreprise
  - Recrutement, sélection et placement de travailleurs agricoles
  - Gestion de projet en développement rural et en innovation technologique
  - Rédaction d'offres de service et de rapports
- Agronomie
  - Réalisation de plans de fertilisation et gestion des fumiers
  - Dépistage de prédateurs
  - Évaluation de superficie de champs et de rendement de cultures
  - Régime d'assurance agricole
  - Travaux sur différents protocoles d'expérimentation en sciences agronomiques
  - Agriculture tropicale, reboisement, pépinière, élevage caprin, production vivrière, maraîchère et caféière
  - Exploitation d'entreprise de production laitière
- Communication et service-conseil
  - Vulgarisation d'activités agricoles
  - Organisation et animation de réunions
  - Prospection et représentation (municipalités, intermédiaires, tables de concertation)

- Médiation et négociation auprès d'autorités gouvernementales
- Informatique
  - Windows, Dos, Word, Works, Excel, Quattro Pro, Compuserve, Internet Explorer

Validation

Suzanne Arpin, agronome (212)

- Gestion de troupeaux (porcins, bovins de boucherie et de laiterie ; volaille) et suivi technique
  - Santé : diagnostics préliminaires, médication préventive et curative
  - Alimentation : programme alimentaire, contrôle de la qualité et des quantités de moulée en fonction des phases de production
  - Génétique : évaluation du potentiel génétique, choix des animaux pour la production
  - Régie : engraissement et maternité
  - Coordination des différents intervenants (fournisseurs, transporteurs, abattoirs)
  - Suivi informatique (collecte, traitement et analyse des paramètres de production, bilan de la productivité)
  - Collaboration étroite avec les vétérinaires
- Production végétale
  - Grande culture, production fourragère et maraîchère
  - Analyse du potentiel des sols
  - Évaluation et analyse de la qualité et de l'entreposage
  - Planification de culture
- Comptabilité agricole (gestion financière et technico-économique)
- Politique régissant l'importation et l'exportation en Amérique du Nord, en Europe et en Asie
- Subvention et contrôle tarifaire
- Connaissance en agro-économie et du territoire de la Montérégie, de Trois-Rivières et de Lanaudière

213 ➡ Les professionnels en génie civil, mécanique, électrique et chimique

Ingénieur civil

- Reconnaissance des besoins des clients
- Planification et conception des ouvrages de construction
- Élaboration des devis et des méthodes de montage et de construction
- Évaluation des matériaux

- Étude, interprétation et approbation des différents travaux
- Surveillance de chantier
- Établissement et vérification des calendriers de production

Validation

Germain Laliberté, ingénieur civil (213)

- Gestion de projets
- Surveillance des chantiers
- Connaissance de la mécanique, de l'électricité et de la plomberie du bâtiment
- Conception de plans et devis, d'avant-projets de structures et d'infrastructures
- Préparation d'estimations, d'appels d'offres et évaluation des soumissions
- Coordination d'équipes et supervision du personnel
- SIMDUT et carte de sécurité sur les chantiers de construction
- Connaissances informatiques: Ms-office (Word, WP, Lotus 1-2-3, Excel), Estimation Means Data, Time-Line. Turbo Pascal, Macdraft, Cogo

Validation

Viviane Mercier, ingénieure civile (213)

- Gestion des opérations de construction
- Révision des plans et devis de structures et d'infrastructures
- Préparation d'estimations, d'appels d'offres, évaluation des soumissions et négociation de contrats (sous-traitance)
- Gestion des ressources humaines (multiethniques) et matérielles
- Planification des besoins (main-d'œuvre et matériaux) et des échéances
- Direction et surveillance de chantier

Ingénieur mécanique

- Étude de faisabilité, de conception, d'exploitation et de rendement
- Estimation du coût, du temps de réalisation et des devis de conception
- Conception de machinerie et d'outillage
- Surveillance et inspection des installations
- Élaboration des normes d'entretien et des calendriers d'exécution

- Encadrement des équipes d'entretien
- Évaluation des soumissions

Validation

Jean-François Saucier, ingénieur en aérospatiale (mécanique) (213)

- Générique
  - Conception et mise au point de véhicules et systèmes
  - Planification des besoins en matériel, contrôle et coordination des procédés de fabrication
  - Fabrication, assemblage et modification de pièces, de systèmes ou de véhicules
  - Soutien logistique et opérationnel des véhicules
  - Calendrier d'entretien et rédaction de manuels pour les opérateurs
  - Soumission de recommandations et rédaction de rapports
  - Lecture et conception de plans et de devis
  - Informatique : Autocad, Fortran, Matlab, Basic, Dos, Windows, Microsoft Office et autres logiciels courants (WordPerfect, Lotus, etc.)
- Spécifique
  - Écoulements fluides (aérodynamique)
  - Calcul de contraintes (structures d'avions) et de rendement
  - Transmission de chaleur
  - Simulation sur informatique
  - Intégration de systèmes :
    1. Propulsion, stabilité et contrôle
    2. Sciences des matériaux
    3. Automates programmables

Validation

Jean-Fernand Sauvageau, ingénieur mécanique

- Maîtrise de la méthodologie de résolution de problèmes
- Conception des composantes reliées au génie mécanique
  - Éléments de machines (engrenages, courroies, chaînes, arbres, etc.)
  - Transmission de puissance (moteur électrique, système hydraulique)
  - Calcul de contraintes et de résistance des matériaux
  - Calcul analytique et numérique (modélisation numérique par éléments finis)
- Application des concepts liés à la thermodynamique
  - Évaluation du besoin en matière énergétique et critères de rentabilité
  - Choix ou conception des composantes thermiques (échangeurs de chaleur, brûleurs, chaudières, turbines, compresseurs, pompes, tours de refroidissement, autres)
- Procédés de fabrication

- Lecture et conception de plans et de devis
- Calcul des tolérancements géométriques et design de gabarits
- Établissement de la gamme d'usinage
- Contrôle de la qualité
- Animation d'équipes de travail et capacité de travailler au sein d'équipes autogérées
- Gestion et contrôle budgétaire
- Connaissances informatiques
  - Autocad
  - Catia
  - MSC Nastran (éléments finis)
  - Engineering Equation Solver (EES)
  - Turbo Pascal

••

••

Validation

Alban Bernier, ingénieur mécanique
- Recherche et développement
- Fabrication et essai de prototypes
- Gestion de projet
- Études
  - Applications commerciales de nouveaux produits
  - Aménagement physique
  - Faisabilité technique
  - Répercussion environnementale
- Établissement de procédures et de standards de production
- Contrôle de la qualité
- Recherche et évaluation des matériaux et des fournisseurs
- Formation et supervision de personnel (multiethnique)
- Ajustements mécaniques et entretien préventif
- Informatique : Autocad, basic, Fortran, Pascal, E-PAC1, MSC/PAL, WP, Quatropro, Windows

••

Ingénieur électrique et électronique

- Estimation du coût et du temps
- Préparation des devis de conception pour les systèmes et installations électriques et électroniques
- Conception de circuits, de composants, de réseaux et d'installations

- Contrôle de la qualité des différents systèmes et installations
- Élaboration de normes d'entretien, d'exploitation et de réparation de l'équipement
- Élaboration de logiciels spécifiques
- Préparation de documents contractuels et évaluation des soumissions

Ingénieur chimique

- Direction d'études de faisabilité économique et technique liées aux industries chimiques, pétrolifères, des pâtes et papiers, alimentaires, etc.
- Élaboration et amélioration de procédés et de produits chimiques
- Évaluation du matériel et des techniques de transformation
- Détermination des spécifications de production
- Conception et mise à l'essai des installations et du matériel
- Mise sur pied et direction des programmes de contrôle de la qualité
- Élaboration de stratégies de contrôle quant à l'uniformité et à la conformité aux normes
- Préparation de documents contractuels et évaluation de soumissions
- Supervision de techniciens et technologues
- Rédaction de mémos, de rapports et de protocoles de transport et de manutention des produits dangereux
- Étude de répercussion environnementale

214 ➡ Les autres professionnels en génie

Ingénieur industriel et de fabrication

- Conception et établissement de plans d'aménagement de l'usine et des installations
- Élaboration de systèmes et de méthodes de fabrication
- Étude et mise en place de programmes d'utilisation optimale des stocks, de la machinerie et des ressources
- Analyse du coût de production
- Étude de temps/mouvements
- Évaluation des besoins en ressources humaines
- Participation à l'élaboration des programmes de formation

- Établissement des normes de rendement et des systèmes d'évaluation
- Mise en place de mesures d'amélioration relatives à l'hygiène et à la sécurité industrielle
- Supervision de personnel

Ingénieur métallurgiste et des matériaux

- Conception et élaboration de procédés quant au traitement des métaux et minerais
- Conception, élaboration et spécification de procédés pour le moulage, le modelage, le façonnage et le traitement thermique des matériaux
- Analyse de défaillance et recommandation quant aux procédés et aux choix des matériaux
- Coordination des épreuves de production et de contrôle de l'affinage des métaux

Ingénieur en aérospatiale

- Conception et mise au point de composantes, de véhicules et de systèmes aérospatiaux
- Préparation des prescriptions de matériel et des procédés de fabrication et d'entretien
- Coordination et supervision de la production et de l'assemblage
- Coordination des vols d'essai et des essais au sol
- Élaboration des calendriers d'entretien et de manuels pour les opérateurs
- Résolution de problèmes techniques liés à la défectuosité des structures, composantes et systèmes

Ingénieur informaticien

Matériel informatique

- Planification, conception et coordination de la mise au point d'ordinateurs et de matériel connexe
- Supervision et vérification de l'installation, de la modification et des essais

Logiciel

- Analyse des exigences d'application de technologie informatique en temps réel
- Contrôle des procédés de développement liés à la robotique, à l'instrumentation, aux télécommunications, etc.
- Conception et réalisation des essais, et mise en place de langages informatiques et de progiciels

215 ➡ Les professionnels en architecture, en urbanisation et en arpentage

Architecte

- Évaluation de besoins de la clientèle
- Conception de « designs »
- Élaboration des spécifications techniques (matériaux, coûts et horaires de construction)
- Rédaction de devis et préparation de maquettes
- Embauche et supervision des entrepreneurs et autres employés
- Surveillance de chantiers
- Élaboration d'études de faisabilité et d'analyses financières de projets de construction

Urbaniste et planificateur de l'utilisation des sols

- Recueil, analyse et évaluation de données démographiques, économiques et physiques sur l'aménagement des sols
- Élaboration de plans d'aménagement des sols
- Préparation et recommandations des concepts de lotissement et des plans de zonage
- Relation et présentation de projets auprès des autorités pertinentes (municipales, provinciales, fédérales, citoyens)
- Évaluation des demandes de permis de développement
- Administration des règlements de planification et de zonage
- Établissement des objectifs et des politiques à long terme (planification urbaine)

Validation

Noëlla Vermette-Asselin, spécialiste en aménagement et développement local (215)

- Recherche
  - Détermination de problématique
  - Collecte, traitement et analyse de données
  - Interprétation statistique
  - Connaissance des systèmes économique, sociologique, politique et géographique
  - Rédaction de notes et rapports
  - Préparation, élaboration, réalisation et suivi de démarches de développement
- Gestion urbaine et régionale
  - Évaluation de projets et de programmes de développement
  - Organisation touristique
  - Protection du patrimoine naturel et historique

- Urbanisme et gestion du secteur public
- Planification urbaine
- Estimation du coût et contrôle budgétaire
- Représentation
  - Coordination d'exposition
  - Organisation et préparation d'événements spéciaux, de congrès et de colloques

Validation

Myriam Rousseau, urbaniste (215)
- Collaboration à la réalisation d'outils de contrôle en urbanisme
- Collecte et analyse de données sur l'utilisation du sol
- Collaboration à la réalisation de plans d'aménagement de parcs régionaux
- Connaissance du fonctionnement de services d'urbanisme
- Réalisation de cartes thématiques démontrant l'évolution des municipalités
- Réalisation de différents travaux cartographiques ainsi que de mises à jour de cartes
- Inventaire de terrains vacants et recherche de sites
- Connaissance de base en construction résidentielle
- Coordination de production et supervision de personnel

216 ➡ Les professionnels en informatique

Il appert que, dans le vaste monde de l'informatique, la maîtrise de langages de programmation et des différents systèmes est en soi un indicateur de compétence et sous-tend le genre de compétences que le candidat sait mettre en pratique. Les champs de compétences peuvent alors s'élaborer au moyen de la liste des applications connues.

Validation

Sylvie Veilleux, programmeuse-analyste (216-011)
- Informatique
  - Soutien de système à l'usager
  - Test, analyse, évaluation et amélioration de système
  - Conception et étude de nouveaux projets
  - Création de plans de test et rédaction de manuels techniques
  - Collaboration étroite avec les clients importants

- Techniques informatiques
  - Équipement : IBM Mainframe 4341 ; IBM PC 386/486 (réseau Novell 3.11)
  - Langages et logiciels : FoxPro 2.5, MS-DOS 6.2, DOS VSE, Lotus, dBase IV, C++, Basic, WP 6.0, Windows 3.1 - 95 et NT
- Gestion
  - Élaboration et mise en œuvre d'activités sur le plan des services offerts à la clientèle
  - Recrutement, sélection, formation et supervision du personnel
- Planification, organisation, coordination et évaluation des ressources humaines
  - Supervision des achats et contrôle des dépenses d'exploitation
  - Contrôle des profits et des pertes

Les spécialistes du multimédia

(pour en savoir plus, consulter le site www.technocompetences.qc.ca)

Réalisateur multimédia

- Gestion du processus de création du contenu et de l'interactivité
- Définition des attentes et des exigences du client
- Préparation de la documentation détaillée décrivant le produit fini
- Participation aux choix technologiques
- Élaboration des méthodes de production
- Documentation de l'évolution du projet
- Maintien de la communication entre les différents membres de l'équipe
- Direction de l'équipe de projet
- Coordination entre le client et l'équipe de projet
- Participation au choix des fournisseurs externes
- Contrôle de la qualité des produits et services livrables
- Contrôle du budget et de l'échéancier
- Veille technologique et concurrentielle

Concepteur des produits de formation multimédia interactifs

- Participation à l'analyse des besoins des apprenants
- Développement des stratégies d'apprentissage en fonction des objectifs de formation, des apprenants potentiels, du contenu et du contexte

- Choix des outils multimédias appropriés
- Conception de programmes de formation avec la méthode appropriée
- Modélisation des connaissances relatives au contenu de la formation en collaboration avec les experts de contenu
- Révision du matériel en cours de développement
- Validation du matériel auprès des apprenants
- Développement de scénarios interactifs
- Conception des stratégies d'accompagnement et d'implantation
- Évaluation des programmes et formulation de recommandations

Webmestre

- Coordination de la collecte et de l'organisation des informations à inclure dans le site
- Définition de l'architecture du site
- Recommandation du scénario de navigation
- Définition de l'aspect graphique avec intégration des concepts de design
- Optimisation des composantes graphiques et techniques
- Programmation des mises à jour ou ajouts de composantes au site
- Contrôle de cohérence et de qualité
- Collaboration avec les administrateurs de réseaux quant à la sécurité du site
- Analyse et vulgarisation des rapports d'achalandage
- Soutien technique auprès des utilisateurs
- Lien entre les fournisseurs et les internautes
- Accompagnement et formation des utilisateurs
- Promotion du site grâce aux moteurs de recherche
- Veille technologique

Producteur

- Participation au développement des stratégies et des affaires de l'entreprise
- Gestion des relations avec les clients et les partenaires
- Évaluation budgétaire et montage financier des projets
- Préparation des propositions pour les clients et partenaires

- Négociation des droits d'utilisation des contenus existants et des contenus originaux
- Négociation d'ententes auprès des partenaires et clients
- Constitution des équipes de production
- Encadrement des projets et du processus de production (budgets, échéanciers, ressources humaines et techniques)
- Adaptation des projets au contexte du marché (assurance que le produit répond à une demande)
- Vérification et contrôle de la qualité
- Collaboration avec les équipes de commercialisation
- Évaluation de la production

Gestionnaire de projet (chargé de projet)

- Participation à la définition des préférences, des exigences et des besoins des clients
- Évaluation de la faisabilité des projets
- Conception et rédaction des spécifications du produit et des offres de service
- Description des besoins
- Gestion des ressources technologiques (logiciels et composantes informatiques)
- Coordination et participation aux activités de préproduction, incluant les scénarios, la définition des paramètres des produits, l'estimation des coûts, la préparation des budgets et des échéanciers
- Liaison entre les clients et les équipes pendant la réalisation des projets
- Gestion des ressources humaines et financières
- Préparation des rapports d'étape en partenariat avec les clients
- Documentation de l'évolution des projets et réalisation des présentations pour les clients
- Maintien de la communication entre les différents membres de l'équipe
- Participation à la préparation et à la négociation des contrats avec les fournisseurs externes
- Supervision de la qualité des produits et services livrés
- Suivi des aspects légaux
- Service après-vente auprès des clients

Concepteur-scénariste

- Participation à l'analyse des besoins des clients
- Définition et développement des concepts initiaux des produits et services
- Adaptation des concepts et des médias après commentaires des clients
- Planification de l'interactivité, des scénarios de navigation et des interfaces
- Rédaction des spécifications techniques
- Élaboration de la documentation destinée aux différents intervenants en collaboration avec le gestionnaire de projets
- Détermination des types de contenus et élaboration des scénarios de production
- Réalisation de maquettes représentatives des concepts
- Collaboration à la structuration des contenus
- Participation au design des interfaces
- Collaboration à la production et à la validation des produits

Analyste des contenus

- Hiérarchisation et segmentation de l'information de façon logique
- Définition des bases de données
- Recherche de ressources documentaires requises
- Définition des contenus interactifs
- Vérification de la qualité, de l'intégrité et de la cohérence de l'information aux différents stades de développement du produit
- Maintien de la circulation de l'information et des fichiers au sein de l'équipe de projet
- Suivi auprès de la clientèle pour l'obtention de l'information
- Veille technologique

Directeur artistique

- Présentation aux clients des concepts et des aspects liés à la création
- Participation à l'élaboration des scénarios
- Définition des préférences et des exigences des clients concernant l'aspect visuel
- Définition de la plate-forme et de l'identité visuelle
- Coordination du travail artistique des infographistes, illustrateurs, animateurs, réalisateurs du son, photographes et concepteurs multimédias

- Conception de la communication graphique
- Vérification du respect des normes graphiques et de la qualité du produit
- Coordination de la communication entre les différents intervenants
- Approbation ou recherche d'images
- Gestion des ressources humaines
- Veille technologique

Infographiste

- Évaluation des nécessités techniques du scénario
- Interprétation des spécifications de la scénarisation interactive
- Conception et réalisation d'images, de graphiques et de tableaux
- Création de contenus visuels, incluant la disposition des textes et la mise en pages
- Participation au développement de l'interface graphique et des contenus visuels
- Évaluation de la cohérence visuelle et ergonomique
- Manipulation des fichiers vidéo, photographiques et sonores
- Veille technologique

Animateur 2D et 3D

- Évaluation de la faisabilité technique des projets
- Analyse des spécifications de la scénarisation interactive
- Établissement des feuilles de structures d'animation («*dope sheet*») en format papier ou numérique
- Modélisation de pièces et de formes
- Préparation des personnages en vue de l'animation
- Choix et application des textures, des couleurs et des lumières
- Animation et création des mouvements
- Retouches d'animation
- Compression et archivage des réalisations
- Veille technologique

Intégrateur

Débutant

- Planification et établissement des horaires de travail en fonction des échéanciers et des objectifs (portions de projets)
- Rédaction des spécifications pour le programme
- Conception de documents basés sur les scripts à des fins de tests de module de programmation
- Choix des techniques de programmation en fonction des projets
- Conception des améliorations ou des modifications aux programmes
- Diagnostics et résolution de problèmes de programmation (modules)
- Mise à l'épreuve des produits
- Archivage sécurisé des données
- Veille technologique

Expérimenté

- Analyse de la scénarisation interactive, des spécifications fonctionnelles et des modèles de données
- Participation à la définition des protocoles de travail
- Planification et établissement des horaires de travail en fonction des échéanciers et des objectifs
- Rédaction des spécifications pour les programmes
- Conception des scripts afin de tester les modules de programmes et l'exactitude des données à traiter
- Analyse des différentes approches techniques des équipes de production
- Conceptualisation, optimisation, intégration et validation des éléments de programmation et de traitement des données
- Évaluation de l'intégrité des données, des performances d'ensemble et des résultats
- Archivage sécurisé et classification des données
- Veille technologique

Designer Web

Création, optimisation et enchâssement des composantes pour le Web

Rédaction et conception des éléments simples de programmation

- Conception des itinéraires de navigation sur les sites
- Définition de l'architecture du site
- Participation à l'arborescence
- Rassemblement et organisation des informations principales et secondaires
- Définition des aspects graphiques en intégrant les concepts de design
- Participation à la conception et à l'amélioration des images, des vidéos et des sons
- Participation à l'analyse des besoins des clients et du public cible
- Établissement des procédures de vérification et de contrôle de la qualité
- Veille technologique

221 ➡ Le personnel technique des sciences physiques

Technologue et technicien en chimie appliquée

- Préparation et exécution des expériences, des essais et des analyses
- Application des techniques de chromatographie, de spectroscopie, de séparation physique et chimique et de microscopie
- Utilisation et entretien de l'équipement et de l'appareillage de laboratoire
- Préparation des solutions, des réactifs et des échantillons
- Compilation et analyse de données, interprétation des résultats
- Préparation et application des programmes d'échantillonnage quant au contrôle de la qualité
- Participation à l'élaboration de normes, de procédures et d'instructions de travail, de projets pilotes et à la fabrication de prototypes d'expérimentation

Validation

Diane Thibault, chimiste (221)

- Produits chimiques
  - Recherche et développement de nouveaux produits chimiques
  - Analyse de contrôle de la production
  - Contrôle de la qualité
  - Gestion de la production
  - Distribution de produits chimiques
  - Réception de matières premières
  - Supervision de personnel et service à la clientèle
- Pharmaceutique
  - Analyse des matières premières et des produits finis
  - Recherche et développement de nouveaux produits
  - Vérification des conditions de dégradation des produits finis (stabilité)
  - Connaissance de la réglementation BPL et BPF
  - Connaissance des normes USP, BP et FDA
  - Vérification de la qualité des matières premières
  - Supervision et formation de personnel
  - Connaissance de l'instrumentation analytique (GC, HPLC, UV)
- Environnement
  - Supervision du travail analytique dans le domaine organique et inorganique
  - Analyse environnementale avec les appareils AAFG, AAFL, GC et GC-MS
  - Développement analytique
  - Gestion du budget d'exploitation du service analytique
  - Suivi des mandats et service à la clientèle

Validation

Pauline Dionne, aide-technicienne en laboratoire (221)

- Capacité de lire les « plans de recettes » (en série ou sur mesure)
- Connaissances techniques :
  - Matières premières, ingrédients et milieu de culture
  - Système de pesée
  - Procédé de filtration, d'aseptisation et de stérilisation
  - Équipement usuel (bécher, éprouvette, pipeteuse, autoclave)
  - Outillage de précision
  - Connaissance des règles de santé et sécurité au travail dans en environnement contrôlé
  - Calibration de pompe de répartition
  - Rédaction de rapports et de fiches techniques
  - Formation en premiers soins

222 ➡ Le personnel technique des sciences de la vie

Technologue et technicien en biologie

(Domaines : alimentaire, chimique et pharmaceutique, biotechnologique, environnemental)

- Réalisation d'expériences et d'analyses biologiques, microbiologiques et biochimiques
- Prélèvement de spécimens et d'échantillons
- Rédaction de rapports de recherche et d'opérations

Technologue et technicien en sciences forestières

- Surveillance des inventaires de peuplement, des levées et des prises de mesures
- Préparation de plans d'aménagement et exécution d'aménagements forestiers
- Utilisation des techniques photogrammétriques et cartographiques
- Participation à la surveillance de la construction de routes d'accès
- Préparation de sites, de plantations d'arbres et de soins au peuplement forestier
- Coordination d'équipes de travailleurs forestiers et d'équipes d'urgence
- Application des règlements sur la protection de l'environnement et sur l'utilisation des ressources
- Conception et mise à jour des données informatiques
- Assistance technique aux équipes de recherche

Spécialistes de l'aménagement paysager et de l'horticulture

- Étude et analyse de terrains, conception et aménagement des environnements paysagers
- Préparation de dessins, de croquis et rédaction de rapports
- Plantation et transplantation d'arbres et d'arbustes
- Traitement curatif et préventif d'arbres et de plantes
- Épandage d'engrais, de fongicides, d'herbicides et de pesticides
- Montage de talus et autres structures

223 ➡ Le personnel technique en génie civil, mécanique et industriel

Technologue en génie civil

- Élaboration de plans et de dessins
- Préparation de plans et de devis de construction
- Estimation du coût (ressources humaines et matérielles)
- Établissement des calendriers de production
- Surveillance de chantiers
- Inspection et mise à l'essai de matériaux de construction
- Rédaction de rapports

Validation

Dennis Clark, technicien en génie civil (223)

- Gestion
  - Planification des travaux de construction et de réfection, et suivi administratif
  - Supervision de personnel et d'équipes de travail (entrepreneurs, cols bleus et contremaîtres)
  - Contrôle du coût et de la qualité des projets
  - Inspection et surveillance de chantier
  - Gestion des réquisitions selon les codes d'urgence
  - Négociation auprès d'entrepreneurs aux fins d'exécution des travaux et des modes de paiement
  - Connaissance en gestion d'équipes semi-autonomes
  - Conduite et animation de réunions
  - Rédaction de notes de service et de rapports variés
- Technique
  - Interprétation de plans et de devis
  - Réalisation de plans techniques (conventionnel et DAO)
  - Spécialisation en infrastructures souterraines, en réfection de chaussées et de trottoirs en milieu municipal
  - Maîtrise des techniques d'identification des utilités publiques sur le terrain
  - Évaluation des travaux d'excavation
  - Mise à l'essai de nouveaux procédés et matériaux
  - Promotion et application des normes de santé et sécurité
- Compétences clés
  - Capable de relever des défis et de s'adapter aux changements
  - Polyvalent et sens du leadership
  - Visionnaire

Technologue en génie mécanique

- Élaboration de plans, de dessins et de devis techniques
- Connaissance des systèmes de transmission d'énergie, de la tuyauterie, des installations de chauffage, de ventilation et de climatisation
- Estimation du coût, des matériaux et des calendriers de réalisation
- Mise à l'essai et évaluation de rendement, de puissance et de résistance au stress
- Conception de moules, d'outils, de matrices, de gabarits et d'accessoires pour la fabrication
- Inspection des installations et des ouvrages mécaniques
- Rédaction des appels d'offres
- Élaboration des normes et des calendriers d'exécution des programmes d'entretien mécanique

Technologue en génie industriel

- Élaboration et direction des programmes de production, d'inventaire et de l'assurance qualité
- Conception d'aménagement d'usines et des installations de production
- Élaboration et application des programmes de santé et de sécurité au travail
- Élaboration d'applications informatiques en matière de robotique, d'automates et de machinerie à contrôle numérique

Estimateur en construction

- Préparation et évaluation du coût des matériaux, de la main-d'œuvre et de l'équipement selon les plans et devis
- Rédaction d'appels d'offres, évaluation des soumissions et émission de recommandations
- Coordination des différents intervenants
- Tenue et mise à jour de répertoires (fournisseurs, entrepreneurs et sous-traitants)
- Préparation et rédaction de rapports

224 ➡ Le personnel technique en génie électronique et électrique

Technologue

- Conception, élaboration et mise à l'essai de prototypes selon les normes et les instructions
- Mise en œuvre et supervision de l'installation, de la mise en service et du fonctionnement de l'équipement et des systèmes (électriques et électroniques)
- Recherche appliquée en collaboration avec des équipes multidisciplinaires
- Installation et mise en fonctionnement de l'équipement standard et spécialisé
- Mise à l'essai et analyse de rendement
- Rédaction de devis, de calendriers d'exécution et de rapports techniques
- Contrôle budgétaire et d'échéancier

Validation

Frédéric Métivier, technologue en génie électronique (224)

- Entretien et installation de systèmes électriques et électroniques
- Réparation et calibration de circuits électroniques
- Planification et coordination de la fabrication
- Contrôle de la qualité
- Réparation mécanique et pneumatique
- Travail sous microscope (finition de haute précision)
- Suivi d'inventaire et achat d'équipement
- Lecture de plans électriques et électroniques
- Connaissances informatiques : Word, WP, Windows, DOS, PC-Tools, Autosketch, Procom

Technicien

- Participation à la conception, à la mise au point et à l'essai de composantes, de matériel et de différents systèmes (électriques, électroniques ou mécaniques)
- Participation à l'inspection, à la mise à l'essai, à l'ajustement et à l'évaluation des composantes et assemblage selon les normes de conformité et de seuil de tolérance
- Essai de rodage, transcription et analyse des résultats
- Participation à la construction et à l'essai de prototypes

- Assistance technique en recherche et développement
- Installation, exploitation et entretien préventif du matériel et des systèmes

Validation

Georges Émond, technicien en électromécanique (224)

- Lecture de plans et de schémas de circuits imprimés
- Reconnaissance de besoins en matière de modification
- Localisation de défectuosités, réparation ou remplacement des composantes ou modules
- Dessoudage et remplacement de composantes et de sous-ensembles (TH/SMT)
- Installation et vérification de systèmes ordinés
- Réparation et calibration des systèmes automatisés
- Connaissance informatique multiple

Technologue de l'électronique industrielle

- Vérification, étalonnage, réglage et programmation des instruments et appareils utilisés en commande et automatisation de procédés industriels
- Installation, dépannage, réparation et entretien des systèmes et des équipements industriels de type électronique, pneumatique, hydraulique ou électromécanique
- Connaissance et respect des normes de sécurité
- Dessin de schémas selon les normes industrielles
- Modification et participation à la conception des systèmes destinés à l'automatisation
- Connaissances informatiques :
  - Système d'exploitation : DOS, Windows 3.1 et 95
  - Langages de programmation : C++
  - Logiciels : Word, Excel

Validation

Germain Brault, technicien en électromécanique (224)

- Connaissance de la mécanique de machinerie fixe et mécanique
- Connaissance des circuits hydrauliques et pneumatiques

- Installation, entretien et réparation de systèmes électriques, électroniques et automates programmables
- Utilisation des procédés de soudure (électrique et oxygène acétylène)
- Lecture de plans, de schémas et de devis
- Assemblage et montage de structures (aéronautiques)
- Inspection et contrôle de la qualité
- Gestion de matériel
- Secourisme et prévention d'incendies

Électronicien d'entretien

- Installation, entretien et réparation de matériel électronique
- Inspection et testing de matériel (contrôle de procédé)
- Diagnostic et localisation de pannes ou défectuosités
- Réglage, alignement, remplacement et réparation de matériel électronique
- Rédaction de bordereaux de travail, de rapports d'essai et d'entretien
- Instrumentation et outillage : multimètre, vérificateur de ciments, d'oscilloscopes, de sondes logiques, de fers à souder et d'autres instruments de mesure

Technologue des systèmes ordinés

- Installation, entretien et modification des systèmes informatisés servant à l'acquisition et à la manipulation des données ou au contrôle de procédés
- Lecture, écriture, développement et mise au point des programmes
- Dessin des schémas, construction des prototypes de systèmes ordinés ou de composants et mise au point
- Choix, agencement et configuration des différentes parties (matérielle/logicielle) d'un système ordiné pour son intégration dans des applications en temps réel
- Installation et programmation d'un automate
- Connaissances informatiques :
  - Système d'exploitation : DOS, Windows 3.1 et 95
  - Langages de programmation :
  - Logiciels : Word, Excel
  - (outils de DAO, CAO et les progiciels)

Technicien et mécanicien d'instruments industriels

- Détermination des méthodes et des dispositifs d'essai
- Entretien préventif et vérification des instruments et des systèmes
- Contrôle de débit, de niveau, de pression et de température (et autres variables spécifiques)
- Réparation, changement ou installation de pièces et d'équipement
- Rédaction de rapports d'essai et d'entretien

Validation

Fabien Bilodeau, monteur-ajusteur de machinerie industrielle (224)

- Lecture et interprétation de plans et de devis
- Assemblage de pièces préfabriquées (pompes, moteurs, engrenages et autres)
- Préparation, modification ou remise en état de machines de fabrication
- Entretien préventif, ajustement et alignement
- Assurance et contrôle de la qualité (ISO)
- Contrôle de rendement et soumission de recommandations
- Service à la clientèle (interne et externe)
- Santé et sécurité au travail
- Connaissance des systèmes hydrauliques et pneumatiques
- Réception et expédition de marchandises
- Outillage : fraiseuse, rectifieuse, aléseuse, presse, tour, commande numérique (CNC), appareils de mesure

Mécanicien/technicien en avionique

(instruments et appareillages électriques d'aéronefs)

- Réparation, révision, installation et essai des instruments
- Réparation, révision, modification, installation des systèmes et de l'équipement électrique
- Préparation, révision, modification, réglage et essai des systèmes et de l'équipement

Inspecteur

- Vérification et inspection de systèmes, d'instruments et d'appareillages selon les normes de rendement
- Émission des attestations d'accréditation

225 ➡ Le personnel technique en architecture, en dessin, en arpentage et en cartographie

Technologue en architecture

- Assistance-conseil dans l'élaboration de concepts architecturaux
- Analyse documentaire (codes, règlements, rapports, etc.)
- Lecture ou conception de plans et de devis selon les normes et les consignes
- Estimation du coût
- Montage et assemblage de maquettes architecturales et de plans de masse de présentation
- Rédaction de soumissions et de contrats
- Coordination et surveillance de projets et de travaux

Designer industriel

- Consultation auprès de diverses autorités afin d'établir les exigences de produits
- Recherche, en matière de coût, de propriété de matériaux et de méthodes de production
- Préparation de plans et de devis aux fins d'approbation
- Construction de prototypes
- Collaboration auprès d'équipes multidisciplinaires et d'équipes autogérées

Technologue en dessin

- Élaboration et préparation de modèles et de dessins d'ingénierie
- Exploitation de systèmes de conception et de dessins assistés par ordinateur
- Élaboration et préparation d'esquisses
- Traitement de la documentation et production des jeux de dessins
- Rédaction de rapports techniques
- Préparation de contrats et de soumissions
- Préparation du cahier des charges, évaluation du coût et du matériel de construction et vérification de conformité

Technologue en cartographie

- Compilation de données à partir de photographies aériennes, de notes d'arpentage, de dossiers et de rapports

- Planification du modèle et de la conception graphiques
- Production de cartes et graphiques connexes
- Maîtrise des techniques de cartographie numérique et d'infographie interactive

Technologue en télédétection

- Préparation d'images, de graphiques, de rapports et de cartes alphanumériques
- Utilisation de matériel analogue ou informatique d'interprétation de télédétection
- Vérification de l'exactitude des données contenues dans les systèmes d'analyse d'images de télédétection

226 ➡ Les autres contrôleurs

Inspecteur de véhicules automobiles

- Essai de véhicules et d'éléments de véhicules
- Repérage de défectuosités
- Enquête et expertise-conseil au moment d'accidents de la route
- Élaboration de rapports de recommandations quant à l'émission de permis, à l'inspection des véhicules et aux normes de sécurité routière

Inspecteur de l'hygiène et de la sécurité au travail

- Contrôle des conditions sanitaires commerciales et institutionnelles
- Étude de cas et enquête (accidents, maladies ou empoisonnements reliés à la consommation d'aliments avariés)
- Identification de sources de pollution
- Détermination des méthodes de collecte et d'analyse d'échantillons
- Engagement de procédures judiciaires en cas de négligence
- Préparation de documents d'information et d'éducation reliés à la santé publique, à la protection environnementale et à la sécurité au travail

La santé

Cette catégorie comprend les professions touchant la gestion et la prestation des services de soins de santé aux patients ainsi que les professions de soutien au personnel professionnel et technique (CNP, 1995).

313 ➡ Les pharmaciens, les diététistes et les nutritionnistes

Diététiste et nutritionniste

- Élaboration, mise en œuvre et supervision des programmes de nutrition (ou de la préparation des aliments)
- Diffusion d'information en matière de nutrition
- Planification et mise en œuvre des programmes d'éducation nutritionnelle
- Collaboration auprès d'équipes multidisciplinaires
- Étude et analyse de documents scientifiques en matière de nutrition
- Recherche et amélioration des valeurs nutritives, des saveurs, de l'apparence et de la préparation des aliments

Nutritionniste clinique

- Collaboration auprès de médecins et de diététistes
- Évaluation et conseils sur les composantes d'une nutrition saine et équilibrée

Validation

Géraldine Petitclerc, diététiste formulatrice (313)

- Expertise professionnelle
  - Contrôle de la qualité dans la production alimentaire (évaluation organoleptique, normes d'hygiène, de salubrité, de sécurité)
  - Spécialisation de recherche en développement de tisanes curatives et aromatiques
  - Études et formulation de nouveaux produits
  - Suivi administratif des dossiers
  - Organisation de groupes de dégustation, évaluation des résultats et soumission de recommandations
  - Établissement et maintien des relations auprès des clients, des fournisseurs et des experts-conseils
  - Identification des odeurs, des saveurs et des couleurs avec précision

- Connaissance administrative quant à l'émission de certifications
- Supervision de personnel
- Gestion du système de production

Validation

Jane Lockhead, diététiste (313)

- Coordination et gestion
  - Planification et gestion des ressources humaines, matérielles, informatiques et financières
  - Contrôle de la qualité, des normes d'hygiène et de salubrité
  - Normes de santé et sécurité au travail
  - Détermination et implantation de procédés de rationalisation et de restructuration organisationnelle
  - Planification et contrôle budgétaire
  - Service à la clientèle et gestion des plaintes
  - Connaissances informatiques : WP, Lotus 123, Sigmaplot, Bedford
- Recherche et communication
  - Développement de protocoles de recherche et de nouveaux produits
  - Recherche documentaire
  - Expérimentation, analyse des résultats et rédaction de rapports
  - Rédaction d'un article scientifique
  - Procédés et instrumentation : GC-MS, Cobas
  - Animation et vulgarisation de notions scientifiques

Validation

Hélène Dionne, technicienne en diététique

- Gestion et technologie alimentaire
  - Assistance-conseil en production et en distribution des aliments
  - Standardisation des recettes
  - Implantation de programmes d'assurance qualité (HACCP)
  - Participation aux analyses des aliments et au contrôle de leur qualité

315 ➡ Les professionnels en sciences infirmières

Note : Les champs de compétences de ce secteur devraient faire mention du ou des types d'unités de service réelles ou en projet. Par exemple : service de chirurgie, d'obstétrique, etc. Ils devraient également inclure dans les grandes lignes les techniques d'intervention connues et maîtrisées.

Infirmière en chef

- Coordination des soins infirmiers et gestion d'équipes de travail
- Supervision de la qualité des soins et des procédures administratives
- Participation à la mise en place des politiques et des procédures de l'unité
- Administration du budget de l'unité et gestion des inventaires
- Participation à la sélection, à l'évaluation et à la formation du personnel infirmier

Infirmière diplômée

- Participation à la planification des soins aux patients
- Administration de médicaments
- Surveillance et enregistrement de l'état des patients
- Assistance des médecins au cours d'interventions d'urgence

321 ➡ Les technologues et techniciens des sciences de la santé

Technologue de laboratoire médical

- Analyse chimique du sang, de l'urine, du liquide céphalo-rachidien et d'autres fluides biologiques
- Identification de cellules et de tissus pathologiques
- Préparation des prélèvements et études microscopiques
- Établissement des méthodes d'analyse et protocoles d'expériences
- Spécialisation (chimie clinique, microbiologie, hématologie, histotechnologie, immunohématologie, cytotechnologie)

Technicien de laboratoire médical

- Collecte des échantillons de sang, de tissus et autres prélèvements (sur les patients)
- Préparation des prélèvements aux fins d'analyse
- Préparation (mise en place) du matériel de laboratoire
- Réalisation des tests et des analyses
- Stérilisation, nettoyage et entretien du laboratoire et du matériel

Validation

Jamal-Esam Ahmed, technicien de laboratoire médical (321)

- Prélèvement veineux et capillaire
- Interprétation et analyse d'urine
- Hématologie
  - Décompte manuel et automatique des cellules sanguines (hématologie)
  - Observation morphologique des hématies, leucocytes et plaquettes (hématologie)
  - Dosage des facteurs de coagulation
  - Analyse des éléments toxiques, des antibiotiques et des médicaments dans le sang
- Histopathologie et histologie
  - Macroscopie et microscopie des tissus ou organes
- Immunologie, sérologie, microbiologie
  - Bactériologie, parasitologie, virologie et mycologie
- Décompte des éléments cellulaires en suspension dans les liquides biologiques
- Groupage sanguin, recherche et identification d'anticorps
- Préparation des culots, plaquettes, plasma, cryoprécipité aux bénéficiaires
- Production d'unités biomédicales (culture bactérienne in vitro)
- Identification et étude de la sensibilité des bactéries
- Autopsie
- Techniques et méthodes utilisées
  - Chromatographie sur couche mince, sur colonne et phase gazeuse
  - Électrophorèse, immunoélectrophorèse, spectrophotométrie, technique Elisa, microscopie, ultracentrifugation, appareils à électrodes, état frais, titrage et autres

Technologue en santé animale

- Manipulation et immobilisation au cours de traitements ou d'interventions
- Réalisation de tests, radiographies et recherches de laboratoire
- Assistance du vétérinaire au cours des interventions chirurgicales

- Préparation et administration de médicaments et de vaccins
- Assistance-conseil auprès des clients

322 ➡ Le personnel technique en soins dentaires

Hygiéniste dentaire

- Examen et prise d'empreintes dentaires
- Diffusion d'information aux clients quant à l'hygiène buccale et dentaire
- Techniques maîtrisées : détartrage, polissage, enduction au fluorure (nommer les techniques à l'aide d'un relevé de notes par exemple)

323 ➡ Le personnel technique en soins de santé

Ambulancier

- Détermination de diagnostics de gravité et d'état d'urgence
- Administration des soins d'urgence préhospitaliers (RCR, oxygène, immobilisation, etc.)
- Documentation et consignation de renseignements aux dossiers des patients

Massothérapeute

- Application des techniques de massothérapie (nommer les techniques maîtrisées)
- Collaboration avec différents professionnels quant à la complétude des soins
- Tenue de dossiers

341 ➡ Le personnel de soutien des services de santé

Assistant dentaire

- Préparation des patients pour les examens et les soins dentaires
- Stérilisation et entretien des instruments
- Préparation des mélanges nécessaires aux obturations
- Assistance-conseil auprès des patients en matière d'hygiène dentaire

Auxiliaire médical

- Assistance dans les soins apportés aux patients (hygiène, nourriture, transport, habillage)
- Mesure de tension artérielle, prise de température et prélèvement de spécimens
- Nettoyage et désinfection des chambres

Aide technique en pharmacie

- Mélange, emballage et étiquetage de produits pharmaceutiques
- Maintien à jour des registres d'ordonnances et d'inventaire des médicaments et des produits pharmaceutiques
- Service à la clientèle, tenue de caisse et rapport de fin de journée

Les sciences sociales et l'enseignement

Cette catégorie comprend un éventail de professions touchant au droit, à l'enseignement, au service-conseil, à la direction de recherche en sciences sociales, à l'élaboration de politiques gouvernementales et à l'administration de programmes du gouvernement et des autres secteurs. Elle comprend également des professions de gestion apparentées (CNP, 1995).

411 ➡ Les juges, les avocats et les notaires

Avocat et notaire

- Information des clients sur leurs droits légaux ou sur les questions juridiques
- Présentation de plaidoyers devant les tribunaux et les commissions
- Rédaction de documentation juridique (spécialisation : testaments, divorces, sociétés, commerces, droit de la famille, etc.)
- Négociation de règlements en cas de litiges en matière civile
- Exécution testamentaire, fiduciaire et de tutorat

Validation

Jean-Frédéric Girard, avocat (411)

- Juridique
  - Recherche dans les textes de lois, la jurisprudence et la doctrine
  - Interprétation et vulgarisation des textes de lois
  - Utilisation des banques de données SOQUIJ et QUICKLAW
  - Rédaction d'avis juridiques, de contrats et de procédures judiciaires
  - Négociation de règlements hors cours
  - Représentation devant les autorités décisionnelles
- Administration
  - Planification et contrôle budgétaire
  - Préparation d'ordres du jour et de procès-verbaux
  - Organisation d'événements spéciaux
- Représentation et communication
  - Représentation auprès de regroupements sociaux, économiques et politiques
  - Animation de comités de travail
- Informatique
  - Connaissance de Windows 95, Microsoft Office, WordPerfect 6.1, Internet Explorer, Netscape Navigator

Validation

Angèle Parenteau, avocate (411, 421)
- Gestion des ressources humaines en milieu communautaire
- Droit social (logement, sécurité du revenu)
- Formation : animation d'ateliers thématiques
- Intervention en employabilité
- Intervention auprès de personnes en difficulté
- Traduction de textes juridiques

412 ➡ Les professeurs de niveau universitaire

Professeur d'université

- Préparation et prestation de cours au premier cycle universitaire
- Direction de travaux pratiques en laboratoire
- Direction et supervision des programmes de recherche des étudiants
- Planification et exécution de recherches et rédaction de rapports, de thèses, de mémoires et d'articles scientifiques
- Participation avec les équipes départementales à l'élaboration des programmes

Assistant d'enseignement et de recherche

1. Professeur adjoint

- Préparation de documents de référence et du matériel pédagogique
- Animation de séminaires, de groupes de discussion et de séances de laboratoire
- Collaboration à la préparation, à l'administration et à la correction des examens

2. Assistant de recherche

- Recherche de documentation aux fins de collectes de données destinées à des publications spécialisées
- Analyse documentaire et rédaction de résumés, de synthèses et de comptes rendus
- Compilation des résultats de recherches

413 ➡ Les professeurs de niveau collégial et les instructeurs dans les écoles de formation professionnelle

- Prestation de cours, d'ateliers et de séminaires
- Préparation des plans de cours et du matériel d'enseignement
- Préparation, administration et notation des travaux et des examens
- Participation à divers comités de révision de programmes et d'exigences de qualification

Validation

Sylvain Darveau, professeur au collégial (413)
Connaissances approfondies en sciences naturelles (faune, flore, écologie et géologie)
- Enseignement et animation en sciences naturelles
- Interprétation de la nature et éducation relative à l'environnement (ERE)
- Conception d'un sentier et d'un programme d'interprétation de la nature
- Vulgarisation scientifique
- Analyse de photos aériennes
- Inventaires fauniques et forestiers
- Évaluation de répercussions environnementales
- Identification d'oiseaux, orientation et survie en forêt
- Plongée sous-marine et réanimation cardiorespiratoire (RCR)

414 ➡ Les enseignants et les conseillers pédagogiques au primaire et au secondaire

Enseignant au préscolaire, au primaire et au secondaire

- Préparation et enseignement de la matière selon les programmes du ministère de l'Éducation du Québec
- Préparation et direction d'activités visant la promotion du développement physique, mental, social et de la maturité scolaire
- Préparation, correction et notation des évaluations quant à l'atteinte des objectifs
- Évaluation de progrès et participation aux études de cas
- Établissement et maintien de la communication auprès des parents
- Participation aux réunions du personnel et aux ateliers de formation

Conseiller pédagogique et conseiller d'orientation

- Assistance-conseil auprès des élèves quant aux choix de cours et à la planification de carrière
- Diffusion d'information auprès des parents et des professeurs sur différentes ressources
- Coordination des services-conseils et d'information scolaire et professionnelle
- Préparation et réalisation d'activités thématiques relatives au développement de carrière
- Administration et interprétation de tests psychométriques (intelligence, aptitudes, intérêts, personnalité)
- Animation d'ateliers dans le domaine de l'apprentissage (méthodologie de résolution de problèmes, travail intellectuel, etc.)

Validation

Bernard Breton, conseiller d'orientation (414)

- Service-conseil d'orientation et d'emploi
- Information sur les choix scolaires et professionnels (niveaux secondaire, collégial, universitaire)
- Administration et interprétation de tests psychométriques (Strong, Grop, Épreuve-groupements, et autres)
- Encadrement et supervision de participants en cheminement particulier ou professionnel
- Clientèle : cheminement particulier (décrocheurs potentiels), collégiale, universitaire
- Représentation institutionnelle
- Évaluation de dossiers (admissions et inscriptions)
- Planification et gestion de projets
- Préparation d'activités d'information (midi-carrière, visites et admissions universitaires)
- Informatique : Repères, Udematik, GPC/Bach, Windows, Word

415 ➡ Les professionnels en psychologie, en travail social, en conseil et en religion

Psychologue

- Évaluation du comportement, dépistage de problématiques et élaboration de plans d'action (d'intervention)

- Assistance-conseil auprès de la clientèle (individu et groupe) quant à l'adaptation ou au développement sur les plans personnel, social, éducatif et professionnel
- Application de théories et principes psychologiques liés au comportement et aux processus mentaux : apprentissage, mémoire, perception et développement du langage (cet énoncé de la CNP peut se traduire par l'approche préconisée par le candidat : humaniste, cognitiviste, béhavioriste, approche systémique, thérapie brève, etc.)

Travailleur social

- Service-conseil individuel, familial et de groupe
- Évaluation de situations et de problématiques psychosociales
- Identification et détermination des ressources appropriées
- Service de référence auprès d'organismes spécialisés et suivi de dossiers
- Enquête sur les cas de sévices ou de négligence et mise en application de mesures préventives ou curatives
- Connaissance de la loi sur la protection de la jeunesse et des jeunes contrevenants
- Participation aux études de cas et collaboration auprès d'équipes multidisciplinaires
- Rédaction de rapports, de suivi et de recommandations en matière de politique sociale

Conseiller matrimonial

- Entretien auprès des clients et évaluation de besoins
- Élaboration, exécution et évaluation de programmes de service-conseil et d'intervention quant à l'atteinte des objectifs
- Médiation familiale

Agent de probation et de libération conditionnelle

- Organisation de rencontres d'évaluation psychosociale et rédaction de rapports présentenciels
- Élaboration de programmes de réadaptation
- Obtention de références et collaboration auprès des organismes communautaires, sociaux et d'insertion professionnelle
- Supervision des conditions de probation pour la liberté surveillée ou la libération conditionnelle

- Rédaction de rapports d'évolution et émission de recommandations quant aux mesures préventives et correctives

416 ➡ Les agents des politiques et des programmes, les recherchistes et les experts-conseils

Expert-conseil en matière de politique de l'enseignement

- Gestion des programmes d'éducation
- Rédaction de rapports et de politiques
- Évaluation de programmes d'études et soumission de recommandations
- Détermination de la structure, du contenu et des objectifs des nouveaux programmes
- Estimation et évaluation du coût et de l'efficacité des politiques et des programmes
- Service de formation et de consultation auprès du personnel enseignant
- Élaboration du matériel d'enseignement

Validation

Roger Gingras, chercheur et chargé de cours (416)

- Recherche
  - Analyse de l'administration publique ainsi que des partis politiques, relations internationales et opinions publiques
  - Élaboration de questionnaires et méthodes d'enquêtes
  - Rédaction de rapports et soumission de recommandations politiques
  - Connaissance des enjeux politiques constitutionnels, de la situation liée aux autochtones et des systèmes politiques et sociaux de la Suisse et de la France
  - Compilation, traitement et interprétation d'information et de données statistiques
  - Rédaction de règlements généraux et de procédures
- Relations publiques
  - Représentation et négociation auprès d'autorités décisionnelles et liaison auprès de divers organismes
  - Élaboration, planification, coordination de règles et de procédures internes et supervision des activités
  - Animation d'activités sociales pour personnes âgées
- Enseignement
  - Analyse, critique et vulgarisation des politiques éducationnelles, sociales et économiques
  - Spécialisation en philosophie éthique, anthropologique et appliquée
  - Stratégie d'enseignement et d'apprentissage adaptée, dynamique et coopérative

Expert-conseil en matière de politique sociale

1. Recherche en matière de politique sociale

- Élaboration de programmes sociaux ou de projets de lois fondés sur des analyses démographiques, sociales et économiques
- Évaluation de projets pilotes

2. Recherche en matière de politique du logement

- Analyse et évaluation des incidences économiques, démographiques et sociales sur la politique du logement
- Planification, organisation et administration des programmes d'aide à l'étranger et en développement international

Recherchiste de relevés démographiques

- Détermination de méthodes d'enquêtes
- Élaboration de questionnaires
- Analyse, compilation et interprétation statistique

Validation

Laurent Daoust, chercheur, expert-conseil en développement de politique (416)

- Technologie, politiques sociales et enseignement
  - Élaboration de politiques et de programmes de recherches fondés sur des analyses démographiques, sociales et économiques et sur l'évaluation de projets pilotes
  - Planification, organisation et analyse de politiques nationales et internationales
  - Élaboration de questionnaires, de méthodes d'enquêtes, d'analyse, de compilation et d'interprétation de données
  - Évaluation de programmes de formation et recommandation de nouvelles orientations
  - Détermination du contenu et des objectifs des nouveaux programmes
  - Évaluation de l'efficacité des politiques et programmes d'éducation
  - Élaboration des orientations en matière de formation
  - Recrutement, coordination et supervision de chercheurs et d'experts-conseils
- Coordination
  - Mise en place et coordination de politiques pour la gestion de l'organisation
  - Analyse de notes, de mémoires et rédaction de rapports
  - Coordination de la préparation, de la production et de la présentation de documents à l'intention des cadres de direction ou de comités
  - Préparation de l'ordre du jour et des dispositions pour la tenue des réunions de comités consultatifs et exécutifs

- Exécution des recherches, compilation et préparation des données qui seront étudiées et présentées par les cadres supérieurs ou les comités
- Rencontre de groupes spéciaux et d'organisations nationales et internationales au nom de la direction pour déterminer les problèmes, évaluer et recommander diverses mesures correctives

- Gestion
  - Coordination, répartition et supervision du travail des équipes de chercheurs
  - Mise en place d'échéanciers et de procédures
  - Coordination et planification des besoins en matériel, fournitures et autres ressources
  - Collaboration ou préparation des budgets d'exploitation
  - Rédaction et présentation de rapports d'étapes
  - Rassemblement de données et préparation de manuels et de rapports périodiques et spéciaux
- Représentation et événements spéciaux
  - Rencontre de représentants d'associations industrielles et professionnelles afin de promouvoir des activités de l'organisation
  - Formation de comités organisateurs afin de planifier l'ampleur et la forme que prendront les événements
  - Établissement et surveillance des budgets ; révision des procédures administratives
  - Approbation de factures, des dossiers financiers et préparation de rapports

Superviseur et expert-conseil en programmes de sports et de loisirs

- Détermination des besoins et des objectifs et évaluation de la condition physique
- Conception et élaboration de programmes d'exercices (ou de loisirs) sur mesure
- Consultation en matière de condition physique (ou de loisirs) pour des groupes spécifiques (communautaires, écoles, associations sportives et autres organisations)
- Recherche et élaboration de politiques gouvernementales reliées aux sports, aux loisirs et à la condition physique
- Élaboration, planification, coordination et administration de programmes de sports, de condition physique et de loisirs

421 ➡ Le personnel paraprofessionnel du droit, des services sociaux, de l'enseignement et de la religion

Technicien juridique

- Assistance au cours de la rencontre des clients et des témoins
- Rédaction de documents juridiques, de rapports de la cour et de déclarations sous serment

- Dépouillement de registres, de dossiers du greffe et d'autres documents juridiques
- Représentation des clients à la Cour des petites créances

Travailleur des services communautaires

- Accueil de la clientèle et évaluation des besoins
- Évaluation et vérification de l'admissibilité aux services
- Traitement des rapports d'admission
- Mise en place, coordination et supervision de groupes de soutien, d'entraide communautaire, de foyers de groupe et de maisons de transition
- Assistance-conseil auprès des clients en matière d'aide sociale
- Service d'intervention d'urgence (toxicologie, sans-abri)
- Conception et animation d'ateliers sur différents aspects de la dynamique de vie

Conseiller en emploi

(Pour en savoir plus : http://www.career-dev-guidelines.org)

- Collecte d'information sur les antécédents scolaires et professionnels des clients
- Reconnaissance des obstacles et des objectifs d'emploi
- Assistance-conseil dans l'élaboration de compétences et de stratégies de recherche d'emploi
- Administration et correction de tests
- Service d'information et de référence
- Diffusion d'information sur le marché du travail, sur les perspectives d'emploi et sur les programmes d'études

Validation

Stéphane Boudriau, conseiller en emploi (421)

- Volet carriérologie
  - Animation de groupes et service-conseil individuel
  - Reconnaissance d'acquis et développement de carrière
  - Acquisition et promotion de l'identité professionnelle (entrepreneurship, recherche d'emploi, planification de carrière)
  - Information scolaire et professionnelle (incluant les programmes de formation destinés aux entreprises)
  - Évaluation psychométrique : GROP (Guide de ressources pour une orientation professionnelle) ; IRPA (Institut de recherche sur le profil d'apprentissage) ; MBTI (Inventaire psychologique Myers-Brigg) ; TPGM (Test psychographométrique) ; ICE (Inventaire des caractéristiques entrepreneuriales)

Validation

Marie Ducharme, conseillère en emploi, coordonnatrice (421)

- Coordination et gestion
  - Planification, coordination et supervision des activités de gestion de projets
  - Dépôt de demande de subvention et négociation avec les autorités décisionnelles
  - Recrutement, supervision et évaluation du personnel
- Intervention en employabilité
  - Évaluation de difficultés reliées à l'insertion ou au maintien professionnel
  - Établissement des objectifs prioritaires et application de plans d'intervention adaptés
  - Encadrement et supervision des participants (formation, stage, emploi)
  - Administration et interprétation de tests psychométriques
  - Suivi, évaluation des résultats et production de rapports
- Encadrement clinique
  - Soutien clinique auprès des intervenants (intervention de deuxième niveau)
  - Élaboration d'ateliers de formation pour les intervenants
  - Préparation et animation d'études de cas
  - Élaboration d'outils et de politiques d'encadrement
- Promotion et représentation
  - Sollicitation et recrutement d'employeurs pour des stages
  - Rédaction de documents promotionnels (dépliants, vidéos et autres)
  - Organisation d'événements spéciaux et d'activités de promotion

Éducateur de la petite enfance

- Préparation des activités quotidiennes (éducatives et de divertissement)
- Encadrement des enfants dans l'acquisition de bonnes habitudes de vie (nourriture, hygiène, comportement, habillement)
- Reconnaissance de difficultés d'apprentissage ou de mésadaptation socio-affective et élaboration de plans d'intervention sur mesure
- Participation aux réunions des comités de travail
- Entretien de la communication avec les parents quant au cheminement des enfants

Instructeur en éducation spécialisée

- Note : déterminer la spécialité et les types de langages (ex. : gestuel) connus et maîtrisés. Se reporter aux autres domaines d'intervention quant à l'élaboration du ou des champs de compétences.

Validation

Suzy Landreville, éducatrice spécialisée
- Intervention en situation de crise, service-conseil
- Relation d'aide aux toxicomanes, techniques d'entrevue
- Droit des mineurs
- Animation, recherche
- Maîtrise du langage gestuel
- Connaissance des ressources communautaires
- Clientèle : hommes de 50 ans et plus, alcooliques/toxicomanes, délinquants adultes, immigrants illégaux

Validation

Sergine Jasmin, éducatrice spécialisée
- Intervention de crise, suivi individuel et de groupe
- Coordination de programmes
- Conception et mise en application de projets
- Organisation et animation d'ateliers de discussion et d'activités rééducatives
- Intervention familiale, médiation
- Coordination d'équipe de bénévoles

Validation

Claire Larivée, éducatrice spécialisée
- Techniques d'intervention, d'animation et de relation d'aide (groupes et individus)
- Accueil, écoute, suivi, soutien, références
- Observation et évaluation de besoins
- Élaboration de plans d'intervention (besoins, objectifs, moyens)
- Planification, organisation, animation et rédaction de synthèse
- Intervention en situations de crise
- Participation au sein d'équipes multidisciplinaires

Les arts et les loisirs

Cette catégorie comprend des professions de gestion et des postes professionnels et techniques apparentés aux arts et à la culture, y compris les arts du spectacle, le cinéma et la production vidéo, la radiodiffusion, le journalisme, la rédaction, le design, les librairies et les musées. Elle comprend également des professions en sports et en loisirs (CNP, 1995).

511 ➡ Les professionnels des bibliothèques et des archives

Bibliothécaire

- Recommandations pour l'acquisition de nouvelles publications selon la clientèle
- Classement et catalogage des nouveaux documents
- Préparation de bibliographies, de guides, de listes de lectures et d'autres outils de recherche
- Assistance-conseil et formation auprès des usagers
- Supervision du personnel et des procédures administratives et contrôle budgétaire

Archiviste

- Évaluation et acquisition de documents archivistiques
- Établissement d'authenticité, détermination d'origine, évaluation historique et pécuniaire des documents
- Techniques et méthodes de conservation des documents historiques
- Établissement de systèmes de classification d'archives

Validation

Séverine Roy, gestion documentaire et administrative (511)

- Classement et gestion documentaire
- Adaptation de systèmes de classification
- Connaissance des règles de description des documents d'archives
- Préparation de bibliographies, d'index, de guides et autres outils de recherche documentaire
- Aménagement et exploitation de l'espace
- Formation et supervision des usagers
- Recherche en ce qui concerne l'origine et l'historique d'objets d'art (manuelle et informatisée)
- Informatique : Word, Excel, Filemaker, McDraw, Internet, RCIP (banque de données des musées)

512 ➡ Les professionnels de la rédaction, de la traduction et des relations publiques

Réviseur

- Détermination de la pertinence de la publication
- Approbation et recommandation de modifications liées au contenu, au style et à la disposition
- Révision et correction d'épreuves
- Collaboration étroite avec les auteurs et les autres intervenants
- Planification de la présentation et de la disposition des textes selon l'espace existant ou le temps alloué
- Conception, planification et coordination des activités du personnel
- Couverture d'événements à venir
- Négociation auprès d'auteurs et de pigistes

Validation

Louise Frigon, correctrice d'épreuves

- Correction d'épreuves et révision de textes : magazines, textes publicitaires et promotionnels, documents informatifs et communiqués de presse
- Participation à l'organisation d'événements spéciaux et de campagnes promotionnelles : soutien administratif et suivi de projets
- Collecte et traitement de données : banques de données et production de rapports
- Saisie et mise en pages de textes variés reliés à différents domaines tels le marketing, la promotion, les relations publiques et les ateliers de formation
- Connaissances informatiques : Word et Excel sur McIntosh et IBM, Freehand, PageMaker, FileMaker, Powerpoint

Journaliste

- Rédaction des actualités, de chroniques, d'articles spécialisés, de critiques à des fins de publication et de diffusion
- Réception, analyse, vérification et évaluation de l'exactitude des renseignements
- Utilisation de méthodes d'interview, d'enquête et d'observation (économique, politique, etc.)

Validation

Irène Dutrisac, journaliste, télévision et radio (512)

- Recherche
  - Compréhension des problématiques politico-sociales liées à l'Europe
  - Solide connaissance de la langue, de l'actualité, de la culture, de la politique et de la littérature de l'Allemagne
  - Élaboration de questionnaires et de méthodes d'enquête
  - Compilation, traitement et interprétation statistique d'information
  - Validation et vulgarisation d'information et diffusion de recommandations
  - Programmes d'échanges et de travail à l'étranger
- Communication et rédaction
  - Connaissance des stratégies de communication, de la coordination et de la distribution de l'information
  - Rédaction de communiqués, de comptes rendus et de rapports
  - Interviews, relations publiques, conférences et animation de groupe
  - Interprétation et traduction allemand/français
  - Réalisation de reportages, animation d'émissions télévisées et rédaction de nouvelles
- Compétences complémentaires
  - Stratégies d'enseignement du français et de l'allemand langue seconde, adaptées à une clientèle ciblée
  - Coordination et supervision d'une équipe de travail
  - Collaboration avec une équipe de travail
  - Collaboration avec une équipe multidisciplinaire et multiethnique
  - Connaissances informatiques : Windows, Word et Excel

Professionnel des relations publiques et des communications

- Élaboration, application et évaluation de stratégies de communication
- Rassemblement, dépouillement et correction de documents pour auditoires internes et externes
- Préparation de rapports, de mémoires, de bibliographies, de discours, d'exposés, de communiqués de presse et de brochures selon les besoins
- Préparation d'événements spéciaux (réunion, colloque, cérémonie, collecte de fonds)
- Préparation et présentation des programmes éducatifs et publicitaires
- Établissement et entretien des relations avec les médias
- Prise de position pour les entrevues et les conférences de presse
- Représentation des entreprises devant les médias écrits, radiophoniques et télévisuels

Validation

Marcel Demers, adjoint administratif aux communications (512)
- Accueil et service à la clientèle
- Évaluation de besoins et ouverture de marché
- Rédaction de contrats, de communiqués (média) et de comptes rendus
- Préparation, démarches et suivi de dossiers, résolution de problèmes et tenue d'agenda
- Représentation pour des autorités politiques et liaison auprès de divers organismes
- Préparation et organisation de tournées, d'activités promotionnelles et d'événements spéciaux (logistique)
- Sollicitation et recrutement de clients potentiels
- Traitement de la correspondance

Validation

Valérie Lorion, agente aux relations publiques (512, 323)
- Représentation et recherche de financement et de commanditaires
- Conception et animation de plan de formation
- Organisation d'événements spéciaux
- Mise en marché de produits
- Accueil, service à la clientèle et prise de rendez-vous
- Gestion de dossiers, classement et suivi
- Prévision budgétaire, tenue de livres et réalisation de bilans

522 ➡ Les photographes, les graphistes et le personnel technique du cinéma, de la radiodiffusion et des arts de la scène

Technicien en radiodiffusion

- Assurance de la qualité de la diffusion des émissions radiodiffusées et télédiffusées en direct ou en différé
- Utilisation du matériel aux fins de transmission et de réception de signaux de radiodiffusion
- Réparation d'urgence du matériel et remplacement de programmation en cas de panne de signal
- Manipulation des commandes du pupitre

Validation

Alexandra Sauvé, animatrice, réalisatrice et productrice d'émissions radiophoniques (522-523)

- Animation
  - Planification de contenu d'émissions (verbal et musical)
  - Connaissance des différents groupes et styles musicaux
  - Préparation et réalisation d'entrevues
  - Diffusion d'information générale, de critiques musicales et cinématographiques
  - Représentation et service à la clientèle
  - Organisation et animation d'événements spéciaux
- Réalisation (mise en ondes)
  - Opération de console de diffusion et d'enregistrement
  - Mixage du son
  - Coordination du temps d'antenne
  - Supervision d'émissions (animation, intervenants, invités, publicité)
- Production
  - Préenregistrement et production d'émissions
  - Production d'annonces publicitaires
  - Montage et mixage de bandes sonores

Validation

Sophie Régimbald, photographe portraitiste et designer d'intérieur (522, 524)

- Photographe
  - Évaluation des besoins de la clientèle
  - Sélection du type d'appareil, de film, d'accessoires, d'éclairage et d'arrière-plan approprié
  - Ajustement technique de l'équipement
  - Mise en place et prise des photos
  - Vérification des commandes et de la marchandise
  - Encadrement de portraits
  - Types d'appareillages utilisés : 35 mm mono et bi-objectif à visée réflex, flash-mètre
- Design intérieur
  - Évaluation des besoins et des préférences
  - Planification de l'espace, préparation et élaboration de plans détaillés
  - Élaboration des perspectives et des rendus couleurs
  - Choix des matériaux, de meubles et d'accessoires
  - Évaluation du coût et des besoins en matériaux

Technicien en enregistrement audio et vidéo

- Enregistrement et montage de musique, de dialogues et d'effets sonores pour différents produits cinématographiques et radiotélédiffusés
- Enregistrement de vidéos, d'émissions de télévision, de concerts et d'événements en direct
- Enregistrement et montage de bandes vidéo postproduction
- Mixage de musique et de son au cours de concerts et d'événements en direct
- Réenregistrement en synchronisation d'images, de dialogues, de musique et d'autres effets sonores
- Manipulation de pupitre (console) audio aux fins de mixage (événements en direct)

Validation

Timothy Baker, développeur de films photographiques (522)

- Développement de films
- Correction des couleurs
- Agrandissement manuel
- Planification du travail
- Formation et supervision du personnel

Validation

Juan Juniper, photographe (522)

- Sujets traités
  - Architecture, industriel, portrait
  - Mode (studio, extérieur), événements médiatiques, mariage, publicité (studio)
- Procédés
  - C41, E6, noir et blanc, mélange des produits chimiques de développement, reproduction, Kodalith, cibachrome, duratrans, duraflex, développement manuel de pellicules noir et blanc
- Équipement
  - Agrandisseurs couleurs, noir et blanc, « Hope » noir et blanc et couleurs, Jobo ATL 3, équipement pour le montage des photographies, Sinar 4 x 5, Hassleblad 2.25, Mamia, flash broncolor, kit impact, pulso 4 et lampes au tungstène
- Dessin de mode
  - Patron, gabarit, moulage, confection, textile, dessin de création
- Arts visuels
  - Dessin technique, peinture, sculpture, communication graphique, histoire de l'art

Validation

Martin Forgues, producteur, coordonnateur technique (audiovisuel) (522)

- Production et organisation
  - Rencontre des comités organisateurs afin de déterminer et de planifier l'ampleur et la forme que prendront les événements (budget d'exploitation, échéancier et réalisation)
  - Coordination des réservations requises pour l'hébergement, les salles d'audition, le matériel technique et l'aménagement de l'espace
  - Planification et contrôle budgétaire
- Audiovisuel et média
  - Planification des besoins en matériel
  - Installation de matériel audiovisuel
  - Coordination de la régie, montage et mise en ondes
  - Production de commerciaux (radio FM)
  - Prise de son, décryptage et prémontage d'émissions télévisées
  - Installation et programmation d'antennes paraboliques
- Gestion de projets et de personnel
  - Évaluation des coûts
  - Réalisation de plans d'aménagement
  - Coordination des divers intervenants
  - Évaluation des besoins en matière de main-d'œuvre

523 ➡ Les annonceurs

Annonceur de la radio et de la télévision

- Choix, présentation et diffusion de pièces musicales, de bandes vidéo et d'autre matériel de divertissement
- Présentation de messages publicitaires et d'intérêt public
- Direction du déroulement d'émissions
- Préparation de rencontres et entretien auprès d'invités
- Lecture de différents bulletins de nouvelles (météo, circulation, sports, information générale)

524 ➡ Les concepteurs artistiques

Concepteur graphiste

- Évaluation des besoins de la clientèle
- Création des concepts, de la nature et du contenu des illustrations
- Choix des moyens, des méthodes et des techniques de réalisation
- Préparation de croquis, de photographies et d'illustrations
- Évaluation du coût de matériaux et estimation du temps requis
- Production de la forme finale et suivi de la clientèle

Validation

Jacinthe Kovacs, conceptrice graphiste (524)
- Création, conception et production de réalisations graphiques
- Infographie, design graphique et illustration
- Sélection de moyens de production, épreuve de vérification, films et *color keys*
- Analyse de besoins et service à la clientèle
- Connaissances informatiques : QuarkXpress, Photoshop, Illustrator, Pagemaker, Microsoft Word

Validation

Cindy Blanchet, conceptrice graphique (524)
- Conception graphique et réalisation technique
- Préparation du devis et du prêt-à-photo, suivi d'impression
- Mise en pages, publicité, cartographie, commercial, illustration
- Magazine, calendrier, dépliant, affiche, diplôme, papeterie, programme, carte, légende, pictogramme, schéma, figure, graphique, carte de remerciement
- Logiciel : QuarkXPress, FreeHand, Illustrator, Photoshop et Word

Designer d'intérieur

- Détermination des besoins, des préférences et de l'utilisation de l'espace prévu auprès de la clientèle
- Préparation de plans détaillés et de maquettes

- Élaboration de plans de décoration et assistance-conseil sur le choix des couleurs, des meubles et des revêtements
- Évaluation du coût et des besoins en fonction des matériaux utilisés
- Préparation des spécifications d'exécution

Validation

David Lecourtois, designer d'intérieur (524)

- Évaluation des besoins et service à la clientèle
- Recherche et documentation
- Préparation des devis descriptifs, estimation du coût
- Contrôle des budgets et des travaux
- Aménagement et exploitation de l'espace
- Conception, aménagement de vitrine et d'éclairage
- Représentation et négociation auprès des fournisseurs
- Harmonisation des couleurs et création de mobilier

La vente et les services

Cette catégorie comprend les professions dans les domaines de la vente et des services personnels et de protection ainsi que les professions reliées à l'accueil et au tourisme. Les professions de gestion dans la vente et les services sont également comprises dans cette catégorie (CNP, 1995).

621 ➡ Le personnel de supervision des ventes et des services

Superviseur en vente au détail

- Surveillance et coordination des activités du personnel de vente et des caissiers
- Distribution des tâches et établissement des horaires
- Autorisation des paiements et des retours
- Service à la clientèle et traitement des plaintes
- Maintien des stocks, planification et prise de commande des marchandises
- Préparation des rapports administratifs
- Embauche et formation du personnel

Validation

Luc Joncas, superviseur, vente au détail (621)

- Service à la clientèle
- Élaboration de procédures quant à la sélection du personnel
- Embauche, formation et supervision du personnel
- Organisation d'activités de formation
- Planification et coordination des horaires, des campagnes promotionnelles et des inventaires
- Planification et mise en place des projets d'expansion
- Conception d'affiches et de matériel promotionnel
- Connaissances en informatique : WP, Lotus

Validation

Dominique Lauzière, directeur de commerce au détail (620, 621)
- Recrutement, sélection, formation, supervision et motivation du personnel et des équipes de vente
- Gestion de division et de personnel syndiqué
- Analyse et planification des ventes
- Élaboration des budgets et contrôle des dépenses
- Réduction de pertes par le contrôle de la qualité
- Développement du crédit des entreprises
- Mise en service du système d'inventaire
- Maintien et amélioration du service à la clientèle
- Application des techniques de résolution de problèmes
- Organisation de réunions de travail, de conférences et de plans d'action de mise en marché

Superviseur des services alimentaires

- Collaboration étroite auprès des chefs et diététistes quant à la planification
- Estimation des besoins et commande des ingrédients et des fournitures
- Supervision et coordination des activités du personnel de production
- Maintien du registre des stocks, de la rotation des aliments périssables et non périssables
- Contrôle de la salubrité et de l'assurance-qualité
- Connaissance de la production en milieux institutionnels

Gouvernant d'hôtel ou d'institution

- Établissement et mise en œuvre des procédures du fonctionnement des services d'entretien ménager
- Planification et coordination des superviseurs des services d'entretien
- Inspection des aires désignées et prise de mesures préventives ou correctives
- Sélection et achat d'équipement et de fournitures
- Maintien des registres financiers, préparation budgétaire et gestion de la paie

Surveillant des services de nettoyage

- Supervision et coordination du travail des préposés et des concierges
- Inspection des lieux et des installations en matière d'assurance-qualité

- Recommandation ou prise de dispositions pour l'entretien de services spécialisés
- Négociation auprès des corps de métiers
- Établissement des horaires de travail et coordination avec les autres services
- Estimation du coût, préparation et contrôle budgétaire
- Connaissance des milieux commerciaux, des tours à bureau et du milieu industriel

622 ➡ Le personnel technique de la vente en gros

Spécialiste des ventes techniques

- Détermination des clientèles cibles, prospection à froid et promotion de produits et de services
- Évaluation des besoins des clients et recommandations appropriées
- Évaluation du coût d'installation et d'entretien
- Rédaction des soumissions et des contrats de vente et de service
- Administration des comptes clients et suivi après-vente

623 ➡ Le personnel de l'assurance, de l'immobilier et des achats

Agent d'assurances

- Détermination des besoins des clients en matière d'assurance
- Calcul des primes, détermination des modalités et conclusion des transactions auprès des clients
- Diffusion d'information et promotion de différents produits financiers
- Traitement de la documentation administrative
- Acheminement des requêtes et des réclamations

Validation

Frank Taylor, agent d'assurances (623)

- Connaissance des lois et réglementations régissant les assurances (vie, automobile, habitation, commercial)
- Négociation de contrats auprès de la clientèle
- Utilisation des procédures en matière de déclaration
- Application des méthodes d'enquêtes reconnues

Agent immobilier

- Sollicitation de mandats de vente auprès de clients potentiels
- Détermination de prix, inscription et annonce de la propriété
- Inspection d'immeubles et proposition d'offres d'achat
- Diffusion de renseignements relatifs au marché, aux prix, aux hypothèques et aux exigences d'ordre juridique
- Préparation des actes de vente et soumission pour approbation

Acheteur des commerces en gros et de détail

- Achat de marchandise pour la revente
- Estimation des besoins commerciaux, détermination de la quantité et sélection des matériaux
- Étude et analyse de marché
- Rencontre et suivi auprès des fournisseurs et designers et consultation de la documentation pertinente
- Négociation des prix, des escomptes, des modalités de crédit et de transport
- Organisation de la distribution par points de vente
- Gestion des inventaires

624 ➡ Les chefs et les cuisiniers

Chef

- Planification et direction des activités reliées à la préparation et à la cuisson des aliments
- Planification de menus, estimation et prise de commande des denrées, des aliments et de l'équipement
- Contrôle et assurance de la qualité
- Recrutement, embauche et formation du personnel
- Spécialisation en cuisine française, italienne et institutionnelle
- Création de pièces montées

Cuisinier

- Préparation et cuisson des repas, service à l'assiette et banquet
- Connaissance des diètes spéciales

- Rédaction des menus, évaluation des besoins et du coût quant aux aliments
- Spécialisation en cuisine ethnique et exotique

Validation

Manuel Morena, cuisinier (624)

- Connaissance de la cuisine française et diététique
- Préparation et cuisson des viandes, volailles, poissons, sauces et plats en sauce, légumes et salades, soupes et crèmes
- Mise en place des buffets froids (salades, charcuteries et pâtés)
- Confection de desserts et de pâtisseries
- Utilisation des grilles, plaques chauffantes, braisières, friteuses, cuisinières à gaz, fours à convection, autoclaves, robots culinaires

625 ➡ Les bouchers et les boulangers

Boucher

- Préparation des coupes de viande, des volailles et du poisson
- Disposition des étalages et des comptoirs
- Service et assistance-conseil auprès de la clientèle

Boulanger-pâtissier

- Préparation des pâtes et glaçage (tartes, gâteaux, pains et petits fours, muffins et biscuits)
- Cuisson des produits
- Établissement des calendriers de production
- Achat de fournitures
- Service à la clientèle

627 ➡ Le personnel technique des services personnels

Coiffeur

- Évaluation des préférences de la clientèle et suggestion de style au besoin
- Techniques maîtrisées : coupe, shampooing, effilage, teinture, mèches et permanente
- Analyse de cheveux et du cuir chevelu
- Divertissement de la clientèle

641 ➡ Les représentants des ventes en gros

- Promotion de produits et de services
- Reconnaissance et sollicitation de clients potentiels
- Évaluation et établissement de prix, de conditions de crédit, de garanties et des dates de livraison
- Rédaction de contrats de vente
- Service et suivi après-vente
- Maintien des connaissances sur les innovations de produits, sur la concurrence et sur les conditions du marché

Validation

Joselito Morales, représentant commercial (641)

- Étude de marchés, planification et organisation des stratégies de vente
- Prospection, sollicitation et négociation de contrat
- Gestion des comptes importants
- Élaboration de programmes de formation
- Établissement et maintien des différents réseaux de distribution (service après-vente)
- Solides connaissances des marchés d'affaires, institutionnels et du commerce alimentaire au détail

Validation

Michel-Marie Courchesne, représentant commercial (641)

- Seize années d'expérience dans le domaine de la vente, des achats et de la logistique
- Promotion et organisation d'expositions annuelles
- Formation et motivation du personnel
- Étude de marché
- Planification des réseaux de transport et de distribution
- Structuration de territoire de vente
- Prospection et service à la clientèle

Validation

André Gagnon, représentant commercial (641)

- Connaissance du marché des médias électroniques, des bannières pharmaceutiques, des marchés hospitaliers et des soins de santé
- Planification et organisation des stratégies de vente ; plan de commandite et de promotion
- Prospection et négociation de contrats
- Gestion des comptes importants
- Présentation de conférences, de séminaires ou de plans d'action aux groupes clients
- Capacité de travailler dans un environnement informatique
- Connaissance des méthodes de sondage BBM et Nielsen
- Étude de marché et profil de clients

642 ➡ Les vendeurs et les commis-vendeurs

- Accueil de la clientèle
- Évaluation des besoins et suggestion de produits et de services adaptés
- Sensibilisation des clients au traitement et à l'entretien de la marchandise
- Tenue de caisse (en espèces, cartes de débit et de crédit) et règlement des retours

643 ➡ Le personnel de l'hébergement et du transport

Conseiller en voyages

- Information des clients en matière de destination, de modes de transport, d'hébergement et de prix
- Planification d'itinéraires pour groupes ou individus
- Réservation de passages, de chambres et de voitures
- Promotion de destinations et assistance-conseil auprès de la clientèle

Réceptionniste d'hôtel

- Réservation de chambres
- Accueil et inscription des clients dans les registres
- Diffusion de l'information auprès de la clientèle sur les services et les activités de l'institution
- Compilation et vérification des registres, des comptes et des états de caisse
- Perception des sommes dues
- Traitement des plaintes

644 ➡ Les guides et le personnel de loisirs

Guide touristique

- Transport et accompagnement de groupes touristiques
- Description et animation des points d'intérêt
- Recueil des droits d'admission et vente de souvenirs

Guide d'activités récréatives et sportives

- Établissement d'itinéraires d'excursion et d'expédition
- Organisation du transport
- Rassemblement et inspection du matériel et des accessoires
- Enseignement des règles de sécurité aquatique, des mesures d'urgence et de l'utilisation du matériel, des installations et des embarcations

645 ➡ Le personnel du service des aliments et des boissons

Maître d'hôtel

- Accueil et accompagnement de la clientèle
- Prise de réservations
- Inspection des salles à manger et des aires de service
- Surveillance et coordination des serveurs
- Préparation des horaires de travail et des feuilles de paie
- Service à la clientèle, règlement des différends et traitement des plaintes

Barman/Barmaid

- Accueil et service à la clientèle
- Préparation des consommations
- Perception de paiements et enregistrement des ventes
- Contrôle des inventaires, prévision des besoins et commande de boissons
- Entretien des aires de travail

Serveur

- Accueil de la clientèle, présentation des menus et des tables d'hôte
- Prise et transmission des commandes à la cuisine
- Recommandation quant au choix des vins
- Préparation des flambées et autres plats cuisinés aux tables
- Préparation et perception des additions

647 ➡ Le personnel de soutien familial

Aide familial

- Prise en charge de personnes en perte d'autonomie ou pendant des périodes d'incapacité temporaire
- Prestation de soins de chevet (nourriture, hygiène, mobilité, prise de médicaments)
- Planification et préparation des repas et des diètes spéciales
- Accomplissement de tâches ménagères, travaux lourds et légers

Validation

Dorothée Lemelin, gardienne d'enfants et aide familiale (647)
- Garde en milieu familial
- Organisation et administration des soins de base
- Clientèle : petite enfance, enfance et troisième âge
- Cuisine et distribution des repas
- Assistance au cours de déplacements
- Organisation d'activités éducatives et de divertissement

Aide enseignant

- Assistance des élèves dans la réalisation des études et des devoirs
- Accompagnement et supervision de la classe dans les activités externes (sorties, bibliothèque, laboratoire, etc.)
- Soutien spécialisé en cas de problèmes d'apprentissage et de comportement ou autres services adaptés
- Collaboration auprès des professeurs et d'autres professionnels dans la mise en application de plans d'intervention
- Surveillance pendant les récréations et les repas
- Assistance en bibliothèque

Aide éducateur (petite enfance)

- Surveillance des enfants
- Planification d'activités éducatives, de divertissement et de dynamique de vie
- Préparation et service des goûters
- Rédaction de rapports de comportement des enfants
- Assistance dans la tenue de dossiers et participation aux réunions de parents

Gardien d'enfants

- Surveillance des enfants (dynamique de groupe et sécurité)
- Prestation des soins d'hygiène, préparation et service des repas et des goûters
- Organisation de jeux, d'activités et de sorties à l'extérieur
- Exécution de tâches d'entretien ménager

648 ➡ Autre personnel des soins personnalisés

Soigneur d'animaux

- Préparation des aliments et distribution de la nourriture aux animaux, poissons et oiseaux
- Nettoyage et désinfection des cages, enclos et aquarium
- Tonte et toilettage des animaux
- Assistance des vétérinaires au moment des traitements et de la vaccination
- Dressage de chiens, obéissance de base

Validation

Danielle Benoît, conseillère en soins spécialisés (648)

- Techniques de pose et d'entretien des ongles
  - Résine, Siena (gel et poudre)
  - Manucure (vernis, protecteur et fortifiant)
- Soins des mains (massage, crème protectrice, hydratante, détection des anomalies)
- Service à la clientèle et service après-vente

661 ➡ Les caissiers et le personnel de la vente

Préposé à l'étiquetage de marchandises

- Réception des paiements (espèces, chèques, cartes de crédit et de débit)
- Emballage de marchandises
- Diffusion de renseignements auprès des clients
- Calcul des montants perçus et conciliation de fin de journée

Validation

Sonia Simpson, caissière (661)

- Accueil, vente et service à la clientèle
- Tenue de caisse, bilan journalier, hebdomadaire et mensuel
- Préparation et vérification de commandes
- Disposition d'étalages (merchandising)
- Vérification et classement de documents administratifs

Préposé de stations-service

- Accueil des automobilistes et évaluation des besoins
- Entretien mineur des véhicules
- Perception des paiements, conciliation des caisses et des pompes
- Connaissances techniques : lavage de pare-brise, niveau, pression, vidange et changement de filtres pour l'huile, entretien des pneus, remplissage d'antigel et de liquide antigel

Commis d'épicerie et étalagiste

- Emballage des achats et préparation des colis pour livraison
- Assistance auprès des clients dans le transport à l'auto et dans la diffusion d'information
- Étiquetage et marquage de marchandises selon les listes de prix
- Disposition et présentation des étalages sur les tablettes et en entrepôt (facing)
- Entretien des aires de travail

663 ➡ Les aides médicaux et les assistants en milieu hospitalier

- Inscription de renseignements concernant les patients
- Réception et triage de fournitures et d'équipement
- Nettoyage et stérilisation des instruments
- Assistance durant l'installation des patients dans les salles de traitement
- Mise en place de l'équipement selon les consignes des professionnels
- Assistance des patients durant la réalisation d'exercices de maintien

664 ➡ Les serveurs au comptoir et les aide-cuisiniers

Serveur au comptoir et préparateur d'aliments (services alimentaires)

- Prise de commande des clients
- Composition des plats, mets rapides
- Service des mets aux clients

Aide-cuisinier et plongeur (services alimentaires)

- Nettoyage et préparation des fruits et des légumes
- Enlèvement des déchets et maintien de l'hygiène des aires de travail
- Déballage des provisions (denrées périssables et non périssables)

- Nettoyage et désinfection des tables, des plateaux et des autres aires de service
- Maintien des provisions en condiments
- Lavage et rangement de la vaisselle

665 ➡ Les gardiens de sécurité

- Contrôle des accès et émission des laissez-passer
- Diffusion d'information auprès des visiteurs
- Ronde des zones désignées
- Surveillance et protection contre le vol, le vol à l'étalage, le vandalisme et le feu
- Maintien de l'ordre et du respect des règlements
- Contrôle d'identité et de bagages
- Conduite de véhicules VIP (conduite de sécurité et d'urgence)
- Conduite de véhicules de filature

666 ➡ Les nettoyeurs

Nettoyeur

- Balayage, essuyage, lavage, cirage et astiquage de parquets
- Époussetage de meubles et d'autres surfaces
- Changement de draperie et distribution de serviettes et d'accessoires
- Désinfection d'aires de travail en milieu contrôlé
- Entretien des poubelles et des conteneurs à déchets
- Lavage de fenêtres, de murs et de plafonds

Concierge

- Nettoyage, frottage et cirage de corridors, de parquets et d'escaliers
- Utilisation d'équipement industriel
- Gestion des rebuts et des déchets
- Lavage de fenêtres, de murs et de plafonds intérieurs
- Déneigement et déglaçage de trottoirs et de stationnements

- Négociation auprès des contractuels (ex. : déneigement, corps de métiers)
- Tonte de gazon et entretien paysager
- Nettoyage et désinfection des aires d'aisance
- Réglage des systèmes de chauffage, de climatisation, de ventilation, de plomberie et de systèmes électriques, réalisation de réparations mineures
- Gestion des locaux, visites guidées des appartements à louer
- Perception des loyers, dépôts

Validation

Eddy Lance, concierge (666)

- Entretien commercial et industriel
- Connaissance des produits chimiques et d'entretien
- Utilisation d'équipement, tels polisseuse, aspirateur industriel, récureuse, laveuse à tapis
- Procédés : polissage par vaporisation, scellage et finition des sols
- Planification des horaires et distribution des tâches (chef d'équipe)
- Rédaction de soumissions, représentation auprès des entreprises et service à la clientèle

Les métiers et le transport

Cette catégorie comprend les métiers de la construction et de la mécanique, les postes de contremaîtres, d'entrepreneurs, d'opérateurs et de conducteurs de matériel de transport et de machinerie lourde ainsi que les professions de gestion apparentées. Ces métiers se retrouvent dans une vaste gamme de secteurs industriels, mais la plupart sont liés aux industries de la construction et du transport (CNP, 1995).

721 ➡ Les entrepreneurs et les contremaîtres du personnel des métiers

Note : trois exemples ont été relevés, car il appert que l'ensemble de ce sous-groupe professionnel met en application des compétences similaires et que seul le contenu technique diffère. Pour plus de précisions, référez-vous à la CNP.

Contremaître des machinistes

- Supervision, coordination et planification des équipes d'ouvriers
- Transformation du métal en pièces, produits, outils, matrices et moules
- Établissement des méthodes de travail, des horaires et coordination interdivisionnelle
- Commande de matériel et des fournitures
- Analyse des procédés et recommandation de correctifs
- Contrôle et application des mesures de santé et de sécurité au travail
- Rédaction de rapports de production
- Réglage de la machinerie et du matériel

Validation

Sergio Santo Tavares Associés, entrepreneur en construction (721)

- Estimation de travaux en rénovation résidentielle et commerciale
- Rédaction des soumissions
- Gestion d'une entreprise de rénovation
- Connaissance des différents corps de métiers : plomberie, menuiserie, électricité

Contremaître en électricité et en communication

- Installation, réparation et entretien de câbles électriques et de systèmes de communication et de câblodistribution
- Supervision, coordination et organisation du travail des équipes mobiles et d'autres services de production
- Traitement et réquisition de matériel et de fournitures
- Analyse des procédés et recommandation de mesures correctives
- Formation du personnel
- Rédaction de rapports sur l'avancement des travaux

Contremaître en tuyauterie

- Installation, réparation et entretien des systèmes de tuyauterie
- Supervision, coordination et organisation du travail des ouvriers, des apprentis et des manœuvres
- Établissement des méthodes de production respectant les calendriers d'exécution
- Prise de commande du matériel et des fournitures
- Résolution de problèmes de production et recommandation de mesures correctives
- Participation à l'embauche et à la formation du personnel
- Rédaction des horaires et autres rapports

723 ➡ Les machinistes et le personnel assimilé

Machiniste

- Lecture et interprétation de plans et de devis
- Détermination des opérations d'usinage à réaliser
- Calcul de dimensions et de tolérances
- Réglage et conduite de machines-outils (fraisage, alésage, rabotage, perçage et rectification)
- Ajustement et assemblage de pièces usinées
- Contrôle et assurance de la qualité
- Utilisation de l'outillage standard
- Connaissance de la machinerie à contrôle numérique

Validation

Sébastien Bélanger, machiniste et mécanicien (723)

- Lecture et interprétation de plans
- Opérateur de fraiseuse, rectifieuse, tour, polisseuse, instrument de mesure de précision, cisaille hydraulique, presse plieuse et chariot élévateur
- Connaissance des systèmes hydraulique et pneumatique, des métaux, matières plastiques et autres matériaux
- Mécanique de véhicules à roues, à chenilles et de l'équipement lourd
- Formation et supervision du personnel
- Gestion des équipements
- Fabrication de pièces selon des normes de sécurité stricte (armée canadienne)
- Inspection et contrôle de la qualité

Validation

Lee Tien, machiniste (723)

- Planification des procédures et des opérations
- Lecture et interprétation de plans
- Préparation et modification de programme à contrôle numérique (3 axes ; systèmes Jones & Lamson, MAZAC, FANUC)
- Méthode de fabrication, de conception d'outils, de montage et d'assemblage
- Opérateur de tour, fraiseuse, perceuse, rectifieuse, raboteuse et autres machines-outils (conventionnelles et à contrôle numérique)
- Utilisation des instruments de mesure de précision
- Inspection et contrôle de la qualité (ISO)
- Connaissance spécialisée en aéronautique

Validation

David Dumouchel, monteur de ligne (723)

- Transport, poste et distribution électrique
  - Préparation, installation, montage et entretien des pylônes en acier, portique de bois et attaches
  - Inspection, installation, transfert et modification
  - Préparation et installation de systèmes d'appareillage
  - Modification des pylônes et installation de chevalets pour la fibre optique
  - Utilisation de camion-nacelle et grues (bumtruck)
  - Connaissance en matière de transport des matières dangereuses (SIMDUT)
  - Collaboration étroite avec les équipes au sol et technicien

- Autres compétences
  - Conduite de chariots élévateurs hydrauliques
  - Réparation de petits moteurs électriques
  - Pose et entretien d'isolants
  - Production, transformation et contrôle de la qualité de produits marins

Outilleur-ajusteur

- Lecture et interprétation de plans, de devis et de fiches techniques
- Calcul de la dimension et des tolérances, et réglage des machines en conséquence
- Mesure, mise en place et marquage des blocs de métal et de pièces moulées
- Opération des machines-outils
- Contrôle de la qualité
- Façonnement, ajustement et montage de moules et d'autres pièces de modelage
- Fabrication de moules à injection de plastique
- Vérification et mise à l'essai des outils, des matrices, des gabarits et des appareillages

Validation

Jonathan Mongeau, ajusteur-outilleur (723)
- Lecture de plans, de devis et de fiches techniques
- Montage ou réparation de matrice et de presse
- Ajustement, mise au point et entretien préventif de la machinerie
- Opération de fraiseuse, rectifieuse, tour, polisseuse, planeuse et chariot élévateur électrique
- Inspection et contrôle de la qualité

Électricien

- Lecture et interprétation de schémas et de prescription du code de l'électricité
- Détermination du tracé et du câblage
- Installation, remplacement et réparation d'appareils d'éclairage, du matériel de commande et de distribution électrique
- Raccordement d'alimentation aux appareils (climatisation, signalisation, chauffage)

- Localisation et isolement des défauts des systèmes électriques et électroniques
- Exécution des programmes d'entretien préventif et maintien des registres d'entretien

Électricien industriel

- Détermination de l'emplacement du matériel électrique industriel à l'aide des plans et des devis
- Installation, vérification, remplacement et réparation de câbles, de prises, de boîtes de commutation, de montages, de moteurs, de générateurs et d'autres composants
- Mise à l'essai du matériel et des composants
- Connaissance des systèmes hydraulique et pneumatique
- Exécution des programmes d'entretien préventif et maintien des registres

Installateur de matériel de postes téléphoniques

- Installation, aménagement et entretien d'équipement téléphonique, de câbles et d'autres circuits
- Vérification de réseaux téléphoniques et repérage d'interruptions de transmission
- Réparation ou remplacement de téléphones, de câbles et d'équipement connexe

Installateur de matériel de télécommunication

- Installation, dépannage, réparation et entretien de systèmes et d'équipement électroniques
- Participation à la conception et à l'élaboration de projets
- Installation, entretien et modification de l'appareillage électronique servant au transport, au conditionnement ou à la conversion de signaux analogiques ou numériques
- Diagnostic et dépannage des systèmes de télécommunication à hautes fréquences
- Installation et entretien des systèmes informatiques
- Connaissances informatiques
  - Systèmes d'exploitation : Dos, Windows 3.1 et 95, Novell
  - Logiciels : Word, Labview, Microcap

725 ➡ Les plombiers, les tuyauteurs et les monteurs d'installation au gaz

Plombier

- Disposition de tuyauterie, de réseaux d'alimentation (eau et égout) à l'aide des plans, dessins et devis techniques
- Installation, réparation et entretien d'accessoires et de tuyauterie (domaines résidentiel, commercial et industriel)
- Détermination et marquage d'emplacements de trous et de raccordements
- Mesurage, coupage, pliage, taraudage et raccordement de tuyaux

Tuyauteur

- Étude de plans et de devis, et établissement du tracé de réseaux
- Choix de calibre et type de tuyauterie
- Mesurage, coupage, taraudage et pliage de tuyauterie
- Assemblage de tronçons (joints soudés, brasés, filetés et collés)
- Vérification d'étanchéité de réseaux
- Nettoyage et entretien des canalisations et des raccords
- Rédaction de devis estimatifs

Monteur d'installations au gaz

- Détermination de l'emplacement des installations à l'aide des devis et spécifications techniques
- Installation des canalisations, des appareils de chauffage et de leurs composants (brûleurs, valves et contrôles)
- Mise à l'essai et ajustement des mécanismes de contrôle, des tuyaux et des raccordements
- Détection de fuites, intervention d'urgence et participation aux enquêtes
- Rédaction de rapports d'état des installations
- Service à la clientèle

726 ➡ Le personnel du formage, du profilage et du montage du métal

Tôlier

- Mesurage et marquage de tôle conformément aux dessins et aux gabarits
- Utilisation de cisailles hydrauliques, d'emboutisseuses, de presses et de poinçonneuses
- Coupe au laser et au plasma
- Ajustement et assemblage de pièces métalliques
- Meulage et polissage de joints, de raccords et de surfaces rugueuses
- Inspection et contrôle de la qualité

Chaudronnier

- Planification du déroulement des opérations à l'aide des plans et des devis
- Traçage sur métal lourd
- Réglage et utilisation de cintreuses, laminoirs, cisailles, chalumeaux découpeurs et perceuses à colonne
- Ajustement et soudage de pièces métalliques (chaudières, réservoirs, cuves, échangeurs de chaleur, etc.)
- Construction, installation et réparation de chaudières et autres produits métalliques lourds

Assembleur de charpentes métalliques

- Traçage de points de référence et motifs selon les prescriptions
- Assemblage et ajustement de sections métalliques, constitution d'unités complètes
- Procédé et outillage : soudure par points, rivets, presse à emboutir, cisailles, chalumeaux, meules, perceuse et matériel à commandes numériques (CNI)
- Fabrication de patrons et de gabarits

Soudeur

- Lecture et interprétation des plans et des instructions de soudage
- Utilisation d'appareils manuels ou semi-automatiques en soudage
- Utilisation du coupe-flamme
- Utilisation des machines à former les métaux

Validation

Donald Brisson, soudeur-assembleur (726)
Procédés de soudure
- PAW (coupage au plasma)
- SMAW électrodes enrobées
- GTAW soudure au T.I.G.
- GMAW soudure au M.I.G fil plein
- FCAW soudure au M.I.G. fil fourré
- Soudage oxyacétylénique et soudo-brasage
- Capacité de souder dans les quatre positions
- Métaux : acier, aluminium, acier inoxydable, bois
- Lecture de plans
- Assemblage de structures
- Opérateur de presse-plieuse, de cisaille hydraulique, de guillotine universelle et de chariot élévateur

727 ➡ Les charpentiers et les ébénistes

Charpentier-menuisier

- Détermination des spécifications et calcul des besoins en matériaux selon les plans, les dessins et les croquis
- Préparation des tracés selon le code du bâtiment
- Mesurage, découpage, façonnage et assemblage d'éléments en bois et en aggloméré
- Installation de fondations, de poutres, de supports de revêtement et montage d'éléments préassemblés de charpentes et de toitures
- Ajustement et pose d'éléments de menuiserie (portes, escaliers, moulures, etc.)
- Entretien, réparation et rénovation d'habitations (domaines résidentiel, commercial, institutionnel et industriel)
- Supervision des apprentis

Ébéniste

- Étude et lecture de plans, de spécifications et de dessins techniques
- Traçage de pièces

- Utilisation d'outillage pour le bois : scies, varlopes, mortaiseuses, façonneuses et autres outils manuels
- Rabotage de joints et assemblage de meubles
- Sablage de surface et application de poli et teinture
- Réparation et remodelage de meubles et accessoires en bois

728 ➡ Le personnel de maçonnerie et de plâtrage

Briqueteur-maçon

- Préparation et pose de briques, de blocs, de pierres, de carreaux et de matériaux analogues
- Construction et réparation de murs, de fondations, d'enveloppes de cheminées (domaines résidentiel, commercial et industriel)
- Refonte de garnitures de fours, de foyers et de chaudières (briques, béton et plastiques réfractaires)
- Construction et installations d'ouvrages à partir d'éléments de maçonnerie préfabriqués
- Construction de terrasses, murets et autres ouvrages décoratifs

Cimentier-finisseur

- Épandage de béton
- Vérification de coffrages, de fondations granulaires et d'éléments d'armatures
- Utilisation de rouleaux compresseurs
- Nivellement de surface selon les spécifications de pente et de profondeur
- Installation de boulons d'ancrage, de plaques d'acier et de seuils de portes
- Application de produits de durcissement et de scellement
- Imperméabilisation, hydrofugation et restauration de surfaces de béton

Carreleur

- Préparation, mesurage et délimitation de surfaces à revêtir
- Construction de sous-couches et installation de boulons de scellement, de broches et de supports
- Préparation et application de mortier, de ciment, de mastic, de colle et d'autres adhésifs

- Découpage, ajustement et installation des carreaux
- Création de motifs décoratifs aux murs et sur les planchers

Plâtrier

- Nettoyage, préparation et traitement de surfaces
- Préparation et application de plâtre et de crépi
- Finition et création de motifs décoratifs
- Moulage et installation de panneaux, de corniches et de moulures ornementales
- Vaporisation de matériaux insonorisants et de fini texturé

729 ➡ Autre personnel des métiers de la construction

Couvreur et poseur de bardeaux

- Installation, réparation et remplacement de systèmes de toits multicouches (feutres saturés d'asphalte, bitume chaud et gravier) et unicouches (revêtement hydrofuge en plastique modifié, élastomères et matériaux bitumineux)
- Installation, réparation et remplacement de bardeaux et autres revêtements
- Application des enduits hydrofuges
- Montage d'échafaudages

Validation

Sylvain Carpentier, couvreur et vitrier (729)

- Débitage de cadre et assemblage
- Montage et correction de seuils
- Fixation des coupe-froid et pentures
- Planification et pose du recouvrement d'aluminium
- Perçage des ouvertures en fonction des vitrages et poignées
- Correction d'astragale et quincaillerie pour portes françaises
- Installation des moulures de vitrage
- Pose de poignées, tiges de sécurité, etc.

Vitrier

- Lecture et interprétation de plans et de devis, et détermination des besoins en matériel (vitres, cadres et autres matériaux)
- Prise de mesure, marquage ou coupage de verre
- Installation et fixation de carreaux, verre préfabriqué et miroirs (intérieur et extérieur)
- Fabrication de cadres métalliques
- Spécialisation dans la pose de vitraux et vitrages spéciaux
- Rédaction de devis estimatifs

Peintre et décorateur

- Préparation et nettoyage de surfaces
- Préparation, mixage des couleurs et application de peinture (rouleaux, pinceaux et pistolets)
- Mesure, coupe et pose de papier peint
- Montage d'échafaudages et de plates-formes tournantes
- Assistance-conseil auprès des clients dans le choix des couleurs et revêtements muraux
- Estimation du coût et rédaction de soumissions

731 ➡ Les mécaniciens de machinerie et d'équipement de transport

Mécanicien industriel

- Lecture de diagrammes et de schémas
- Préassemblage et installation de machinerie industrielle fixe
- Examen du rendement, ajustement, réparation et remplacement de pièces défectueuses
- Nettoyage, lubrification et autre entretien préventif

Validation

Maurice Hince, technologue en construction aéronautique (731)

- Expérimentation de nouveaux prototypes sur les bancs d'essais
- Calcul de rendement et de résistance
- Conception et fabrication assistées par ordinateur (dessin technique)
- Élaboration de dessins de production et d'inspection
- Planification des étapes de fabrication, d'assemblage et des séquences d'usinage
- Contrôle de la qualité

- Conception de pièces aéronautiques en composites
- Analyse de produits expérimentaux
- Fabrication d'éléments de structure (métal en feuille)
- Rédaction de rapports
- Instruments : machines-outils de haute précision, micromètre, vernier, pied à coulisse, cales, gabarits, bancs d'essais, ordinateur
  Logiciels maîtrisés : Autocad v12 et v13, Smart Cam v7, Word v7 et Windows 95
- Permis de conduire sur chariot élévateur

....

Mécanicien en réfrigération et en climatisation

- Lecture et interprétation de bleus et dessins techniques
- Détermination des spécifications d'installation
- Assemblage et installation d'éléments de réfrigération et de climatisation (moteurs, commandes, jauges, robinets, pompes, condensateurs et compresseurs)
- Mesure et coupe de tuyaux (brasage et soudage)
- Installation, réparation et entretien de systèmes combinés (chauffage et réfrigération)
- Mise en marche et vérification d'étanchéité
- Recharge des installations
- Établissement des estimations de coût

Ajusteur de machines

- Détermination des procédures de montage à l'aide des plans, des croquis et des schémas techniques
- Construction, assemblage et ajustement de machinerie et d'équipement industriel
- Déplacement et alignement des sous-ensembles et des composants
- Installation d'engrenages, pompes, moteurs et composants hydrauliques et pneumatiques
- Vérification et contrôle de la qualité

Constructeur d'ascenseurs

- Lecture et interprétation de plans
- Installation d'ascenseurs, d'escaliers et de trottoirs roulants ainsi que de monte-plats
- Câblage et montage de matériel de commande électrique
- Installation, vérification et ajustement de systèmes de sécurité

- Détection de défectuosités, réparation et remplacement de pièces
- Ajustement de la robinetterie, des encliquetages, des joints d'étanchéité et des garnitures de freins
- Entretien préventif et contrôle de la sécurité

732 ➡ Les mécaniciens de véhicules automobiles

Mécanicien de véhicules automobiles

- Diagnostic, isolement et repérage de défectuosités
- Réglage, réparation ou remplacement de pièces et d'éléments défectueux
- Connaissance des différents systèmes (alimentation, freinage, direction, suspension, transmission, échappement, circuits électriques et électroniques)
- Essais routiers
- Entretien préventif des véhicules

Débosseleur

- Réparation et remplacement d'éléments de structure, de carrosseries et d'habitacles
- Nivellement de trous, bosses et joints
- Redressement de châssis
- Limage, meulage et ponçage de surface
- Application de peinture primaire

733 ➡ Les autres mécaniciens

- Réparateurs d'appareils électroménagers
- Recherche de causes de défectuosités
- Vérification des dispositifs de commandes, des condenseurs, programmateurs, ventilateurs et autres éléments à l'aide des schémas et des manuels des fabricants
- Établissement des devis estimatifs et de rapports de travail effectués
- Préparation des itinéraires de service
- Réparation de tout genre d'appareil

Électromécanicien

- Mise à l'essai et diagnostic de l'état électrique et mécanique de moteurs, transformateurs, appareillage de connexion et autre matériel électrique
- Localisation et réparation de failles
- Remplacement ou remise à neuf du matériel
- Assemblage et installation de divers types de bobinages
- Équilibrage dynamique et statique d'armatures et de rotors, alignement et ajustement de pièces
- Réalisation de divers travaux d'usinage
- Entretien préventif de la machinerie

734 ➡ Les tapissiers-garnisseurs (« rembourreurs ») et les cordonniers

- Détermination des besoins de la clientèle en matière de couleurs, motifs et tissus de garnissage
- Évaluation du coût et rédaction de soumissions
- Disposition, mesurage et découpage de tissu selon les croquis et autres instructions
- Enlèvement de sangles, ressorts et rembourrage défectueux
- Installation de bourre, de garnitures et de tissus de garnissage sur les cadres
- Fabrication, collage et assemblage de motifs décoratifs (clous d'ornement, galons et boutons)
- Réparation de cadres de bois et finition de surface

Cordonniers

- Fabrication de chaussures sur mesure
- Sélection de patrons, de cuir et d'accessoires
- Sélection et montage des formes, installation de semelles et couture des autres composantes
- Réparation d'articles de cuir en tout genre

735 ➡ Les mécaniciens de machines fixes

Mécanicien de machines fixes

- Utilisation de systèmes de commandes automatisés, informatiques, de machineries fixes et auxiliaires
- Surveillance et inspection du matériel d'usine
- Analyse et enregistrement de relevés des instruments et des défectuosités
- Réglage, réparation mineure et entretien préventif de la machinerie

738 ➡ Les conducteurs de presses à imprimer

- Lecture des bons de commande
- Réalisation des paramètres de spécifications (temps de production, séquence et quantité de couleur et viscosité)
- Installation, ajustement et nettoyage des plaques et cylindres
- Mise en marche des presses, évaluation de la qualité par échantillonnage
- Réglage et ajustement du matériel de reliure et de finition

741 ➡ Les conducteurs de véhicules

Conducteur de camion

- Conduite de véhicules lourds et de trains routiers (permis de conduire classe 1)
- Entretien et vérification d'usage
- Obtention des permis ou autres documents pour le transport international
- Maintien des registres (distance/temps, carburant)
- Réception d'information du répartiteur central et transmission d'information à ce dernier

Chauffeur de taxi ou de limousine

- Prise à bord des passagers et acheminement à leur destination
- Encaisse du prix de course
- Inscription des recettes dans le registre
- Communication étroite avec le répartiteur
- Nettoyage et entretien des véhicules

Validation

Normande Granger, chauffeuse de limousine

Transport

- Permis de conduire classe 4B, 4c' 5, 6A
- Conduite de véhicules : limousine, minibus 25 passagers, transport adapté et taxi
- Excellente connaissance de la région de Montréal et des environs
- Planification et répartition des itinéraires, des moyens de transport
- Entretien préventif des véhicules et réparation de base
- Conduite sécuritaire et d'urgence (VIP)
- Représentation et administration
- Prospection, service à la clientèle, confirmation et suivi de dossier
- Évaluation des besoins, rédaction des soumissions et signature des contrats
- Organisation logistique (initiation, réservation et coordination en cas d'événements spéciaux)
- Comptabilité et secrétariat

744 ➡ Le personnel d'installation, de réparation et d'entretien

- Personnel d'installation de réparation d'équipement résidentiel et commercial
- Lecture de plans et de devis
- Détermination des plans et de la disposition des installations
- Installation, réparation et entretien de produits intérieurs et extérieurs

Fumigateur

- Inspection d'immeubles, analyse et évaluation des signes d'infestation
- Détermination du genre de traitement requis
- Évaluation du coût et rédaction de devis estimatifs
- Préparation, vaporisation et fumigation de résidences et d'immeubles
- Installation de traquenards et de barrières de contrôle
- Diffusion d'information auprès des clients quant à la prévention

745 ➡ Les manutentionnaires

Manutentionnaire

- Chargement et déchargement de camions
- Compilation, triage, emballage et déballage de marchandise et d'équipement
- Utilisation de treuils et d'autres accessoires de manutention
- Conduite de chariots élévateurs
- Vérification de la réception et de l'expédition à l'aide des bons de commande et de livraison

761 ➡ Les aides de soutien des métiers et manœuvres de construction

- Chargement, déchargement et disposition des matériaux de construction
- Montage et démontage des coffrages de béton, des échafaudages, des rampes d'accès, des passerelles et des barrières sur les chantiers
- Assistance des ouvriers dans la réalisation de leurs tâches
- Nivellement du sol selon les pentes spécifiées
- Participation aux travaux de démolition
- Nettoyage de chantiers
- Alimentation ou surveillance du matériel (mélangeurs, compresseurs, pompes et autres outillages)
- Coordination de la circulation sur les chantiers

Secteur primaire

823 ➡ Le personnel de forage des mines souterraines et de la production gazifière et pétrolière

Mineur d'extraction et de préparation (mines souterraines)

- Réglage et utilisation des foreuses pour l'exécution des trous de mines
- Utilisation de foreuse (à diamant, montagne) pour l'évaluation des formations géologiques ou la construction de passages souterrains
- Réglage et utilisation de la machinerie d'abattage (charbon, roc ou minerai)
- Mise en place des charges, réglage des amorces et mise à feu des explosifs
- Conduite de benne minière (galeries horizontales et chassantes, passages verticaux) et des appareils de chargement
- Détachement de blocs instables, installation des tirants d'ancrage, rallonge et mise en place des canalisations (air et eau)
- Construction des étançons et des boisages

Foreur

- Direction des travaux des différentes équipes liées aux puits d'exploration ou aux puits producteurs
- Commande des opérations de forage ou de montage
- Formation des équipes
- Enregistrement des résultats des opérations de forage et des travaux d'entretien

Travailleur en diagraphie et en mise à l'essai des puits

- Conduite des camions d'entretien ou de forage
- Assemblage et fixation du matériel, des outils et des appareils d'enregistrement
- Conduite ou direction des opérations des camions afin d'abaisser, de positionner et de récupérer le matériel et les instruments

824 ➡ Les conducteurs de machines d'abattage du bois

Évaluateur de sites et de terrains

- Conduite d'engins lourds dans les opérations d'abattage, de débroussaillage, de tronçonnage, d'écorçage, de triage, d'empilage (chargement) et de transport des arbres

825 ➡ Les entrepreneurs, surveillants et exploitants en agriculture, en horticulture et en aquiculture

Exploitant agricole et gestionnaire d'exploitation agricole

- Direction des activités de la ferme (ranch, verger, etc.)
- Planification des cultures et de l'élevage (quantité et caractéristiques)
- Semence, culture et récolte des produits
- Élevage du bétail et de la volaille
- Embauche et supervision des ouvriers
- Établissement des programmes de commercialisation
- Achat de la machinerie agricole, des animaux, des semences, du fourrage et des approvisionnements
- Entretien de la machinerie, du matériel et des bâtiments
- Établissement et maintien des registres de production et des registres financiers

Entrepreneur et gestionnaire des services agricoles

- Gestion d'entreprises de services agricoles en matière d'insémination artificielle, d'arrosage ou de tonte de mouton
- Embauche et formation du personnel
- Négociation de contrats auprès des exploitants
- Maintien des registres financiers et des registres d'exploitation

Surveillant d'exploitation agricole

- Coordination et surveillance des travaux des ouvriers et des manœuvres
- Surveillance des programmes de reproduction et des activités de récolte
- Élaboration des calendriers liés aux activités

- Maintien des registres de production
- Contrôle de la qualité
- Exécution de tâches agricoles
- Spécialisation en troupeaux laitiers, volaille, porcs, bovins, ovins, chevaux ; culture de fruits et de légumes

Ouvrier spécialisé dans l'élevage du bétail

- Élaboration de programmes de nutrition
- Maintien des registres de rendement du bétail
- Exécution des programmes d'accouplement
- Détection et traitement de problèmes de santé
- Entraînement de chevaux
- Spécialisation (préciser les espèces)

Exploitant et gestionnaire de pépinière et de serre

- Planification, organisation, direction et contrôle des opérations
- Établissement des conditions environnementales requises
- Détermination des types de culture et évaluation de la quantité des semences
- Supervision de la plantation, de la transplantation, de la fertilisation des différents produits
- Élaboration des plans de marketing
- Diffusion de l'information auprès de la clientèle
- Commande de matériel et de produits
- Embauche, formation et supervision du personnel
- Tenue des inventaires et des registres financiers

Entrepreneur et gestionnaire de l'aménagement paysager (et terrain)

- Planification, organisation et contrôle des opérations de production
- Élaboration de soumissions en matière d'aménagement paysager ou d'entretien de terrains
- Prévision et estimation des besoins en matériaux et en main-d'œuvre
- Organisation et direction de la plantation et de l'entretien de différents contrats

- Embauche et supervision du personnel
- Tenue des registres financiers

Surveillant de l'aménagement paysager et de l'horticulture

- Supervision et coordination des activités des ouvriers et des manœuvres
- Entretien des différents types de terrains, d'arbres et d'arbustes ou entretien des aménagements paysagers intérieurs
- Plantation, culture et récoltes d'arbres, d'arbustes, de fleurs et de plantes
- Établissement des horaires de travail et des procédures
- Coordination des différentes équipes participant aux projets
- Rédaction de rapports sur l'avancement des travaux
- Commande de matériel et de fourniture
- Formation du personnel

Exploitant d'entreprise aquicole

- Gestion de l'ensemble des activités d'établissement (d'une alevinière, d'un établissement piscicole ou aquicole)
- Détermination des besoins en matière d'espèces, de lieu et de méthodes de culture
- Sélection et conservation des stocks géniteurs
- Détermination des besoins nutritifs et de la composition des régimes alimentaires
- Maintien des conditions optimales
- Inspection des stocks et prévention des différentes maladies
- Conduite et entretien du matériel de culture et de récolte
- Cueillette et enregistrement des données portant sur la croissance et la production
- Supervision des technologues et du personnel de soutien
- Tenue des registres financiers
- Contrôle de la qualité
- Établissement des stratégies commerciales
- Plongée sous-marine (déterminer le type de permis ou les qualifications obtenues)
- Inspection des activités de mariculture

- Conception et construction d'enclos, de stations flottantes et de cordons collecteurs
- Surveillance de la transformation des produits

826 ➡ Les capitaines, les officiers de pêche et les pêcheurs

Capitaine et officier

- Commandement de bateaux de pêche
- Détermination des lieux de pêche
- Pilotage du navire à l'aide des instruments de navigation (ex. : échosondeur)
- Direction de la pêche et surveillance des activités de l'équipage
- Maintien du journal de bord (activités, équipage, conditions atmosphériques)
- Sélection et formation de l'équipage

Patron de bateau de pêche et pêcheur indépendant

- Commandement d'un bateau de pêche
- Choix des lieux de pêche
- Pilotage du navire et utilisation des instruments de navigation
- Utilisation du matériel de pêche et direction et supervision des activités de l'équipage
- Entretien du moteur, des agrès et de l'équipement de bord
- Maintien du registre des activités (pêche, conditions atmosphériques et état de la mer)
- Évaluation des coûts d'exploitation et préparation des budgets saisonniers
- Établissement des plans de commercialisation
- Tenue des registres financiers
- Transport des poissons dans les usines de traitement

841 ➡ Le personnel d'entretien des mines et du forage des puits de pétrole et de gaz

Personnel d'entretien et de soutien des mines souterraines

- Acheminement du minerai et du charbon dans les mines
- Entretien des cheminées et des convoyeurs

- Construction et entretien des passages et des galeries de roulage souterrains
- Construction des soutènements et des charpentes (bois et métal)
- Mise en place et rallonge des réseaux de ventilation et d'approvisionnement en eau
- Conduite de machinerie de forage et de divers types de véhicules (électriques et diesel ; bouteuse, niveleuse, rétrocaveuse)
- Maintien de l'approvisionnement en sable et en roches
- Entretien des aires d'entreposage, des matériaux et de l'outillage
- Manipulation des explosifs

Personnel du forage et de l'entretien des puits de pétrole et de gaz

Forage

- Alignement et manipulation des tiges de forage, de trépans et de masses-tiges à partir des plates-formes de la tour de forage
- Utilisation et entretien des systèmes de pompage
- Mélange des boues, des agents chimiques et des additifs
- Prélèvement d'échantillons et notation des débits et des volumes de boue
- Fonctionnement et entretien des moteurs diesels, des organes de transmission et des autres organes mécaniques
- Montage, démontage et transport des tours de forage
- Surveillance des ouvriers de la plate-forme et des manœuvres

Entretien

- Conduite des camions sur chantier
- Raccordement des pompes et des tuyaux à la tête des puits
- Utilisation des différents systèmes hydrauliques
- Lecture des instruments de mesure, interprétation des indications et réglage des débits
- Mélange des agents chimiques et du ciment
- Formation des assistants

842 ➡ Le personnel de l'exploitation forestière

Conducteur de scie à chaîne et d'engin de débardage

- Abattage, ébranchage et tronçonnage des arbres sur les chantiers à l'aide de scies à chaîne
- Conduite de débardeur à pince et à treuil
- Déplacement et débusquage d'arbres abattus hors du chantier
- Étude des lieux, des terrains et des conditions météorologiques

Ouvrier en sylviculture et en exploitation forestière

- Étude d'emplacement, choix des jeunes arbres et plantation dans les zones désignées
- Élagage et espacement des arbres dans les zones de reforestation à l'aide de scies à chaîne
- Éclaircissement des jeunes peuplements d'arbres
- Contrôle des pousses de mauvaises herbes et du reboisement des sous-bois dans les peuplements de reboisement
- Participation au contrôle des feux de forêt
- Scarification et préparation de sites de reboisement à l'aide de machinerie lourde (débardeuses, bouteurs, autres)
- Cueillette de cônes, émondage et marquage d'arbres

843 ➡ Le personnel en agriculture et en horticulture

Ouvrier agricole

- Ensemencement, fertilisation, culture, irrigation, pulvérisation et récolte des produits agricoles
- Alimentation et entretien du bétail et de la volaille
- Conduite et entretien du matériel et de la machinerie
- Maintien des conditions sanitaires et de la santé des animaux
- Préparation des produits pour la vente et la distribution
- Nettoyage des étables, granges, basses-cours et enclos

Ouvrier de pépinière et de serre

- Préparation des sols, plantation de bulbes, de graines et de boutures
- Greffage et bourgeonnement de diverses plantes
- Transplantation des semis de fleurs, d'arbres, d'arbustes et de boutures racinées
- Vaporisation des végétaux à des fins de protection (parasites, insectes et maladies)
- Installation et réglage des systèmes d'irrigation et d'arrosage (intérieur et extérieur)
- Déterrage, coupage et transplantation de tout type de végétaux et préparation pour la vente
- Diffusion de l'information à des clients sur les techniques de jardinage et de soins des végétaux
- Conduite des tracteurs, de la machinerie et de l'équipement de fertilisation, de culture, de moisson et de vaporisation des champs

844 ➡ Le personnel de la pêche, de la chasse et du trappage

Matelot

- Préparation et réparation de filets, de lignes et d'autres agrès de pêche ainsi que de l'équipement des ponts
- Lavage et désinfection des ponts et des cales
- Capture de poissons et de crustacés
- Vidage, triage, empilage et entreposage de poissons
- Entretien et réparation de la machine de fabrication de la glace sèche
- Remplacement du navigateur principal (capitaine) pour le pilotage du bateau
- Préparation des repas pour les membres de l'équipage

Trappeur

- Préparation, disposition et entretien des pièges
- Inspection des parcours de piégeage
- Abattage et préparation des animaux capturés
- Emballage et traitement des peaux à des fins de commercialisation
- Assistance auprès des autorités gouvernementales pour les programmes de contrôle

Chasseur

- Mise à mort des animaux sauvages selon les techniques de chasse appropriées
- Écorchage et dépeçage des animaux abattus
- Traitement et emballage des peaux à des fins de traitement
- Entretien de l'équipement de chasse

  Note : *indiquer les Permis de chasse et de port d'armes valides (armes à feu, arbalète, arc, fronde…)*
- Connaissance solide en matière de géographie et de survie en forêt

861 ➡ Le personnel élémentaire de la production primaire

Manœuvre agricole

- Récolte de cultures en rangée et des fruits des vergers
- Triage et empaquetage des fruits et des légumes
- Chargement, déchargement et transport des différentes marchandises

Manœuvre en aménagement et entretien paysager

- Épandage de terre et pose de tourbe
- Plantation de fleurs, d'arbres et d'arbustes selon les plans établis
- Tonte, râtelage, fertilisation et irrigation des pelouses
- Désherbage et taillage des arbustes et des arbres en suivant les consignes de sécurité
- Utilisation et entretien des différents équipements (tondeuses, tracteurs, déneigeuses, scies à chaînes, cisailles électriques et autres outillages d'entretien)
- Pulvérisation et épandage de produits selon les techniques appropriées
- Lecture de plans d'aménagement

Manœuvre de l'aquiculture

- Alimentation, vaccination et application des techniques d'élimination sélective et de marquage
- Opération, entretien et nettoyage des pompes, des filtres et des enceintes du parc
- Préparation des stocks à des fins de commercialisation
- Conduite de bateaux

Manœuvre des mines

- Participation à l'entretien et à la construction d'installations souterraines
- Nettoyage des chambres, des voies souterraines, des aires de travail et du matériel minier
- Chargement, déplacement, triage et empilage des matériaux et fournitures
- Dégagement des amoncellements de minerais ou de charbon

Manœuvre de forage et d'entretien des puits de pétrole et de gaz

- Manipulation des sections de la tige de forage ou de la masse-tige au moment des remplacements
- Entretien de l'équipement de forage sur la plate-forme
- Manipulation, triage et déplacement des outils, du tubage et des autres matériaux
- Transport des matériaux

Manœuvre de l'exploitation forestière

- Fixation des élingues et des câbles aux arbres abattus pour les débusquer
- Plantation manuelle des arbres (reboisement)
- Vaporisation d'herbicide au sol
- Débroussaillage à l'aide de scies à chaîne
- Nettoyage des aires de déchargement sur le chantier

Transformation, fabrication et services d'utilité publique

Cette catégorie comprend le personnel de gestion, de supervision et de production dans les secteurs de la transformation, de la fabrication et des services d'utilité publique (CNP, 1995).

921 ➡ Les surveillants dans les industries de transformation

Surveillant dans la transformation des métaux et minerais

- Supervision, coordination et planification des activités
- Établissement des méthodes de travail
- Coordination des travaux entre les différentes divisions
- Présentation des demandes de matériel et de fournitures
- Recommandation des mesures d'amélioration (productivité, qualité, gestion du personnel)
- Participation à la formation du personnel
- Rédaction de rapports de production
- Ajustage de la machinerie

Surveillant dans le raffinage du pétrole, le traitement du gaz et des produits chimiques et les services d'utilité publique

- Surveillance, coordination et planification des activités des ouvriers
- Enquête, détection, correction et documentation des problèmes environnementaux et de sécurité
- Établissement des méthodes de travail
- Coordination interdivisionnelle
- Résolution de problèmes liés à la productivité et à la qualité
- Diffusion d'information sur les plans d'entretien
- Préparation des commandes de matériel et de fournitures
- Participation à la formation des travailleurs
- Formulation de recommandations en matière de promotion et d'embauche du personnel
- Préparation de rapports de production
- Gestion du budget de section

Surveillant dans la transformation des aliments, des boissons et du tabac

- Surveillance et coordination des activités des travailleurs
- Instauration des méthodes de production et recommandation de mesures correctives (amélioration continue)
- Commande du matériel et des fournitures
- Participation à la formation des travailleurs
- Rédaction de rapports de production et autres rapports

Surveillant dans la fabrication des produits en caoutchouc et en plastique

- Surveillance, coordination et programmation des activités des ouvriers
- Établissement des méthodes de production et mise en place de procédures d'amélioration continue
- Coordination des activités entre les diverses divisions concernées
- Réquisition des matériaux et des fournitures
- Participation à la formation du personnel
- Rédaction de rapports de production et autres rapports
- Préparation de la machinerie et du matériel

Surveillant dans la transformation des produits forestiers

- Surveillance, coordination et programmation du travail des ouvriers
- Planification et supervision des entretiens préventifs des systèmes et du matériel
- Établissement des méthodes de travail
- Coordination des travaux entre les divisions
- Recommandation de mesures d'amélioration (productivité, qualité, gestion du personnel)
- Commande des matériaux et des fournitures
- Participation à la formation des travailleurs
- Rédaction de rapports de production et autres rapports
- Surveillance des conditions de sécurité

Surveillant dans la transformation des produits textiles

- Supervision, coordination et établissement des horaires de travail et de la production
- Établissement des méthodes de travail selon les échéances de production

- Coordination des travaux conjointement avec les autres divisions
- Soumission de recommandations de mesures préventives ou correctives (productivité, qualité, gestion du personnel)
- Réquisition de matériaux et de fournitures
- Rédaction de rapports de production et autres rapports

Surveillant dans la fabrication de véhicules automobiles

- Supervision, coordination et programmation des activités de production
- Définition des méthodes de travail en fonction des échéanciers de livraison et de la coordination entre les services
- Recommandation de mesures d'amélioration (production, qualité, gestion du personnel)
- Rédaction des demandes de matériaux et de fournitures
- Rédaction de rapports sur la production

Surveillant dans la fabrication du matériel électronique

- Surveillance, attribution et coordination des tâches liées à la production
- Élaboration des méthodes de travail en fonction des commandes et des échéanciers de production et de la coordination interdivisionnelle
- Recommandation de mesures préventives ou correctives
- Commande de matériel et de fournitures
- Participation à la formation des travailleurs
- Contrôle de la qualité et des règlements en santé et sécurité au travail
- Réglage de la machinerie et de l'équipement
- Supervision du personnel

Surveillant dans la fabrication d'appareils électriques

- Surveillance, coordination et programmation des activités des travailleurs (de montage, de vérification ou de fabrication)
- Établissement des méthodes de travail en fonction des échéances de livraison et de la coordination interdivisionnelle
- Résolution de problèmes et soumission de recommandations
- Réquisition des matériaux et des fournitures

- Participation à la formation des travailleurs quant aux normes de sécurité et des politiques organisationnelles
- Rédaction de rapports variés
- Mise au point de la machinerie et du matériel

Surveillant dans la fabrication de meubles et d'accessoires

- Surveillance, coordination et établissement des horaires de travail des ouvriers
- Établissement des méthodes de travail en fonction des échéances et de la coordination entre les divisions
- Résolution de problèmes et soumission de recommandations (production, qualité, gestion du personnel
- Commande des matériaux et des fournitures
- Participation à la formation des travailleurs
- Rédaction de rapports

Surveillant dans la confection d'articles en tissu, en cuir et en fourrure

- Surveillance, coordination et programmation du travail des ouvriers
- Établissement des méthodes de travail en fonction des calendriers de production
- Commande de matériaux et de fournitures
- Recommandation de mesures préventives et correctives quant aux méthodes de production et au contrôle de qualité
- Participation à la formation des travailleurs
- Rédaction de rapports de production et autres rapports

Surveillant dans la fabrication d'autres produits métalliques et de pièces mécaniques

- Supervision, coordination et planification des activités des travailleurs
- Établissement des méthodes de travail en fonction des calendriers de production
- Proposition de l'adoption de mesure d'amélioration continue
- Commande de matériaux et de fournitures
- Participation à la formation du personnel
- Recommandation de mesures en gestion du personnel

- Rédaction de rapports de production et autres rapports
- Installation de la machinerie et de l'équipement

923 ➡ Les opérateurs de poste central de contrôle dans les procédés de fabrication et de transformation

Opérateur de poste central de contrôle et de conduite de procédés industriels dans le traitement des métaux et des minerais

- Coordination et contrôle de la production en salle de contrôle centrale
- Traitement de métaux et de minerais (ou production de ciment)
- Manœuvre de la machinerie de contrôle central (contrôle des procédés de moulage, séparation, filtrage, grillage, traitement et raffinement des minerais)
- Surveillance des données (informatisées, écrans de circuits et robinetterie) et ajustement des paramètres de procédés
- Coordination et surveillance du personnel de production
- Maintien des registres de production et soumission des rapports

Opérateur de salle de commande centrale dans le raffinage du pétrole et du traitement du gaz et des produits chimiques

- Surveillance et optimisation du déroulement des procédés physiques et chimiques
- Actionnement des panneaux de commandes électroniques et informatiques
- Direction et contrôle du démarrage et de l'arrêt des procédés
- Dépannage de systèmes
- Surveillance des opérations de l'équipement de procédés externes
- Ajustement de l'équipement, des robinets, des pompes et des commandes
- Approbation des autorisations de travaux d'entretien
- Arrêt, isolement et préparation de l'entretien des installations de traitement ou de l'équipement de production
- Prélèvement des échantillons, réalisation des essais, enregistrement des données, contrôle de traitement statistique
- Rédaction de rapports de production

- Établissement des procédures de fonctionnement, de démarrage et de l'arrêt de l'unité de traitement
- Participation aux vérifications, aux programmes de sécurité et à la rotation des postes

Opérateur au contrôle de la réduction en pâte des pâtes et papier

- Contrôle et façonnage des billes, des résidus de pâte et autres substances cellulosiques
- Coordination et surveillance du fonctionnement de l'équipement (épurateurs, lessiveurs, digesteurs, réservoirs de mélange)
- Vérification des paramètres de production et détection de pannes d'équipement
- Observation des indicateurs, des jauges et des moniteurs du poste central de commande
- Analyse des relevés de lecture, des échantillonnages et ajustement des paramètres en conséquence
- Rédaction et maintien quotidien des rapports de production

Opérateur au contrôle de la fabrication du papier et du couchage

- Manœuvre, coordination et surveillance de la fabrication du papier et du couchage à l'aide des panneaux de commande (ou à la centrale)
- Opération des circuits de réglage distribué et des ordinateurs de régularisation des procédés
- Vérification des paramètres de production et détection de pannes d'équipement par la surveillance de différents indicateurs
- Analyse des relevés de lecture, des échantillonnages et ajustement des paramètres en conséquence
- Rédaction et maintien quotidien des rapports de production

941 ➡ Les conducteurs de machines dans le traitement des métaux et des minerais et le personnel assimilé

Opérateur de machines dans le traitement des métaux ou minerais

- Montage, préparation et ajustement des machines de traitement des métaux et des minerais
- Conduite de différents appareils (« moud », séparation, filtrage, à mélanger, traitement, moulage ou affinage de minerais)

- Vérification du déroulement des nouveaux procédés par la surveillance de la robinetterie, des compteurs, des écrans de circuits et autres indicateurs
- Ajustements des appareils
- Maintien des registres d'information sur la production et rédaction de rapports

Opérateur de matériel de régularisation des procédés de fabrication du verre

- Commande des machines à fonctions multiples à l'aide du terminal
- Dosage de matières premières, chauffage, trempage et formage du verre
- Vérification des indicateurs de production et ajustements préventifs ou correctifs
- Maintien des registres de production et autres données pertinentes

Opérateur de machines à former le verre

- Préparation et réglage des machines à former le verre
- Commande de machines de soufflage et façonnage de récipients
- Examen des échantillons du produit conformément aux spécifications

Opérateur de machines à finir le verre

- Préparation et réglage des machines à finir le verre et d'autres produits en verre
- Commande de machines à doucir, percer, biseauter, décorer, savonner et polir le verre
- Contrôle de la qualité par l'inspection visuelle
- Consigne des données de fabrication

Coupeur de verre

- Mesure, marquage et découpage du verre
- Ponçage et polissage de finition

Conducteur de machines dans le façonnage et la finition du béton, de l'argile ou de la pierre

- Travailleurs en façonnage et en finition de produits en béton
- Construction de modèles et de moules en argile
- Construction et réparation du coffrage en bois
- Positionnement des barres d'armature, coulage et moulage du béton

- Opération des bennes de coulée
- Mise en marche des plaques vibrantes et vibrateurs électriques
- Démoulage et finition de surface
- Formation de raccords de formes variées

Conducteur de machines de fabrication (béton)

- Préparation, réglage et conduite des machines à fonction unique
- Mélange, perforage, meulage et coupage de béton
- Vérification et contrôle de la qualité
- Maintien des registres de fabrication (quantités, dimensions et autres caractéristiques)

Conducteur de machines à façonner (argile)

- Réglage et conduite de machines automatiques
- Mélange de matériaux, extrusion de mélange d'argile gâchée et coupage d'argile extrudée
- Fabrication de briques, de tuyaux de drainage et d'isolants en porcelaine
- Conduite de presse hydraulique et presse mécanique à chaud
- Préparation et mélange d'engobe et remplissage de moule
- Cuisson des produits d'argile (conduite de four à céramique)

Contrôleur et essayeur dans la transformation des métaux ou minerais

- Inspection de la conformité aux normes
- Classement et étiquetage des matières premières
- Échantillonnage et exécution des analyses de laboratoire
- Ajustement et mise en place de mesures correctives
- Rédaction de rapports d'essais et de vérification

942 ➡ Les conducteurs de machines dans le traitement des produits chimiques, du caoutchouc et du plastique

Conducteur de machines dans le traitement des produits chimiques

- Surveillance des appareils de mesure, des indicateurs et des instruments liés au traitement et à la formulation (malaxeurs, mélangeurs, séchoirs, enrobeuses) ou surveillance de la salle de commande centrale
- Chargement des ingrédients selon les cartes de formulation
- Dépannage et ajustement de la machinerie et de l'équipement
- Prélèvement d'échantillons et réalisation des essais chimiques et physiques de routine sur les produits
- Maintien des relevés de production

Conducteur de malaxeurs

- Formulation des résines, colorants et autres produits chimiques selon les recettes
- Conduite du malaxeur jusqu'à l'atteinte de la consistance ou de la viscosité requises
- Déversement des mélanges dans le convoyeur

Conducteur de laminoirs

- Réglage et conduite des laminoirs
- Transformation des balles et plaques de plastique en feuilles ou en pellicules
- Dépannage et réparations mineures de l'équipement
- Ajustement des rouleaux de laminoir
- Modification des paramètre de la chaîne de fabrication
- Vérification de la qualité des produits

Conducteur d'extrudeuses

- Réglage et conduite d'extrudeuses
- Extrusion des composés de plastique
- Remplacement des filières conformément aux besoins de la chaîne de fabrication
- Dépannage et réparation mineure de l'équipement
- Vérification de la qualité des produits

Conducteur de machines à mouler

- Réglage et conduite de machines à mouler les plastiques conformément aux prescriptions
- Remplacement des moules et ajustement de l'équipement selon les besoins
- Dépannage et réparations mineures de l'équipement
- Vérification de la qualité des produits
- Mélange des lots de résines pour le moulage par injection selon la carte de formulation

Opérateurs de machines de transformation du caoutchouc

Conducteur

- Réglage, utilisation et surveillance du malaxage, du calandrage, de l'extrusion, du moulage et de la vulcanisation des produits de caoutchouc
- Vérification et surveillance de la qualité des produits
- Réglage des machines
- Participation à la formation du nouveau personnel

Assembleur

- Disposition et préparation des pièces de caoutchouc à des fins d'assemblage
- Taillage, modelage, raccordement, ajustement et collage des pièces
- Élarbage, meulage et parage des pièces en produits finis

Vérificateur

- Vérification des produits conformément aux devis et aux normes de qualité
- Repérage et renvoi des produits défectueux et apposition des sceaux de certification
- Rédaction des fiches de vérification

Opérateur d'installations de l'assainissement de l'eau et du traitement des déchets

- Assainissement de l'eau
- Surveillance des systèmes de contrôle informatisés et de l'équipement connexe dans le traitement et la distribution de l'eau
- Lecture des débitmètres, des indicateurs de niveau et autres appareils d'enregistrement
- Mesure des débits, des niveaux de consommation et de la concentration bactérienne, en chlore et en fluorure

- Inspection de l'équipement et des systèmes de l'usine selon les plans de conformité
- Échantillonnage d'eau, dosage chimique et numérisations bactériennes
- Analyse des résultats des essais et des relevés de lectures
- Rédaction de rapports et maintien quotidien des registres des activités

Responsable du traitement des déchets

- Surveillance des systèmes de contrôle informatisés et de l'équipement connexe dans le traitement des eaux usées, de traitement des eaux d'égout et des résidus liquides
- Opération des bassins d'épuration, d'aération et de digestion
- Élimination des affluents
- Patrouille et vérification des pompes, moteurs, filtres, chlorateurs et autres
- Lecture des indicateurs de niveau, des appareils de mesures et instruments d'enregistrement
- Détection de défaillance, mise en place de mesures préventives ou correctives
- Échantillonnage d'eaux usées et des eaux d'égout, effectuation des analyses
- Rédaction de rapports et maintien quotidien du cahier d'exploitation

943 ➡ Les conducteurs de machines dans la production des pâtes et papier et dans la transformation du bois

Opérateur de machines à scier

- Évaluation des caractéristiques des billes et des pièces de bois brutes (dimension, état, qualité)
- Contrôle des opérations à partir de la salle de contrôle
- Débitage du bois brut et travaux de finition (sciage, taillage, rabotage)
- Réglage et mise en marche des convoyeurs et contrôle des opérations de sciage
- Remplacement des lames et rubans de scies
- Nettoyage et lubrification du matériel de scierie (entretien préventif)
- Contrôle de la qualité à toutes les étapes de production

Conducteur de machines dans les pâtes et papier (usine)

- Conduite de la machinerie (épurateurs, digesteurs, réservoir de mélange, lessiveurs) dans le traitement de la cellulose

- Surveillance des indicateurs et des appareils de mesure, détection d'anomalies et prise en charge des mesures correctives
- Coordination des réglages, de la mise en marche et de l'arrêt de la machinerie
- Échantillonnage et effectuation des analyses courantes sur la pulpe
- Rédaction des rapports de production

Opérateur de machines dans la fabrication et la finition du papier

- Conduite du matériel et surveillance des opérations dans le traitement, la fabrication et la finition du papier
- Installation, fixation et engagement des rouleaux
- Utilisation des circuits de réglage distribué et des ordinateurs de régularisation des procédés
- Contrôle de la qualité (produit, processus) conformément aux spécifications
- Réglages, mise en marche et arrêt de la machinerie (ligne de production)
- Inspection visuelle des produits
- Mise à jour des rapports de production

Conducteur dans la transformation du bois

- Extraction des impuretés et transformation des billes, blocs et déchets de scierie en copeaux
- Disposition du bois d'œuvre (empilage, attache)
- Criblage de copeaux et fabrication de panneaux de particules, d'aggloméré, de bois dur et d'isolation
- Collage, pressage, « massicotage », ponçage et jointoiement des feuilles de placages
- Surveillance des séchoirs et des cuves de traitement dans les opérations de séchage
- Réalisation des traitements chimiques du bois
- Assemblage de panneaux de contreplaqué
- Mise en marche et réglage de la machinerie

Conducteur de machines à façonner le papier

- Fabrication de boîtes et de cartonnage ondulé
- Façonnage de gobelets et autres récipients
- Nettoyage, lubrification et réglage de la machinerie

Classeur de bois d'œuvre ou autre transformation du bois

- Examen et vérification du bois d'œuvre, des panneaux de contreplaqué, des feuilles de placage
- Indication des défauts et triage de la marchandise
- Prise des mesures et contrôle de la conformité aux prescriptions
- Classement et étiquetage des produits selon les normes de qualité
- Maintien des dossiers d'inspection et de classement

944 ➡ Les conducteurs de machines dans la fabrication des produits textiles

Conducteur de machines dans la fabrication de fibres textiles et de filés

- Conduite et alimentation des laveuses, malaxeurs, mélangeurs, ramasseuses, cardeuses, nappeuses, peigneuses et étireuses de fibres
- Texturisation de fibres
- Conduite et alimentation des bobinoirs et renvideurs
- Contrôle de la qualité de la production

Tisseur, tricoteur et autre conducteur de machines textiles

- Montage des métiers et des autres machines de traitement de produits textiles
- Préparation des métiers en fonction des patrons
- Fabrication des tissus et d'autres produits avec des fils et filés
- Contrôle de la qualité et surveillance du bon fonctionnement des machines
- Changement des aiguilles
- Réparation de défectuosités mécaniques mineurs

Teinturier et finisseur de produits textiles

- Conduite de la machinerie servant à blanchir, à teindre et à apprêter les différents produits
- Réglage des machines
- Mélange des teintures et produits chimiques selon les formules prescrites
- Examen des produits finis en fonction des normes de qualité

Contrôleur, trieur et échantillonneur de produits textiles

- Vérification des tissus et produits conformément aux normes établies
- Repérage et réparations mineures des produits
- Triage des produits en fonction de la couleur, du style, de la longueur ou d'autres paramètres
- Emballage des produits finis pour l'expédition

945 ➡ Les conducteurs de machines dans la confection d'articles en tissu, en fourrure et en cuir

Conducteur de machines à piquer

- Assemblage de sections de vêtements en produits finis
- Connaissance des systèmes de production à la pièce et en série
- Utilisation de diverses machines à coudre, à faufiler, à surfiler et à surjeter
- Connaissance des produits suivants : cuirs, fourrures, tissus divers

Coupeur de tissus, de fourrures, de cuirs et de peaux

- Disposition des patrons
- Utilisation des coupoirs électriques et divers couteaux
- Coupage des échantillons
- Numérotation de différentes pièces à des fins d'assemblage

Ouvrier spécialisé dans le traitement des cuirs et des peaux

- Extrait des particules de gras, de chair et de poil lâche du cuir et des peaux à l'aide de couteaux manuels et électriques
- Raclage des cuirs et des fourrures et rasage des peaux en fonction des longueurs prescrites
- Préparation des solutions de trempage
- Nettoyage, dépilage, salage, teinte, huilage et tannage des peaux (assouplissement et préservation)

Contrôleur et essayeur dans la confection d'articles

- Vérification et triage des peaux d'animaux, des fourrures et des cuirs selon leur grandeur, leur état et leur poids

- Examen des produits finis en fonction des critères de conformité et de qualité
- Réparation des défauts mineurs
- Triage, classement et étiquetage des produits finis

946 ➡ Les conducteurs de machines dans la transformation des aliments, des boissons et du tabac

Conducteur de machines de procédés industriels dans la transformation des aliments et boissons

- Conduite de machines uniques et multifonctions
- Opération des panneaux de commande et des terminaux informatiques
- Vérification des conditions de transformation prescrites par la surveillance des indicateurs, des relevés et des écrans de contrôle
- Réglage et modification des variables (temps de cuisson, apport d'ingrédients, débit, température, etc.)
- Maintien des registres de production

Autre conducteur

- Réglage et ajustement des machines de transformation et d'empaquetage
- Conduite des machines à fonction unique (meulage, extraction, mélange, congélation, cuisson) en transformation des aliments et boissons
- Mise en boîte ou en conserve, empaquetage des produits et préparation pour l'expédition
- Vérification des produits et examen de la conformité aux normes de l'organisation (ou de qualité, par ex. HACCP, ISO, etc.)
- Notation de l'information portant sur la production (quantité, poids, taille, date, types de produits)

Boucher industriel, dépeceur-découpeur de viande et préparateur de volaille

- Abattage des animaux au moyen d'appareils pour assommer et de couteaux
- Extraction des viscères et des autres parties non comestibles
- Débitage et dépeçage des carcasses

- Désossement et coupe des viandes et volailles
- Précision sur le type de viande (bœuf, veau, mouton, porc, poulet, etc.)

Ouvrier dans le conditionnement du poisson

- Conduite de machines
- Réglage et manœuvre de machines de traitement du poisson
- Réalisation des opérations de nettoyage, de coupe, de cuisson, de fumage et de déshydratation
- Emballage des produits pour l'expédition
- Vérification de la qualité en fonction des normes
- Consignation des renseignements portant sur la production

Coupeur et nettoyeur

- Coupage, nettoyage et parage du poisson avant la mise en vente
- Écaillage, éviscération et séparation des filets
- Préparation des filets selon les spécifications
- Décorticage des crustacés

Échantillonneur et trieur dans la transformation des aliments et des boissons

- Échantillonnage des produits à diverses étapes de la transformation
- Examen visuel des produits et effectuation d'autres tests liés aux spécifications
- Triage et classement des matières premières et des produits finis

947 ➡ Les conducteurs de machines à imprimer

Conducteur de machines à imprimer

- Établissement des spécifications quant à la couleur et à la quantité de documents à imprimer
- Réglage et ajustement des machines à imprimer
- Alimentation des réservoirs et chargement de papier
- Programmation de la console d'impression
- Échantillonnage et vérification de la qualité
- Entretien préventif de la machinerie et réparation mécanique mineure

Photograveur/pelliculeur/clicheur

- Ajustement des appareils de séparation des couleurs
- Reproduction graphique et photographique en pellicule
- Exposition sur plaques et cylindre d'impression
- Rectification et polissage de cylindres
- Installation des tissus de carbone
- Préparation des cylindres pour presses photographiques
- Connaissance des procédés d'impression, de gravure, de photogravure et au laser

Développeur de films et de photographies

- Développement de négatifs, de diapositives et de transfert d'image (couleur, noir et blanc)
- Développement de films cinématographiques
- Transfert de films sur bande vidéo
- Retouche de négatifs et d'épreuves
- Collage de films et montage sur bobine
- Mesure et mélange de produits chimiques nécessaires au développement
- Vérification des rouleaux (épreuves ou pellicules photographiques)

948 ➡ Les monteurs de matériel mécanique, électrique et électronique

Monteur d'aéronefs et contrôleur de montage

Monteurs

- Consultation et interprétation des schémas d'assemblage d'aéronefs
- Montage, ajustement et installation des pièces préfabriquées sur banc d'essais ou directement sur la cellule
- Connaissances spécifiques : revêtements. Commandes de pilotage, montage, systèmes hydrauliques et mécaniques

Contrôleur

- Vérification de la conformité technique des montages d'aéronefs (parallélisme, symétrie, cotes dimensionnelles, ajustement des montages, qualité esthétique)
- Rédaction de comptes rendus d'inspection

Assembleur/contrôleur/vérificateur de véhicules automobiles

Assembleur

- Assemblage des éléments constitutifs des véhicules automobiles (treuil, équipement manuel et mécanique)
- Conduite et entretien du matériel d'assemblage automatisé (fixes et mobiles)
- Raccordement de câbles, tubes et fils
- Positionnement et installation de pièces et sous-ensembles (moteurs, transmissions, panneaux de porte, tableaux de bord)
- Pose et ajustement des portières, des capots et des postes de coffres

Contrôleur et vérificateur

- Vérification des couches de peinture et des produits de scellement et de masticage
- Mise à l'essai des sous-ensembles, du matériel et des câbles électriques
- Mise en place des mesures correctives
- Inspection des véhicules
- Conduite sur banc d'essai dynamométrique
- Consignation et signalement des défauts décelés

Assembleur/monteur/contrôleur/vérificateur de matériel électronique

Assembleur

- Montage et soudage de composants électroniques sur plaquettes de circuits imprimés (conducteurs de résistance, diodes, transistors, condensateurs, circuits intégrés, microcircuits, filage)
- Utilisation de microscopes en milieu de propreté contrôlé (poussière)
- Installation, montage, fixation, alignement et ajustement des composants, du câblage et des étriers aux ensembles et sous-ensembles à l'aide d'outils manuels et petits outils mécaniques
- Conduite de machines automatiques et semi-automatiques (fixation, soudage et nettoyage)

Monteur

- Conduite et surveillance des machines de traitement (fabrication, soudage, nettoyage, scellement et marquage de composants)
- Réglage général de la machinerie

Contrôleur

- Inspection des composants et des ensembles électroniques
- Choix et emplacement des composants
- Vérification de la qualité du câblage et des soudures
- Insertion appropriée des broches
- Emplacement et diamètre des trous plaqués
- Continuité de circuits et espacement linéaire sur plaquette
- Vérification du montage final incluant le fini, l'étiquetage et l'emballage
- Contrôle et mesure des mises à l'essai électriques
- Établissement, notation et résumé de rapports d'inspection

Vérificateur

- Localisation de défectuosités des circuits et du câblage, repérage des courts-circuits et des pièces défectueuses
- Comparaison des résultats des essais aux spécifications
- Rodage et essais de durée de vie
- Rédaction de rapports sur les résultats des essais

Monteur et contrôleur dans la fabrication de matériel, d'appareils et d'accessoires électriques

Monteur

- Assemblage de pièces préfabriquées sur chaînes de montage ou à l'établi et d'appareils ménagers électriques
- Montage de transformateurs, de moteurs électriques, de transmissions, de disjoncteurs, d'interrupteurs et d'autre matériel de contrôle électrique
- Placement et fixation des éléments dans les gaines
- Enroulement de ressorts hélicoïdaux et de l'armature des moteurs et transformateurs
- Réparations mineures des produits rejetés
- Réglage et ajustement des outils de production et de la chaîne de montage

Contrôleur

Vérification des produits au cours des différentes étapes de production (défauts apparents, raccords électriques et mécaniques)

Assembleur, monteur et contrôleur dans la fabrication des transformateurs et de moteurs électriques industriels

Monteur

- Montage de transformateurs et de moteurs électriques à grande puissance
- Montage et ajustement de pièces de métal et de pièces préfabriquées
- Montage des stators ou des induits
- Montage du noyau des transformateurs par compression de lamelle d'acier
- Montage des bobines dans les noyaux en utilisant les ponts roulants
- Ajustement du matériel auxiliaire (bornes, commutateurs de prise, boîte de dérivation, matériel de chauffage, de protection et de refroidissement)
- Réglage de la machinerie de production

Ajusteur et installateur

- Interprétation des dessins industriels, des plans et des schémas d'installations électriques
- Production de matériel de commande automatisé, de panneaux de distribution électrique et autre matériel de contrôle
- Ajustement de composants (démarreur, contracteurs, condensateurs, disjoncteurs, régulateur de tension, plaquette de circuits imprimés)
- Installation électrique des panneaux de distribution et de commande
- Montage des boîtiers
- Installation des barres omnibus

Monteur et contrôleur de matériel mécanique

- Montage, adaptation et installation de pièces préfabriquées
- Placement, alignement, jonction des pièces, du câblage, des tubes et fils
- Boulonnage et rivetage de différentes pièces et composantes
- Conduite et surveillance de l'équipement de montage automatique, de robotique et d'automation fixe
- Conduite de petites grues

Contrôleur de machines et contrôleur dans la fabrication d'appareils électriques

- Montage, contrôle et emballage de piles sèches
- Disposition des accumulateurs au plomb sur chaîne de montage et insertion de contenu
- Fabrication de plaques pour les accumulateurs au plomb (utilisation de machine à empâter et à empiler)
- Chargement des machines de production d'ampoules, de tubes fluorescents, à incandescence et autres types d'ampoules
- Emballage de produits finis
- Alimentation des machines de production des dispositifs de câblage électrique (fusibles, fiches, culots, douilles, prises et interrupteurs)
- Application de revêtement protecteur sur différents articles
- Réglage et ajustement de la machinerie et du matériel de production
- Collecte de données, enregistrement et résumé de résultats de vérification

949 ➡ Autre personnel de montage

Monteur de bateaux et contrôleur dans le montage

- Taillage, façonnage et assemblage des pièces de bois d'œuvre et autres matériaux dans la construction des bateaux à l'aide d'outils manuels et informatisés
- Assemblage de pièces et parties d'embarcation (bois, fibre de verre, métal et autres matériaux)
- Calfeutrage de joints (ponts et coques)
- Pose des apparaux, des gouvernails, des sièges, du bâti de moteur et d'autres accessoires
- Réparation de bateaux

Contrôleur de montage

- Vérification de la conformité aux différentes étapes de la production
- Décèlement de défauts
- Mises au point et réparations mineures
- Notation de renseignements sur les produits vérifiés

Monteur de meubles et contrôleur de meubles et d'accessoires

Monteur

- Préparation, ponçage et ajustement de pièces de meubles et d'accessoires de bois
- Montage (assemblage) d'ensembles ou de sous-ensembles de mobiliers
- Montage de combinaison de pièces et d'accessoires (bois, métal, plastique, rotin)
- Renforcement de meubles et d'accessoires assemblés (chevilles et autres supports)
- Installation de charnières, de moraillons et d'autres accessoires

Contrôleur

- Vérification en cours de production et des produits finis selon les normes de conformité et de qualité
- Signalement des défauts ou défectuosités et mise en place des mesures correctives
- Mises au point de l'outillage ou des procédés de fabrication
- Notation des renseignements sur les produits vérifiés et consignation de données de production

Monteur et contrôleur de produits du bois (générique)

- Taillage et ponçage de joints, de moulures et d'autres pièces à des fins d'assemblage
- Assemblage (à l'aide d'outils manuels et électriques)
- Assemblage de châssis de fenêtres, de portes, de boîtes, des palettes, des échelles et des barils (à l'aide de colle, crampons, boulons, vis ou autres attaches)
- Assemblage de panneaux de portes, des fermes de charpente, d'éléments modulaires et d'autres pièces pour lignes de montage (maison préfabriquée ou assemblage domestique) – à l'aide de gabarits d'assemblage, ponts roulants, outils, etc.
- Renforcement de pièces assemblées (à l'aide de chevilles ou d'autres pièces de soutien
- Installation de produits assemblés tels des garnitures métalliques, charnières et boutons de portes

Vernisseur en finition et en réparation de meubles

Vernisseur (finition)

- Montage et conduite de machines à finition de meubles
- Teinte (ou vernissage) du bois en fonction des formules spécifiées
- Application des colorants, des rehauts, des glacis, des nuanceurs, des laques ou d'autres apprêts (enduire)
- Création d'apparence antique par la décoloration et le marquage des surfaces en bois
- Ponçage, polissage et nettoyage de meubles

Vernisseur (réparation)

- Enlèvement des vernis des surfaces de bois
- Égalisation des rainures par sablage ou ponçage
- Harmonisation des colorants en fonction des produits d'origine (restauration)
- Polissage et cirage des surfaces vernies
- Ponçage et meulage des surfaces métalliques
- Connaissance des latines d'acier, de papiers d'émeri et de solvants (peinture, procédé électrostatique)

Assembleur, finisseur et contrôleur de produits en plastique

Assembleur et finisseur

- Coupage, profilage, découpage et ajustement des éléments de plastique aux fins d'assemblage
- Assemblage des matériaux composites sur les modèles afin de former des pièces et d'autres assemblages
- Application des mélanges de résine aux moules afin de former les produits (pistolet à enduire)
- Chargement et utilisation des autoclaves
- Mûrissement et liaison des pièces et des assemblages partiels par autoclave
- « Détourage », meulage et polissage des produits finis

Contrôleur

- Inspection et contrôle de la qualité en fonction des spécifications et des normes de qualité
- Apposition des sceaux sur les contenants approuvés
- Préparation des rapports sur la vérification des produits

Peintre et enduiseur dans le secteur de la fabrication

- Mélange des peintures en fonction des formules préétablies
- Choix des peintures et des mélanges
- Nettoyage, lavage et préparation des objets à peindre – préparation de surface
- Peinture au pistolet, par trempage et autres procédés d'application
- Application des revêtements (protecteur ou décoratif) sur des objets fixes ou par convoyeurs
- Retouche au pinceau et peinture de petits objets
- Nettoyage et entretien du matériel
- Préparation et application de pochoirs, des décalcomanies et d'autres objets décoratifs

Opérateur d'équipement de métallisation et de galvanisation

- Préparation et mélange des solutions métallisantes selon les formules et les spécifications
- Conduite et contrôle des équipements de placage et d'enduit par trempage à chaud
- Conduite de l'équipement de vaporisation (adhésion et fortification)
- Vérification des opérations de placage à l'aide de micromètres ou de compas d'épaisseurs

Monteur et contrôleur en général

Monteur

- Coupe, confection et ajustement de matériaux afin de former des pièces ou éléments
- Vissage, attache, collage, soudage ou assemblage de pièces et d'éléments en produits finis
- Sablage, taille, polissage, nettoyage des produits — préparation pour l'expédition

Contrôleur

- Inspection des produits fabriqués selon les normes de qualité
- Apposition des sceaux ou des étiquettes de conformité
- Acheminement des produits défectueux
- Rédaction des rapports d'inspection

951 ➡ Opérateurs de machines dans le façonnage et l'usinage des métaux et le travail du bois

Conducteur de machines d'usinage

- Étude des bons de travail ou interprétation des dessins et détermination des opérations d'usinage
- Conduite et réglage des machines d'usinage à répétition (tournage, rodage, fraisage, perçage, alésage, rabotage, rodage, brochage, rectification)
- Vérification des dimensions des pièces usinées à l'aide d'instruments de mesure de précision
- Préparation de solution de gravure à eau-forte

Conducteur de machines de formage

- Chauffage des métaux au four de mazout ou de gaz
- Conduite de ponts roulants
- Chargement et déchargement des fours selon divers procédés
- Disposition des pièces sur la matrice de presse et autres engins de formage
- Conduite des presses et d'autres machines à forger et à façonner le métal (aplatir, tordre, façonner, étirer, refouler, diviser, découper, poinçonner, percer, cintrer, estamper)
- Disposition et ajustement des matrices sur les enclumes de formage
- Conduite de ponts roulants et autres appareils de levage et d'outils manuels

Conducteur de machines à travailler le bois

- Réglage, programmation et conduite de machines électriques, électroniques ou manuelles
- Fabrication et réparation de pièces en bois à des fins d'assemblage (meubles ou accessoires)
- Collage et assemblage de pièces en bois
- Pressage de placage sur les surfaces
- Utilisation (conduite) de machinerie pour la fabrication de produits spécialisés (cintre, épingles, épingles à linge, autres articles)
- Lecture et interprétation des spécifications techniques
- Nettoyage et lubrification de l'équipement
- Changement de pièces et réparations mécaniques mineures

Conducteur de machines à travailler les métaux

- Lecture de devis
- Réglage et conduite de machines et d'équipement de façonnage
- Coupe, laminage, poinçonnage, perçage et façonnage
- Conduite ou manipulation (manœuvre) de la machinerie et des équipements
- Vérification des produits selon les normes de qualité
- Cisailles, presses mécaniques, laminoirs, scies perceuses, leviers, fendoirs, presses à découper
- Nettoyage et lubrification de la machinerie et réparation mécanique de base

Conducteur de machines à fabriquer des produits métalliques

- Fabrication de pièces et de produits métalliques
- Ajustement et montage d'éléments et de composants
- Conduite de machinerie et équipement automatique ou à fonctions multiples
- Finition des produits (nettoyage, limage, polissage)
- Vérification visuelle de la qualité des produits finis
- Nettoyage et lubrification de la machinerie

Conducteur de machines à fabriquer des produits divers

- Conduite de machines à couper, presser, estamper, mouler, traiter, finir et fabriquer des produits X
- Insertion de matériaux dans les dispositifs d'alimentation
- Alignement manuelle des matériaux
- Introduction des matériaux dans les machines
- Contrôle du fonctionnement des machines
- Détection des irrégularités
- Nettoyage des aires de travail
- Changement des moules et des buses

961 ➡ Les manœuvres dans la transformation, la fabrication et les services d'utilité publique

Manœuvre dans le traitement des métaux et des minerais

- Chargement des transporteurs et concasseurs
- Nettoyage des fours et des aires de travail
- Triage, empaquetage et estampage des matériaux
- Assistance (ou accompagnement) des conducteurs et opérateurs dans différents procédés de traitement des métaux
- Utilisation des chariots de levage et des treuils mécaniques

Manœuvre en métallurgie

- Manœuvre des appareils de nettoyage (grenaillages, ébardeuses et sableuses à jet)
- Trempage des produits métalliques dans des solutions de nettoyage
- Transport des matières premières et des produits finis
- Triage des feuilles de métal et de la ferraille
- Nettoyage des aires de travail et de l'équipement
- Chargement et déchargement des véhicules
- Meulage de nettoyage sur les produits métallurgiques
- Assistance variée auprès des autres corps de métiers
- Utilisation des plateaux roulants

Manœuvre dans le traitement des produits chimiques et dans les services d'utilité publique

- Alimentation et vidage des machines de production
- Nettoyage de l'équipement et de la machinerie
- Déplacement et classement des matériaux et des produits
- Assistance dans la conduite, la réparation et l'entretien du matériel de traitement des produits chimiques

Manœuvre dans le traitement des pâtes et papier et transformation du bois

- Placement des billes sur la courroie d'entraînement et dans la trémie du défibreur
- Chargement des copeaux, de la pulpe et d'autres produits dans les convoyeurs et réservoirs

- Extraction des résidus de la machinerie
- Triage, empilage et déplacement du bois d'œuvre, des feuilles de placage et des panneaux
- Ramassage des résidus et des copeaux
- Approvisionnement des convoyeurs, des scies et des séchoirs selon leur matière première correspondante
- Nettoyage de la machinerie et de l'équipement
- Assistance des autres travailleurs dans différents procédés de transformation

Manœuvre dans la fabrication des produits en caoutchouc et en plastique

- Assistance dans le réglage, le démontage et l'installation des machines et de l'équipement
- Nettoyage et lubrification de la machinerie et de l'équipement
- Préparation des matières premières pour les mélanges
- Surveillance des machines et vérification de la qualité des produits

Manœuvre des produits textiles

- Chargement et déchargement des camions
- Nettoyage des machines et des aires de travail
- Conduite de chariots élévateurs et de camions (permis de conduire classe 3)

Manœuvre dans la transformation des aliments, des boissons et du tabac

- Déplacement des matières premières, des produits finis et des matériaux d'emballage dans l'usine et l'entrepôt
- Mesure et chargement des ingrédients dans les trémies des mélangeurs, des broyeurs et des camions
- Disposition des pièces de carton dans les machines de formage des boîtes
- Chargement manuel dans les contenants appropriés
- Nettoyage des aires de travail et de l'équipement
- Alimentation et déchargement des produits sur les machines de transformation
- Vérification des produits et des emballages (contrôle de qualité)

Manœuvre dans la transformation du poisson

- Déchargement du poisson et crustacés des bateaux de pêche
- Utilisation des chariots à fourche des produits à l'usine
- Conditionnement du poisson pour l'emballage et la congélation
- Enregistrement du poids et disposition dans la glace concassée
- Nettoyage des aires de travail et du matériel
- Transport des fournitures et du matériel d'emballage
- Mesure et versement des ingrédients dans les trémies des malaxeurs et des broyeuses

Autre manœuvre des services de transformation, de fabrication et d'utilité publique

- Déplacement des matières premières, des produits finis et de l'équipement à l'intérieur de l'usine
- Enregistrement de paramètres (poids, mesures) et vérification visuelle des produits
- Triage, empaquetage et emballage du matériel et des produits
- Nettoyage des aires de travail, de la machinerie et de l'équipement

Avant-après 10 CV traditionnels transformés en CV par compétences

Nous vous avons expliqué dans les chapitres précédents les principales caractéristiques du CV par compétences. Contrairement au CV traditionnel, qui fait défiler les diverses expériences professionnelles du candidat ainsi que la formation qu'il a acquise au fil des ans, le CV par compétences donne un profil plus vivant et plus ciblé de la personne, en mettant l'accent sur les habiletés qu'elle a développées, sur ses principales réalisations professionnelles et sur ses aptitudes personnelles.

Les 10 exemples qui suivent mettent en évidence les bienfaits de cette présentation. Ils vous aideront en outre à transformer votre propre CV traditionnel en CV par compétences.

AVANT

Guérande Lussier
566, rue Fleury Ouest
Montréal (Québec)
H3L 1W5
Tél. : (514) 388-0944

CURRICULUM VITÆ

CONNAISSANCES SPÉCIFIQUES

Langues parlées et écrites : Français et anglais
Connaissances informatiques : Windows, Word Perfect, Word, Internet

FORMATION ACADÉMIQUE

1991 UNIVERSITÉ McGILL
Certificat en relations publiques

1984 UNIVERSITÉ DE MONTRÉAL
Faculté Arts et Sciences
Baccalauréat spécialisé en anthropologie

1982 CÉGEP DE SAINT-HYACINTHE
D.E.C. en Sciences humaines

EXPÉRIENCES DE TRAVAIL

Juin 1992 à novembre 1997
LE GROUPE DE SOCIÉTÉS WHITEHORSE
SIÈGE SOCIAL
Montréal
21 centres commerciaux à travers le Québec

Directrice générale du marketing

RESPONSABILITÉS

- Développer l'orientation stratégique promotionnelle et publicitaire de l'ensemble des centres ;
- Administrer un budget annuel de près de 1 000 000 $ incluant la production publicitaire et les placements médias ;
- Superviser quatre (4) coordonnatrices régionales de promotion ;
- Procéder à la recherche de commanditaires aux promotions ;
- Communiquer tous les aspects marketing entre le siège social et les centres ;
- Développer et mettre sur pied les réunions annuelles pour tous les employés administratifs des centres, incluant : contenu des réunions, réservations d'hôtels, préparation du matériel, etc ;
- Superviser les placements médias des centres de la région de Montréal ;
- Créer et réaliser un guide marketing pour la formation des nouveaux employés ;
- Structurer et mettre sur pied un bulletin trimestriel pour les employés des centres ;
- Superviser les études de marché, planifier et élaborer les études de trafic, superviser les analyses pour l'ensemble des centres.

Mars 1989 à juin 1992
LE GROUPE DE SOCIÉTÉS WHITEHORSE
LES PROMENADES DEUX-MONTAGNES
Centre commercial (110 locataires)

Direction de promotion

RESPONSABILITÉS

- Gérer un budget promotionnel annuel de 200 000 $;
- Élaborer le plan promotionnel annuel et développer les activités, telles que : décors, animations, défilés de mode, promotions thématiques ;
- Communiquer tous les aspects promotionnels et publicitaires aux détaillants ;
- Effectuer les placements médias : radio, journaux, télévision ;
- Superviser la production d'imprimés tels que : affiches, vélox pour journaux, cahiers publicitaires, livrets, coupons-rabais, etc. ;
- Vendre et facturer les promotions coopératives ;
- Élaborer les relations publiques locales ;
- Organiser les assemblées générales pour marchands.

Juin 1988 à mars 1989
LE GROUPE DE SOCIÉTÉS WHITEHORSE
LES PROMENADES DE LA CATHÉDRALE
Centre commercial (100 locataires)

Directrice adjointe du marketing

RESPONSABILITÉS

- Coordonner les activités entourant l'ouverture du centre, telles que : gala d'ouverture, conférences de presse, campagnes de publicité multimédia, placements médias ;
- Coordonner les défilés de mode, les revues publicitaires, les décors et l'animation générale du centre.

Juillet 1986 à juin 1988
LE GROUPE DE SOCIÉTÉS WHITEHORSE
SIÈGE SOCIAL
Montréal

Adjointe publicité et promotion

RESPONSABILITÉS

- Planifier et coordonner la production graphique de 20 centres commerciaux (2 300 locataires au Québec) ;
- Coordonner les événements spéciaux, tels que : ouvertures de centre, conférences de presse, campagnes publicitaires en collaboration avec agences de publicité, « jingles » et annonces publicitaires télévisées ;
- Superviser la production de brochures corporatives et d'identifications commerciales ;
- Vérifier et planifier les activités et budgets promotionnels annuels ;
- Coordonner les réunions semi-annuelles.

Juin 1985 à juillet 1986
BÉLANGER, LEBEAU DESIGNERS LTÉE

Adjointe au président

- Travail général de bureau.

Septembre 1983 à mai 1985
TRUST GÉNÉRAL DU CANADA
- Caissière - service d'épargne

ASSOCIATIONS PROFESSIONNELLES

Membre du **PUBLICITÉ CLUB DE MONTRÉAL**

Membre du **CONSEIL INTERNATIONAL DES CENTRES COMMERCIAUX** (ICSC)

Présidente régionale du comité **ENFANTS AVERTIS** 1992 pour le Grand Montréal et Québec Ouest. Mise sur pied du lancement régional et coordination auprès de 40 centres commerciaux participant au programme parrainé par le Conseil international des centres commerciaux.

Déléguée au Comité de développement de la **SEMAINE QUÉBÉCOISE DU COMMERCE DE DÉTAIL** (Conseil québécois du commerce de détail)

LOISIRS

- Vélo, randonnée de montagne, ski, golf
- Cinéma, théâtre, lecture
- Danse

RÉFÉRENCES FOURNIES SUR DEMANDE

APRÈS

Guérande Lussier
566, rue Fleury Ouest
Montréal (Québec)
H3L 1W5
Tél. : (514) 338-0944

**Planification et gestion
de projets publicitaires et promotionnels**

SYNTHÈSE D'EXPÉRIENCE

Onze années d'expérience en marketing pour un développeur de centres commerciaux régionaux à la grandeur de la province. Solide compétence dans l'élaboration de stratégies et la réalisation de campagnes publicitaire et d'événements promotionnels.

CHAMPS DE COMPÉTENCES

Production publicitaire

Planification et supervision des études de marché.
Développement de l'orientation stratégique publicitaire.
Supervision des placements et achats médias.
Supervision de toutes les étapes de production de campagnes publicitaires multimédias.

Événements promotionnels

Recherche de commanditaires.
Élaboration de plan promotionnel annuel et développement des activités.
Coordination de l'ensemble des événements entourant l'ouverture de places d'affaires.
Organisation de conférences de presse locales.

Gestion et formation

Administration de budgets annuels.
Supervision de personnel, embauche et formation.
Organisation des rencontres annuelles pour tous les employés administratifs : logistique et contenu.

PRINCIPALES RÉALISATIONS PROFESSIONNELLES

- Création et mise sur pied d'un bulletin trimestriel pour les employés des centres et marchands.
- Obtention de commanditaires de prestige pour promotions provinciales.
- Élaboration et réalisation des politiques et procédures marketing pour la formation de tous les employés des différents centres.
- Élaboration et réalisation d'un guide de relations publiques pour la formation de tous les employés des différents centres.

EXPÉRIENCE DE TRAVAIL

LE GROUPE DE SOCIÉTÉS WHITEHORSE - 1986-1997
- Directrice générale du marketing siège social (1992-1997)
- Directrice de promotion Promenades Deux-Montagnes (1989-1992)
- Directrice adjointe du marketing Promenades de la Cathédrale (1988-1989)
- Adjointe publicité-promotion siège social (1986-1988)

BÉLANGER, LEBEAU DESIGNERS LTÉE - 1985-1986
- Adjointe au président

TRUST GÉNÉRAL DU CANADA - 1983-1985
- Caissière - Service d'épargne

FORMATION ET PERFECTIONNEMENT

FORMATION CONTINUE
touchant divers aspects du domaine marketing et publicitaire 1986-1997

Université McGill — Certificat en relations publiques 1991
Université de Montréal — Faculté Arts et Sciences
Anthropologie 2 ans 1984

Informations supplémentaires, CV chronologique et références fournis sur demande.

AVANT

Julien Hébert
6, rue Saint-Jacques
Chambly (Québec)
J3L 3L2
Tél. : (450) 447-3430

Langues parlées : Français et anglais
Langues écrites : Français et anglais

Profil et formation

- Solide expérience dans l'**achat** et la **mise en marché** dans le domaine de l'alimentation; excellente connaissance du marché.
- **Baccalauréat en relations industrielles** de l'Université Laval (1979) jumelé à un DEC en sciences humaines du Collège Sainte-Foy (1976) ainsi qu'à des cours en informatique, soit le **A/S 400** et **Lotus,** en plus du cours de formation des formateurs.
- Style de gestion axé sur la motivation, l'action et l'atteinte des résultats; bon communicateur; facilité à rallier les gens et à les faire progresser; conscientise et responsabilise les employés.
- Particulièrement habile dans la résolution de problèmes par l'identification de solutions innovatrices; capable de prendre des décisions et de les assumer.
- Fin négociateur faisant preuve d'esprit d'analyse, d'intuition et de bon jugement, favorisant les transactions gagnant-gagnant.
- Grande facilité d'adaptation : s'est bien acquitté de ses fonctions dans des contextes nécessitant un positionnement rapide et une vision globale de la situation.
- Mobilité, flexibilité et disponibilité.

Principales expériences professionnelles

LES SUPERMARCHÉS BON APPÉTIT MONTRÉAL
De 1992 à 1996

Adjoint de catégorie
(Avril 1995 à février 1996)

- Effectue la recherche de nouveaux fournisseurs dans le but de maximiser le rapport qualité-prix quant aux achats de fruits et légumes
- Voit à la gestion des inventaires dans un contexte de très court terme et au suivi d'entrepôt
- Assure le lien avec les magasins quant aux listes de prix, aux promotions, soutient les gérants de département aux prises avec des problèmes d'approvisionnement
- Identifie de nouveaux produits d'étalage et équipements, supervise et collabore durant les tests en magasin
- Gère le budget de dégustation, planifie le calendrier des activités et fait le lien entre les adjoints des autres départements
- Compile des données de vente pour la production de rapports hebdomadaires

Réalisations
Utilisation d'un magasin comme environnement de tests pour la mise en application d'un système informatique de gestion des inventaires d'épicerie, dans le contexte de roulement quotidien du département de fruits et légumes, dans le but de pouvoir l'implanter à l'ensemble de l'entreprise.

Acheteur
(Avril 1994 à avril 1995)

- Assure les achats de produits exotiques et de quelques produits locaux. Effectue de la recherche de produits à l'échelle mondiale via des grossistes ou directement auprès des fournisseurs
- Voit au développement et à la mise en marché et maximise le rapport qualité-prix

Réalisations
Réalisation de records de ventes encore inégalés par des activités de mise en marché innovatrices et créatives.

Chef marchandiseur
(Septembre 1992 à avril 1994)

- Assure la mise en marché en circulaire et gère la structure de prix en magasin de tous les départements des fruits et légumes, en collaboration avec les centres d'approvisionnement
- Prépare et anime des rencontres d'information trimestrielles avec les responsables de département, présentation des objectifs à atteindre, motivation des troupes

Réalisations
Modification des habitudes de consommation par des programmes de promotions visant à faire connaître des produits initialement classés « de faible consommation ».
Réinsertion graduelle des plantes et fleurs et formation des employés à cet effet, dans un contexte où les résistances étaient particulièrement fortes, actions ayant stimulé l'intérêt des marchands à développer ce créneau.

LES SUPERMARCHÉS BON APPÉTIT QUÉBEC
De 1989 à 1992

Responsable des programmes commerciaux
(Février à septembre 1992)

Réalisations
Conception d'un document regroupant les normes d'opération pour le département des fruits et légumes.
Développement des politiques commerciales afin de normaliser les opérations pour l'ensemble des magasins de la bannière.
Conception des plans d'aménagement des rayons de fruits et légumes en magasin et qui servent encore à ce jour lorsqu'il y a rénovations.

Directeur de la mise en marché fruits et légumes
Région Est (Juin 1989 à février 1992)

- Effectue la mise en marché et gère la structure de prix de tous les magasins Bon Appétit de l'Est du Québec afin d'atteindre les objectifs fixés au cours de la préparation des budgets annuels

LES SUPERMARCHÉS BON APPÉTIT MONTRÉAL
Territoire Rive-Sud
Juin 1988 à juin 1989

Conseiller en fruits et légumes

- Conseille et supervise les responsables des départements des fruits et légumes de 52 supermarchés afin qu'ils atteignent leur budget annuel et augmentent la qualité de présentation des produits

Réalisations
Chargé de l'animation de séances de formation des responsables de département, moins de trois mois après mon entrée en poste.
Nette augmentation de la profitabilité des départements dès la première année.

SUPERMARCHÉ ROGER LETENDRE
Québec (Québec)
De 1985 à 1988

Gérant de magasin

- Assure le suivi de toutes les opérations du magasin
- Favorise une ambiance de travail agréable
- Respecte et atteint les budgets annuels soumis par le propriétaire
- Supervise la gestion des départements et des horaires de travail des employés
- Gère le personnel en tenant compte de la convention collective

Réalisations
Augmentation des ventes par l'instauration de moyens innovateurs
Diminution des situations conflictuelles avec les employés

RÉFÉRENCES DISPONIBLES SUR DEMANDE

APRÈS

Julien Hébert
6, rue Saint-Jacques
Chambly (Québec)
J3L 3L2
Tél. : (450) 447-3430

Compétences linguistiques : français et anglais

SYNTHÈSE D'EXPÉRIENCE

Plus de 15 ans d'expérience à divers degrés de responsabilités. Développement d'une expertise dans la mise en marché, la publicité, les achats et la gestion des opérations. Formation universitaire en relations industrielles.

CHAMPS D'EXPERTISE

GESTION DES OPÉRATIONS ET DES RESSOURCES HUMAINES

- Gestion de magasin (ventes de 380 000 $ par semaine, surface de 11 000 pieds carrés)
- Embauche et gestion du personnel (125 employés)
- Prévision et contrôle budgétaire (150 000 000 $ par an)
- Conception et rédaction de normes d'opérations et de politiques commerciales
- Animation de séances de formation
- Maximisation des méthodes et de la gestion opérationnelle

DÉVELOPPEMENT DE PRODUITS

- Développement et intégration de nouveaux produits
- Analyse et élaboration de méthodes d'expédition et de réception (juste-à-temps)
- Développement de nouveaux concepts d'étalage et d'emballage
- Organisation de réseaux de distribution par points de vente
- Assistance-conseil sur les nouveaux produits d'emballage

MISE EN MARCHÉ

- Gestion de la mise en marché et de la publicité des produits
- Planification et administration de la structure de prix en magasin
- Négociation avec les fournisseurs
- Contrôle et analyse des résultats
- Rôle-conseil et soutien auprès d'instances décisionnelles interdépartementales et des magasins

PRINCIPALES RÉALISATIONS

- Augmentation des ventes en magasin de 25 % en 2 ans.
- Réalisation de ventes dépassant 150 000 000 $ annuellement avec des profits *supérieurs* à 25 %.
- Réintroduction et aménagement des plantes et fleurs en magasin.
- Augmentation des ratios de ventes de 10 % à 14 % pour les départements.
- Introduction de nouveaux produits sur le marché donnant lieu à des records de ventes en moins d'un an.
- Conception d'un plan de département toujours utilisé quatre ans après sa réalisation.

FORMATION

Baccalauréat en relations industrielles
Université Laval, Sainte-Foy 1979

D.E.C. en sciences humaines
Cégep de Sainte-Foy 1976

Formation professionnelle sur AS 400 et Lotus 1990

Formation des formateurs
Cégep André-Laurendeau, Montréal 1988

RÉSUMÉ DE CARRIÈRE

Adjoint de catégorie 1995-1996
Acheteur 1994-1995
Chef marchandiseur 1992-1994
Responsable des programmes commerciaux 1992
Directeur de la mise en marché 1989-1992
Conseiller en fruits et légumes 1988-1989
Gérant de magasin 1985-1988

AVANT

Kim Phan
3146, ch. Côte-de-Liesse
Mont-Royal (Québec)
H4N 2P4
Téléphone : (514) 397-9964

FORMATION

Diplôme en bureautique et comptabilité
Académie du savoir, Boucherville — 2000

Attestation d'études collégiales en comptabilité
Collège d'informatique du Canada, Montréal — 1987

Diplôme d'études collégiales en sciences humaines
Cégep Édouard-Montpetit, Longueuil — 1985

CONNAISSANCES SPÉCIFIQUES

Ordinateurs : IBM ou compatible
Logiciels : Fortune 1000, Simple comptable, Access
Lotus 1-2-3, Excel, Word, OLE/DDE, PowerPoint
Autres : Comptabilité de base

EXPÉRIENCE PROFESSIONNELLE

Journalière
Impri-tech, Brossard
1995-1998

- Technicienne à l'assemblage de cartouches d'imprimante laser. Vérification des pièces. Réparation. Tester et approuver le produit fini.

Journalière
Spectrum, Saint-Laurent
1995

- Emballage et étiquetage d'échantillons de produits pharmaceutiques

Commis-vendeuse
Valises internationales, Montréal
1986-1993

- Promouvoir la vente des produits. Participer aux achats. Service à la clientèle.
- Comptabilité journalière.

APTITUDES PROFESSIONNELLES

- Méthodique
- Consciencieuse
- Bonne facilité d'apprentissage
- Travailleuse
- Ouverte à l'idée de suivre des cours de perfectionnement

RENSEIGNEMENTS PERSONNELS

Langues : français, anglais fonctionnel

ACTIVITÉS ET CHAMPS D'INTÉRÊT

Durant mes temps libres, j'aime pratiquer la marche et magasiner. De plus, j'adore tout ce qui a trait à la mode et au design d'intérieur.

APRÈS

Kim Phan
1146, ch. Côte-de-Liesse
Mont-Royal (Québec)
H4N 2P4
Téléphone : (514) 397-9964

Langues : français, anglais fonctionnel

SOMMAIRE DE L'EXPÉRIENCE

Douze années d'expérience sur le marché du travail, dont deux années et demie dans le domaine manufacturier et sept années dans le commerce au détail. Diplôme récent en bureautique. Intérêt marqué pour la comptabilité et l'entrée de données.

CHAMPS DE COMPÉTENCES

Comptabilité et gestion des paies
- Traitement et vérification des registres financiers et des transactions (fournisseurs, clients)
- Entrée de données relatives aux livres auxiliaires et au journal général
- Entrée de données dans le grand livre
- Maintien des rapports de présences, codification et compilation des heures de travail
- Calcul de la rémunération, des avantages sociaux et des cotisations (impôts, assurances, etc.)
- Préparation des rapports de fin de période et conciliation des registres

Entrée de données et classement
- Entrée de données, tenue et mise à jour des bases de données
- Tri du courrier
- Photocopies, assemblage et classement de documents

Informatique
- Ordinateurs : IBM ou compatible
- Logiciels : Fortune 1000 Simple comptable, Access, Lotus 1-2-3, Excel, Word et PowerPoint
- Transfert de données : OLE/DDE

Curriculum vitæ de Kim Phan — Page 2

FORMATION

Diplôme en bureautique et comptabilité
Académie du savoir, Boucherville 2000

Attestation d'études collégiales en comptabilité
Collège d'informatique du Canada, Montréal 1987

Diplôme d'études collégiales en sciences humaines
Cégep Édouard-Montpetit, Longueuil 1985

EXPÉRIENCE PROFESSIONNELLE

Journalière
Impri-tech, Brossard
1995-1998
- Technicienne à l'assemblage de cartouches d'imprimante laser. Vérification des pièces. Réparation. Contrôle et approbation du produit fini.

Journalière
Spectrum, Saint-Laurent
1995
- Emballage et étiquetage d'échantillons de produits pharmaceutiques

Commis-vendeuse
Valises internationales, Montréal
1986-1993
- Promotion des produits. Participation aux achats. Service à la comptabilité journalière.

APTITUDES PROFESSIONNELLES
- Méthodique
- Consciencieuse
- Capable d'apprendre rapidement
- Ouverte à l'idée de suivre des cours de perfectionnement

AVANT

Élisabeth Charbonneau-Tanguay
6154, boul. LaSalle
(514) 761-2325
Verdun (Québec) H4H 1P7
Français et anglais

SYNTHÈSE D'EXPÉRIENCE

Expérience de travail liée à la communication, aux services à la clientèle et à la comptabilité. Approche personnalisée et intérêt marqué pour les relations humaines. Reconnue comme étant une personne persévérante, fiable, ayant de l'entregent et le souci du travail bien fait.

EXPÉRIENCE DE TRAVAIL

Agente aux comptes payables — commis de bureau
MIRON INTERNATIONAL, MONTRÉAL 1998

- Assurer la réception téléphonique (système Isotec) et acheminer les appels
- Traiter et assurer le suivi des comptes fournisseurs
- Ouvrir, trier, classer et acheminer le courrier interne et externe selon les services

Caissière
BOUTIQUE PASSE-PARTOUT, SAINT-LAMBERT 1998

- Accueillir la clientèle, enregistrer les ventes et gérer la caisse enregistreuse
- Compléter l'ouverture et la fermeture du magasin
- Voir à la présentation de l'étalage
- Effectuer le suivi des mises de côté et des transferts des vêtements entre les succursales

Réceptionniste et commis de bureau
CLINIQUE D'ACUPUNCTURE, LA PRAIRIE temps partiel 1996

- Accueillir les clients, répondre aux appels et fixer les rendez-vous
- Effectuer la tenue de livres, les rapports de taxes et tenir la petite caisse
- Faire le suivi de l'inventaire et les achats requis
- Utiliser le traitement de texte pour différentes correspondances

Agente de relations
ASSOCIATION GÉNÉRALE DES INSUFFISANTS RÉNAUX, MONTRÉAL 1994-1995

- Solliciter le partenariat d'organismes communautaires et d'entreprises privées par téléphone ou par correspondance pour différents projets
- Rédiger des lettres de remerciements aux entreprises à l'aide d'un traitement de texte

Assistante aux analystes
IMPERIAL TOBACCO, MONTRÉAL 1989-1992

- Mettre à jour divers rapports informatisés
- Capitaliser les actifs fixes de l'usine de Montréal dans son ensemble
- Payer les factures, compiler les rapports quotidiens de ventes et d'achats de la cafétéria
- Faire le suivi des inventaires de produits finis pour l'ancienne et la nouvelle marchandise
- Effectuer l'analyse, la validation et le codage des marchandises provenant des usines de fabrication et des centres de distribution par le biais de l'informatique
- Commander et distribuer les marques importées en analysant les niveaux de marchandises et les prévisions de ventes

Assistante, comptabilité générale
STCUM, MONTRÉAL 1989

- Exécuter des travaux d'analyse et de comptabilité générale sur demande
- Assister le vérificateur externe au niveau de la vérification des livres comptables

Secrétaire-réceptionniste
CDM AMEUBLEMENTS INC. MONTRÉAL temps partiel 1988

- Recevoir et traiter les appels
- Préparer les reçus et les dépôts
- Traiter les contrats de ventes et dépôts des clients à l'ordinateur

Préposée au service à la clientèle
LA GRILLADE LTÉE, GREENFIELD PARK temps partiel 1988

- Prendre les commandes et veiller à les préparer
- Disposer et étiqueter la marchandise en comptoir

Vendeuse
REITMANS INC. GREENFIELD PARK temps partiel et été 1987

- Conseiller la clientèle
- Étaler la marchandise dans la boutique
- Concevoir quelques arrangements de présentation des vêtements

FORMATION ET PERFECTIONNEMENT

Diplôme d'études collégiales — Techniques administratives, option finance
COLLÈGE AHUNTSIC, MONTRÉAL 1989

Cours — Gestion hôtelière
INSTITUT DE TOURISME ET D'HÔTELLERIE DU QUÉBEC, MONTRÉAL 1987

Cours de réflexologie et de chirologie
ACADÉMIE NORD-AMÉRICAINE DE NATUROPATHIE, MONTRÉAL 1996

Cours — Initiation à la relation d'aide
CENTRE D'ANIMATION SAINT-PIERRE DE MONTRÉAL INC., MONTRÉAL 1995

IMPLICATIONS SOCIALES

Fondation Pinocchio : assister les parents au cours de programmes de stimulation du développement de leurs enfants (1997-1998)

IOTA (Alphabétisation des adultes) : accompagnatrice et tutrice (1997-1998)

Références sur demande

APRÈS

Élisabeth Charbonneau-Tanguay
6154, boul. LaSalle
Verdun (Québec)
H4H 1P7

(514) 761-2325

✓ Français ✓ Anglais

SOMMAIRE

- Candidate cumulant plus de 4 ans d'expérience dans des fonctions reliées au service à la clientèle
- Formation en relation d'aide conjuguée à une expérience pertinente dans le domaine
- Expérience en relations publiques, promotion et vente, et intérêt marqué pour les communications

RÉSUMÉ DES APTITUDES

- Sens de l'organisation et esprit d'initiative
- Leadership et dynamisme
- Bon esprit d'équipe
- Polyvalente et efficace

EXPÉRIENCES PROFESSIONNELLES

Relations publiques et promotion

- Solliciter le partenariat d'organismes communautaires et d'entreprises privées pour différents projets
- Participer à la mise sur pied de campagnes de financement
- Promouvoir les services de l'organisme auprès de la population
- Rédiger des lettres de remerciements aux entreprises
- Réaliser et appliquer le processus de recrutement d'évaluation des candidats
- Animer des séances d'information

Vente

- Accueillir la clientèle et évaluer les besoins du client afin de mieux l'orienter dans ses choix
- Émettre des suggestions et expliquer les caractéristiques du produit
- Effectuer le suivi des mises de côté et des transferts des vêtements entre les succursales
- Faire l'ouverture et la fermeture du magasin et voir à la présentation impeccable des vêtements en étalage
- Promouvoir différents produits
- Enregistrer les ventes et gérer la caisse

Réception / secrétariat

- Effectuer le suivi de la facturation ainsi que la saisie des comptes à payer
- Accueillir la clientèle, répondre aux demandes de renseignements
- Assurer la réception téléphonique (système Isotec) et acheminer les appels aux personnes concernées
- Ouvrir, trier, classer et acheminer le courrier selon les services
- Rédiger et mettre en pages des rapports à l'aide d'un traitement de textes
- Traiter et assurer le suivi des comptes fournisseurs et clients
- Faire le suivi de l'inventaire et des achats requis

Élisabeth Charbonneau-Tanguay 2

FORMATION

Académie nord-américaine de naturopathie, Montréal 1996
Cours de réflexologie et chirologie

Centre d'animation Saint-Pierre de Montréal, Montréal 1995
Cours — Initiation à la relation d'aide

Collège Ahuntsic, Montréal 1989
Diplôme d'études collégiales — Techniques administratives

Institut de tourisme et d'hôtellerie du Québec, Montréal 1987
Cours — Gestion hôtelière

RÉALISATIONS

➢ Fondation Pinocchio : assister les parents participant aux programmes de stimulation du développement de leurs enfants

➢ IOTA (alphabétisation des adultes) : responsable du recrutement, promotion de l'organisme et tutrice

HISTORIQUE D'EMPLOI

Miron International, Montréal 1998
Agente aux comptes fournisseurs

Boutique Passe-Partout, Saint-Lambert 1998
Caissière

Clinique d'acupuncture, La Prairie 1996
Réceptionniste

Association générale des insuffisants rénaux, Montréal 1994-1995
Agente de relations

Impérial Tobacco, Montréal 1989-1992
Assistante aux analystes

STCUM, Montréal 1989
Commis à la comptabilité (stagiaire)

CDM Ameublements, Montréal 1988
Secrétaire-réceptionniste

Reitmans, Greenfield Park 1987
Vendeuse

AVANT

CURRICULUM VITAE

RENSEIGNEMENTS GÉNÉRAUX

Christiane De Celles
16, rue du Maroc
Candiac (Québec)
J5R 5W9

Tél. : (450) 632-7970

CONNAISSANCES PARTICULIÈRES

- Connaissance de plusieurs caisses informatiques
- Cours de relations humaines
- Formation en prévention du vol à l'étalage

FORMATION ACADÉMIQUE

1978 à 1983

- Diplôme d'études professionnelles, option commis comptable

EXPÉRIENCES DE TRAVAIL

Février 2001 à ce jour

Reitmans
Titre : Gérante de magasin

Responsabilités :
- Déterminer les objectifs de ventes ainsi que les plans d'action pour les atteindre.
- Effectuer un coaching auprès du personnel.
- Encourager les ventes par des concours.
- Embaucher, former, évaluer le personnel.
- Appliquer les techniques de présentation visuelle.
- Implanter une mise en marché et une stratégie de marketing.
- Prévention des pertes.
- Contrôler les dépenses salariales.

Octobre 1999 à février 2001

Reitmans
Titre : Directrice de territoire

Responsabilités financières :
- Déterminer les objectifs de ventes ainsi que les plans d'action pour les atteindre.
- Effectuer un coaching auprès du personnel.
- Encourager les ventes par des concours.
- S'assurer que tout le personnel a reçu la formation nécessaire.
- Connaître le profil de la clientèle, le marché visé et la concurrence.
- Contrôler les dépenses salariales.
- Respecter les objectifs annuels relativement aux pertes.

Responsabilités non financières :
- Suivre les directives de présentation.
- Implanter une mise en marché et une stratégie de marketing des boutiques.
- Recrutement proactif (entrevue de groupe).
- Évaluation du rendement.
- Mesures de discipline progressive.
- Veiller à ce que les gérants donnent la formation adéquate à leur personnel.

1997 à 1999

Addition-Elle
Titre : Présidente d'unité

Responsabilités :
- Maximiser les possibilités de ventes du magasin.
- Service à la clientèle
- Embaucher, motiver, former et évaluer le personnel.
- Gérer conformément à la philosophie et aux politiques d'Addition-Elle pour prévenir les pertes.
- Contrôler les dépenses salariales.
- Appliquer des techniques de présentation.
- Planification des horaires.
- Implanter une mise en marché et une stratégie de marketing.
- Déterminer les besoins et les problèmes relatifs à la marchandise et à la clientèle.
- Organisation des défilés de mode.

Habiletés développées :
- Rapidité d'exécution
- Communication avec tact et diplomatie
- Facilité à motiver

1989 à avril 1996

Suzy Shier
Titre : Superviseure

Responsabilités :
- S'assurer de la productivité des ventes.
- Veiller à la mise en marché et à la stratégie de marketing des boutiques.
- Utiliser des techniques de présentation visuelle afin de maximiser les ventes.
- Regrouper et distribuer la marchandise dans les boutiques selon les demandes des clients.
- Responsable de la gestion des magasins.
- Contrôler les dépenses salariales.
- Embaucher, évaluer et former des gérantes.
- Superviser, conseiller, motiver les gérantes face à l'exécution de leurs tâches.

Habiletés développées:
- Discernement
- Communication avec tact et diplomatie
- Patience
- Dynamisme
- Rapidité d'exécution

1987 à 1989

Suzy Shier
Mail Champlain
Brossard, Québec
Titre : Gérante

Responsabilités :
- Offrir le service à la clientèle.
- Engager, former et évaluer les membres du personnel.
- Identifier et déléguer les tâches des employés selon leurs points forts.
- Communiquer au superviseur la marchandise la plus demandée selon la clientèle.
- Appliquer des techniques de présentation visuelle.
- Responsable de l'administration du magasin.
- Implanter une mise en marché et une stratégie de marketing.
- Planification des horaires du personnel.
- Contrôler le coût salarial.
- Éliminer les pertes le plus possible.

Habiletés développées :
- Autonomie
- Patience
- Digne de confiance
- Rapidité d'exécution

1986 et 1987

Jeans et cie
Victoriaville, Québec
Titre : Gérante

Responsabilités :
- Superviser les employés et déléguer les tâches.
- Embaucher et former les nouveaux employés.
- Service à la clientèle.
- Implanter une stratégie de marketing.
- Prendre l'inventaire hebdomadaire de la marchandise.

Habiletés développées :
- Fiabilité
- Plus grande communication
- Créativité
- Plus grande motivation

APRÈS

Christiane De Celles
16, rue du Marec
Candiac (Québec)
J5R 5W9

Tél. : (450) 632-7970

SYNTHÈSE DE L'EXPÉRIENCE

Près de 20 années d'expérience dans le domaine du service à la clientèle et de la gestion. Grande expérience dans le milieu du commerce au détail. Reconnue comme une personne proactive, énergique, efficace et mobilisatrice.

CHAMPS DE COMPÉTENCES

- ❑ Accueil, service à la clientèle et suivi après-vente
- ❑ Diffusion d'information et promotion de services ou de biens
- ❑ Évaluation des besoins des clients et recommandations appropriées
- ❑ Mise en marché et développement des stratégies de marketing
- ❑ Application des politiques administratives
- ❑ Rentabilisation des opérations et prévention des pertes
- ❑ Préparation des rapports administratifs
- ❑ Gestion de l'aire des ventes et des départements selon les priorités
- ❑ Distribution des tâches et établissement des horaires
- ❑ Embauche, formation, motivation et évaluation des employés

EXPÉRIENCE PROFESSIONNELLE

Superviseure, gérante et directrice de territoire.......................................1999-2001
Reitmans, Montréal

Responsabilités :
Superviser les activités de 7 boutiques, incluant la gestion totale de l'une d'elles.

Réalisations :
Diminution des pertes de 3,46 % et lauréate de la mention de la plus grande amélioration des ventes annuelles au Québec.

Présidente d'unité.......................................1997-1999
Addition-Elle, Brossard

Responsabilités :
Gérer une équipe de 10 vendeuses.

Réalisations :
Organisation de défilés de mode et recherche de commanditaires.

Superviseure et gérante de boutique.......................................1987-1996
Suzy Shier, Montréal

Gérante 1986-1987
Jeans et cie, Victoriaville

FORMATION ET PERFECTIONNEMENT

Perfectionnement en anglais langue seconde
Elam, Montréal.......................................2000

Prévention du vol à l'étalage
Agence de prévention tactique du Québec, Montréal.......................................2000

Diplôme d'études professionnelles, option commis comptable
École polyvalente Le Boisé, Victoriaville.......................................1983

LOISIRS ET SUJETS D'INTÉRÊT

Ski alpin, patinage, patin à roues alignées, lecture

AVANT

CURRICULUM VITÆ

Renseignements personnels

Nom : Ginette Gaulin
Adresse : 6900, rue Marquette
Montréal (Québec)
H1G 6L9
Téléphone : (514) 596-2828

Formation

1995 **Diplôme de formation en éducation des adultes**
Université de Sherbrooke

1995 **Certificat en santé et sécurité du travail II**
École polytechnique de Montréal

1985-1987 **Certificat en technologie de la prévention des accidents et des maladies du travail (T.P.A.)**
École polytechnique de Montréal

1983-1985 **D.E.C. en technique de prévention, santé et sécurité du travail**
Collège Maisonneuve

Associations professionnelles

- Association québécoise pour l'hygiène, la santé et la sécurité du travail
- Les Professionnels en ressources humaines du Québec
- Association des femmes d'affaires du Québec
- Chambre de commerce de Montréal-Nord

Perfectionnement

1996 Santé-sécurité dans les bureaux
1996 Les travaux dans les garages
1996 Méthodes évaluatives des pratiques en S.S.T.
1995 Pratique organisationnelle de la S.S.T.
1993 Carte de sécurité «chantier de construction»
1989 S.I.M.D.U.T.

Expérience professionnelle

De 1984 à 1990 et de mai 95 à ce jour **Propriétaire d'une PME en technique de prévention, de santé et de sécurité du travail**

- Réaliser et coordonner des activités de gestion en santé et sécurité du travail dans les dossiers suivants :
  Établir une démarche préventive :
  stratégie gagnante
  leadership en santé et sécurité du travail
  Dossier prévention
  Dossier des interventions d'urgence
  Dossier financier
  Dossier des lésions professionnelles

De juillet 94 à mai 95 **Hydro-Électro**
75, boul. Lévesque
Montréal

Chef de division sécurité

- Planifier les activités de la division
- Promouvoir la stratégie gagnante en santé et sécurité du travail
- Intégrer le leadership en santé et sécurité du travail aux gestionnaires
- Coordonner le travail des conseillers en sécurité auprès de la clientèle du siège social
- Promouvoir les programmes de santé et de sécurité du travail auprès de la clientèle du siège social
- Accomplir toutes les tâches qui m'étaient attribuées en tant que conseillère en sécurité

D'octobre 93 à juin 94 **Hydro-Électro**
75, boul. Lévesque
Montréal

Conseillère en sécurité

- Coordonner le travail des agents de prévention
- Conseiller les gestionnaires dans leur plan d'action en santé et en sécurité du travail
- Concevoir des formations en santé et en sécurité du travail
- Accomplir toutes les tâches qui m'étaient attribuées en tant qu'agente de prévention

Janvier 90 à octobre 93 **Hydro-Électro**
75, boul. Lévesque
Montréal

Agente de prévention

- Conseiller les gestionnaires dans leur mandat d'assurer la sécurité du personnel et du public
- Soutenir les gestionnaires au moment de l'implantation d'un programme de prévention
- Concevoir, adapter et diffuser, à notre secteur d'activité, des outils de formation en santé et en sécurité du travail, tels que :
  - Stratégie gagnante en santé et sécurité du travail
  - Leadership en santé et sécurité du travail
  - Législation en santé et sécurité du travail
  - Réunion de sécurité du travail (contremaître/employés)
  - Inspection des lieux de travail
  - Système d'information sur les matières dangereuses utilisées au travail
- Coordonner les activités d'un comité paritaire pour les semaines santé et sécurité du travail
- Conseiller les gestionnaires au moment de la tenue de comités d'analyse accident du travail
- Représenter l'employeur auprès du Bureau de Révision paritaire et de la Commission d'appel en matière de lésions professionnelles

APRÈS

Ginette Gaulin
6900, rue Marquette
Montréal (Québec)
H1G 6L9
Téléphone: (514) 596-2828

CHAMPS DE COMPÉTENCES

- Rôle-conseil au moment de l'implantation de programmes en matière de santé et de sécurité du travail
- Définition des politiques, des rôles, des procédures et sensibilisation des intervenants en cause
- Évaluation des besoins et conception de programmes sur mesure
- Mise en place et coordination des différents comités
- Animation et supervision de groupes de travail
- Méthodes d'enquête et analyse situationnelle
- Gestion, suivi et évaluation de l'ensemble des activités
- Capacité à travailler dans un environnement informatique

PRINCIPALES RÉALISATIONS

- Création d'un concept de gestion en SST pour les PME (moins de 200 employés). Ce concept a permis une diminution significative des frais d'imputation à la CSST. Ce projet pilote s'est avéré viable et le concept entrera en vigueur à compter de 1998.
- Instigatrice de l'implantation des comités de SST chez 18 concessionnaires automobiles.
- Conception d'un livret sur les règles de sécurité. Ce guide a été adopté par 35 PME.
- Mise en place et animation d'activités de prévention et formation en SST (SIMDUT, leadership en SST, inspection des lieux de travail, sécurité dans les bureaux, analyse accidents du travail, etc.).

EXPÉRIENCE PROFESSIONNELLE

Consultante (travailleuse autonome)
depuis 1995 et de 1984 à 1990
LE GROUPE CONFORD INC., Montréal
(Liste des clients sur demande)

...2

NOM 2

Chef de division sécurité
1994-1995
Conseillère en sécurité
1993-1994
Agente de prévention
1990-1993
HYDRO-ÉLECTRO, Montréal

FORMATION

Diplôme de formation en éducation des adultes (D.F.E.A.)
1995
UNIVERSITÉ DE SHERBROOKE

Certificat en santé et sécurité du travail II
1995
Certificat en technologie de la prévention des accidents du travail et des maladies du travail (T.P.A.)
1987
ÉCOLE POLYTECHNIQUE DE MONTRÉAL

Diplôme d'études collégiales en technique de prévention, santé et sécurité du travail
1985
COLLÈGE MAISONNEUVE, MONTRÉAL

ASSOCIATIONS PROFESSIONNELLES

- Association québécoise pour l'hygiène, la santé et la sécurité du travail
- Les professionnels en ressources humaines du Québec
- Association des femmes d'affaires du Québec
- Chambre de commerce

AVANT

CURRICULUM VITAE

Nom : Bélanger
Prénom : Martin
Adresse : 1938, rue Legault
Saint-Hubert (Québec)
J3X 1G1
Téléphone au domicile : (450) 443-2477
Lieu de naissance : Labrador City
Langue maternelle : Français
Autre langue : Base en anglais (parlé, écrit)
Situation de famille : Célibataire

Études :

Collégiales :
1992 à 1996 École nationale d'aérotechnique
D.E.C. en construction aéronautique
Langages informatiques : Autocad, versions 12 et 13
WordPerfect, version 5.1
Word, version 7

Secondaires :
1986 à 1989 Collège Saint-Paul, Varennes
1989 à 1991 Polyvalente De Mortagne, Boucherville
Diplôme d'études secondaires

Autre : Permis de conduire sur chariot élévateur (expiration déc. 98)

Un voyage en Allemagne a été réalisé du 3 au 12 mars 1994. Le groupe de participants était formé de 8 étudiants et d'un professeur. Le but de ce projet était de visiter les établissements aéronautiques (entreprises, université et base militaire).

Expériences de travail :

Décembre 1996 à ce jour	A.T. Canada Inc. - Varennes (opérateur d'une machine de recyclage) Superviseur : Éric Lefebvre Pour : Pro-Tec Services Techniques Président : Jean Côté
Décembre 1994 à novembre 1996	Station-service Pétro-Canada - Varennes (pompiste, homme de service) Propriétaire : François Leconte
Mai 1995 à août 1995	Pratt & Whitney Canada - Longueuil (opérateur de machines-outils) Superviseur : Ghislain Guérard
Mai à août 1993 Mai à novembre 1994	Paysagiste DG - Varennes (coupe et arrosage de gazon) Propriétaire : Denis Lafontaine
Juillet 1990 à mai 1993	Provigo - Varennes (emballeur et commis) Gérant : Pierre Lemay

Distractions préférées :
Je pratique plusieurs sports tels que le judo, le golf, le hockey et le ski.

Références :
Mme Pierrette Clair
2268, rue Dulain
Varennes (Québec)
J3X 108
(450) 555-3333

APRÈS

Martin Bélanger
1938, rue Legault
Saint-Hubert (Québec)
J3X 1G1
Téléphone : (450) 443-2477

Français et anglais fonctionnel
Technologue en construction aéronautique

➢ CHAMPS DE COMPÉTENCES

- Expérimentation de nouveaux prototypes sur des bancs d'essai
- Calcul de rendement et de résistance
- Conception et fabrication assistées par ordinateur (dessin technique)
- Élaboration des dessins de production et d'inspection
- Planification des étapes de fabrication, d'assemblage et séquences d'usinage
- Contrôle de la qualité
- Conception de pièces aéronautiques en composites
- Analyse de produits expérimentaux
- Fabrication d'éléments de structure (métal en feuille)
- Rédaction de rapports
- Instruments : machines-outils de haute précision, micromètre, vernier, pied à coulisse, cales, gabarits, bancs d'essai, ordinateur
- Logiciels maîtrisés : Autocad v12, Word v7 et Windows 95
- Permis de conduire sur chariot élévateur

➢ FORMATION

Diplôme d'études collégiales en construction aéronautique
1992 à 1996
École nationale d'aérotechnique

Diplôme d'études secondaires
Polyvalente De Mortagne, Boucherville
1989 à 1991
Collège Saint-Paul, Varennes
1986 à 1989

...2

NOM 2

➢ HISTORIQUE D'EMPLOI

A.T. Canada Inc., Varennes
1996 à ce jour
Opérateur d'une machine de recyclage

Station-service Pétro-Canada, Varennes
1994 à 1996
Pompiste, homme de service

Pratt & Whitney Canada, Longueuil
Été 1995
Opérateur de machines-outils

Paysagiste DG, Varennes
Étés 1993-1994
Coupe et arrosage de gazon

Provigo, Varennes
1990-1993
Emballeur et commis

➢ RÉALISATION

Visite des établissements aéronautiques allemands (entreprises, université et base militaire).

➢ CARACTÉRISTIQUES PERSONNELLES

Souci du détail et de la précision ; sens pratique ; patience ; persévérance ; esprit d'équipe et de collaboration ; dextérité manuelle

➢ INTÉRÊTS ET LOISIRS

Judo, golf, hockey et basket-ball

AVANT

FRANÇOIS LEGROS, avocat

121, rue de la Messe
Brossard (Québec) J3X 1O5
(450) 923-8166 (répondeur)

Langues parlées et écrites : français et anglais

FORMATION

1996 (juin à décembre) **Stage de formation professionnelle**
Sévelin, Charette et Ricard, avocats
Contentieux de la Ville de Brossard

1995-1996 **École de formation professionnelle du Barreau**
Centre de Sherbrooke

1992-1995 **Baccalauréat en droit**
Université de Sherbrooke

1990-1992 **D.E.C. en sciences humaines avec mathématiques**
Collège Maisonneuve

1985-1990 **D.E.S. général + profil scientifique**
Collège Saint-Paul de Varennes

EXPÉRIENCES DE TRAVAIL

1996 (juin à décembre) Sévelin, Charette et Ricard, avocats
Contentieux de la Ville de Brossard
Fonction : stagiaire

Tâches : effectuer des recherches dans divers domaines du droit (notamment civil, administratif et pénal), rédiger des procédures, donner des avis juridiques, faire des représentations devant les tribunaux, procéder à des négociations.

Étés 1991-1995 Kovos Canada (Varennes)
1995 Fonction : ensacheur
1991-1994 Fonction : journalier d'équipe

ACQUIS : Au fil des emplois que j'ai occupés, j'ai su démontrer un sens élevé des responsabilités. L'expérience acquise fait de moi une personne motivée, autonome, ayant un jugement éclairé et capable de bien travailler autant individuellement qu'en équipe. J'ai aussi découvert mon goût de travailler pour et avec des gens.

EXPÉRIENCES DIVERSES

1996-1997 Conseiller municipal élu dans le district de Saint-Pierre, à Longueuil
Représentant de la Ville de Longueuil au Conseil de la MRC de Lajemmerais

Président du Comité consultatif d'urbanisme et d'environnement
Membre du conseil d'administration de la Maison des jeunes de Varennes

Membre du Comité de l'École secondaire
Représentant de la Ville de Varennes au Comité intermunicipal de la Cour municipale de Boucherville

1996 Membre du Comité pour la formation de l'Association de golf de Varennes
Membre du Comité organisateur de la «Journée Sébastien»
Membre du Comité organisateur du tournoi de golf Varennes Open 96

1995 (été) Cours d'anglais privés chez Berlitz (45 heures)

1994-1995 Membre du Conseil de Faculté
Membre du Comité des usagers de la bibliothèque de droit
Membre du Comité du système d'évaluation permanent de l'enseignement

1993-1994 Représentant de mon groupe
Membre du conseil administratif de l'AGE
Étudiant au procès simulé au civil

1993 à ce jour Membre de l'Association du Barreau canadien

1992-1993 Représentant de mon groupe
Membre du conseil administratif de l'AGE

1989-1990 Vice-président du conseil étudiant
Représentant de cinquième secondaire
Membre fondateur de la radio étudiante

CONNAISSANCES PARTICULIÈRES

Je me débrouille bien en informatique. J'ai des connaissances notamment sur Windows 95, Microsoft Office, WordPerfect 6.1, Internet Explorer. Je sais utiliser les banques de données juridiques telles que SOQUIJ et QUICKLAW.

Formation récente

1996 Cours de formation sur le Canadian Abridgment, le Legaltrac et le C.c.Q. interactif annoté sur cédérom
1996 Cours de formation sur la recherche et sur la mise à jour des lois et des règlements des gouvernements provincial et fédéral

MENTIONS

1988-1989 Élu personnalité masculine de l'année pour le secondaire 4
1987-1988 Élu personnalité masculine de l'année pour le secondaire 3

LOISIRS ET INTÉRÊTS

1996 Joueur dans la Ligue de golf senior de Varennes
Obtention de la ceinture jaune en karaté Chito-ryu
1992-1993 Membre et capitaine de l'équipe de hockey de la Faculté de droit
1991-1992 Membre de l'équipe de natation du Collège de Maisonneuve
Obtention de ma certification en plongée sous-marine
1990-1991 Membre de l'équipe de triathlon De Bonville

Je pratique beaucoup de sports, notamment le jogging, le hockey, le golf, le tennis et le ski et je m'adonne aussi au yoga. Ces activités me permettent d'améliorer ma concentration, de maintenir une bonne condition physique et mentale et d'acquérir une bonne discipline. Les arts font aussi partie de mes activités. La lecture, la musique, le cinéma et les pièces de théâtre me permettent de me détendre et d'améliorer mon savoir.
J'aime aussi assister à des conférences et à des colloques pour aiguiser mon esprit critique et acquérir diverses connaissances dans tous les milieux.

RÉFÉRENCES

Me Marco Ricard (maître de stage)
Me Daniel Charette

APRÈS

NOM

FRANÇOIS LEGROS, avocat
121, rue de la Messe
Brossard (Québec) J3X 1O5
Téléphone: (450) 923-8166

Compétences linguistiques : français et anglais

CHAMPS DE COMPÉTENCES

Juridique

- Recherches dans les textes de lois, dans la jurisprudence et dans la doctrine
- Interprétation et vulgarisation des textes de lois
- Utilisation des banques de données SOQUIJ et QUICKLAW
- Rédaction d'avis juridiques, de contrats et de procédures judiciaires
- Négociation de règlements hors cours
- Représentation devant les autorités décisionnelles

Administration

- Planification et contrôle budgétaire
- Préparation d'ordres du jour et de procès-verbaux
- Organisation d'événements spéciaux

Représentation et communication

- Représentations auprès de regroupements sociaux, économiques et politiques
- Animation de comités de travail

Informatique

- Connaissance de Windows 95, Microsoft Office, Word Perfect 6.1, Internet Explorer, Netscape

...2

NOM 2

EXPÉRIENCE PROFESSIONNELLE

Sévelin, Charette et Ricard, avocats
1996
Contentieux de la Ville de Brossard
Stagiaire en droit

MRC de Lajemmerais
depuis 1996
Membre du Conseil et représentant de la Ville de Varennes

FORMATION ET PERFECTIONNEMENT

École de formation professionnelle du Barreau du Québec
1995-1996
Centre de Sherbrooke

Baccalauréat en droit
1992-1995
Université de Sherbrooke

Autre formation à l'Université de Sherbrooke
1996
Utilisation de banques de données sur cédérom, dont le C.c.Q. interactif
Recherche et mise à jour des lois et des règlements provinciaux et fédéraux

...3

NOM 3

ENGAGEMENT SOCIOPROFESSIONNEL

Président du Comité consultatif d'urbanisme et d'environnement (depuis 1996)

Président du Comité sur la gestion des matières résiduelles de la MRC

Président de la Commission jeunesse

Membre du Comité de négociation des conventions collectives

Membre du conseil d'administration de la Maison des jeunes de Varennes

Membre du Conseil de la Faculté de droit de l'Université de Sherbrooke

Membre du Comité des usagers de la bibliothèque de droit (1994-1995)

Membre du Comité du système d'évaluation permanente de l'enseignement

Membre du conseil administratif de l'AGE (1993-1994)
Représentant de mon groupe

MENTIONS

Élu personnalité masculine de l'année en 4e secondaire (1988-1989)
Élu personnalité masculine de l'année en 3e secondaire (1987-1988)

AVANT

GUYLAINE COLLETTE
2191, rue Paul-Arthur
Sainte-Juliette
J3E 202
Tél. : (450) 963-2271

Compétences et réalisations

- Présidente de l'Association des gens d'affaires de Sainte-Juliette depuis 1995
- Administratrice au conseil de la chambre de commerce et d'industrie de la Rive-Sud depuis 1996
- Administratrice au conseil de la Société d'aide aux jeunes entrepreneurs de La Pocatière
- Bénévole pour la collecte de fonds de la Fondation de l'Hôpital Charles-Lemoyne
- Trésorière et participante investigataire pour le premier tournoi de golf pour femmes seulement
- Bénévole pour le Sommet économique de la Montérégie
- Organisation du déménagement de Cuisine Naturelle inc. (110 employés) de Dorval à Longueuil
- Collecte de fonds de Nez-Rouge pour la région montérégienne, responsable du recrutement des entreprises

Historique d'emploi

1996 à ce jour — ANCREC INC. — Contrôleuse
Restructuration de l'entreprise sur les plans du financement, de l'administration générale, de la comptabilité et des ressources humaines

1994-1996 — MG LAROCHELLE INC. — Contrôleuse
Restructuration du financement, administration générale, comptabilité, infrastructures urbaines et urbanisation des projets, et représentation auprès de la Ville de Sainte-Juliette et de la MRC (30 millions)

1993-1994 — CHÈQUE-EXPRESS INC. — Contrôleuse
Restructuration de l'administration générale et ouverture du marché

1987-1992 — CUISINE NATURELLE INC. — Contrôleuse-directrice du crédit
Gestion de croissance accrue, de l'administration générale, comptabilité et ressources humaines

Formation

1988-1992 — Divers cours de perfectionnement dans les domaines du crédit, des ressources humaines, de la productivité, de l'analyse financière, du prix de revient

1985-1988 DEC — Comptabilité - option finance
Collège Édouard-Montpetit (Longueuil)

Langues

- Français et anglais

Loisirs

- Musique, lecture, patin artistique, cinéma et théâtre

APRÈS

GUYLAINE COLLETTE
2191, rue Paul-Arthur
Sainte-Juliette
J3E 2O2
Tél. : (450) 963-2271
Compétences linguistiques : maîtrise du français et de l'anglais; espagnol fonctionnel

SYNTHÈSE D'EXPÉRIENCE

Plus de dix années d'expérience en restructuration organisationnelle à titre de contrôleuse dans les secteurs manufacturier, commercial et de services. Solide engagement dans le développement économique et entrepreneurial à l'échelle locale et nationale. Intérêt marqué pour l'étude d'impact des changements organisationnels sur la main-d'œuvre et des stratégies de réussite en affaires.

CHAMPS DE COMPÉTENCES

Finance et administration
- Planification, organisation, direction et contrôle des opérations comptables et financières
- Préparation des états financiers, des prévisions budgétaires et rédaction de rapports
- Calcul des prix de revient et détermination des procédures de contrôle
- Rôle-conseil dans le domaine de la comptabilité et de la fiscalité
- Évaluation des procédés administratifs, soumission de recommandations et mise en application de correctifs

Développement organisationnel
- Analyse de besoins, diagnostic et formulation de recommandations dans les domaines de la structure et de la culture organisationnelles, de l'organisation du travail et de l'ouverture des marchés
- Gestion des processus de changement et de résolution de problèmes organisationnels
- Solide connaissance des lois, des réglementations et des enjeux socio-économiques, municipaux et régionaux
- Élaboration de stratégies d'exportation

Relations publiques et ressources humaines
- Représentation corporative et négociation auprès d'autorités décisionnelles municipales, régionales et provinciales
- Élaboration et mise en application de stratégies de promotions corporatives (économique, entrepreneurial et social)
- Embauche, formation et supervision du personnel

...2.

Nom 2.

ENGAGEMENT SOCIOPROFESSIONNEL
- Administratrice (1994) et présidente de l'Association des gens d'affaires de Sainte-Juliette *(depuis 1995)*
- Administratrice au conseil de la chambre de commerce et d'industrie de la Rive-Sud *(depuis 1996)*
- Administratrice au conseil de la Société d'aide aux jeunes entrepreneurs de La Pocatière (1994)
- Trésorière et membre du Comité investigateur de la première activité de collecte de fonds comprenant spécifiquement les femmes chefs d'entreprise pour la Fondation de l'Hôpital Charles-Lemoyne *(en cours)*
- Conception des thématiques du Sommet économique de la Montérégie en lien avec les préoccupations régionales à titre de membre du comité contenu et gestion du budget (1996)
- Responsable du recrutement des entreprises pour la collecte de fonds Nez Rouge, région de la Montérégie (1996)

CHEMINEMENT PROFESSIONNEL

Contrôleuse

Ancrec inc. *(fabricant)*, Sainte-Juliette . . . . depuis 1996
MG Larochelle inc. *(promoteur immobilier)*, Sainte-Juliette 1994-1996
Chèque-Express inc. *(services bancaires)*, Montréal 1993-1994
Cuisine Naturelle inc. *(fabricant alimentaire)*, Longueuil 1987-1992

Principaux mandats
- Restructuration du financement et de l'administration
- Recherche de site et urbanisation de projets
- Gestion de croissance

FORMATION ET PERFECTIONNEMENT

Diplôme d'études collégiales en comptabilité, option finance 1988
Collège Édouard-Montpetit, Longueuil

Participation à de nombreuse activités de formation sur mesure dans les domaines du crédit, des ressources humaines, de la productivité, de l'analyse financière et du prix de revient depuis 1988

AVANT

DONATO VITO
(450) 449-3126

Renseignements personnels

Adresse : 1112, rue de la Montée
Boucherville (Québec)
J4B 7L2

Poste visé : ***Inspecteur principal***

Expérience de travail

Mai 1983 à ce jour — COMMISSION DES SERVICES ÉLECTRIQUES DE LA VILLE DE LAVAL
Laval (Québec)

Titre : **Inspecteur (1988 à ce jour)**

Fonctions :
Assurer l'exécution des travaux selon les plans et devis
Rédiger des rapports journaliers et occasionnels ;
Contrôler la progression des travaux selon les estimés prévus ;
Inscrire le suivi des travaux sur les plans aux fins de paiement ;
Interpréter les plans en fonction des conditions du terrain ;
Intervenir auprès des entrepreneurs pour signaler et corriger toute défectuosité.

Titre : **Dessinateur (1983 à1987)**

Fonctions :
Dessiner de façon conventionnelle ou à l'aide du DAO des plans pour des travaux ;
Effectuer des additions et des modifications nécessaires aux plans après travaux ;
Exécuter des dessins topographiques techniques ou mécaniques ;
Rechercher les documents nécessaires à la réalisation de plans.

Janvier à juin 1994 — LABORATOIRE SOL & CIMENT
Québec (Québec)
Chantier 7e ligne : tronçon Lac Nancy/Poste Champlain

Titre : **Inspecteur (acier)**

Fonctions :
Inspecter l'assemblage des pylônes d'acier selon les plans et devis ;
Rédiger des rapports journaliers, des rapports de fabrication et des mémos ;
Repérer les défectuosités et s'assurer de leur correction avant et après l'érection des pylônes ;
Assurer l'application des méthodes de travail appropriées (cales de bois, alésage et perçage de trous, etc.) ;
Lire et interpréter de façon adéquate des plans de fabrication et de construction.

Janvier à avril 1993 — DEBEAU
Laval (Québec)
Chantier 12e ligne : tronçon Chissibi/Rivière Opinaca

Titre : **Inspecteur (acier)**

Fonctions : Mêmes que les précédentes

Formation

1982 **Diplôme d'études collégiales en génie civil**
CÉGEP DE TROIS-RIVIÈRES
Trois-Rivières (Québec)

Sports, loisirs et autres activités

- *Sports :* Curling, golf, aviron, voile
  Champion canadien et médaillé d'argent au championnat mondial de curling à Mégève en 1981
  Membre fondateur et président du Club de curling de Boucherville

- *Loisirs et autres activités :* Bricolage, horticulture, cinéma, lecture

APRÈS

DONATO VITO
1112, rue de la Montée
Boucherville (Québec)
J4B 7L2
(450) 449-3126

SYNTHÈSE DES QUALIFICATIONS

Quatorze années d'expérience dans le domaine des travaux publics, dont neuf à titre d'inspecteur et en gestion de personnel. Compétence technique en génie civil et en gestion de chantiers. Connaissance des milieux municipaux, paragouvernementaux et privés.

CHAMPS DE COMPÉTENCES

Gestion

- Planification des travaux de construction et de réfection et suivi administratif
- Supervision de personnel et d'équipes de travail (entrepreneur, cols bleus et contremaître)
- Contrôle du coût et de la qualité des projets
- Inspection et surveillance de chantier
- Gestion des réquisitions selon les codes d'urgence
- Négociation auprès d'entrepreneurs aux fins d'exécution des travaux et des modes de paiement
- Conduite et animation de réunions
- Rédaction de notes de service et de rapports variés

Technique

- Interprétation de plans et de devis
- Réalisation de plans techniques (conventionnel et DAO)
- Spécialisation en infrastructures souterraines et en réfection de chaussées et de trottoirs en milieu municipal
- Maîtrise des techniques d'identification des utilités publiques sur le terrain
- Mise à l'essai de nouveaux procédés et matériaux
- Promotion et application des normes de santé et de sécurité

Compétences clés

- Capable de relever des défis et de s'adapter aux changements
- Polyvalent et sens du leadership
- Visionnaire

... 2

NOM 2

EXPÉRIENCE PROFESSIONNELLE

COMMISSION DES SERVICES ÉLECTRIQUES DE LA VILLE DE LAVAL
Inspecteur depuis 1988
Dessinateur 1983-1987

LABORATOIRE SOL & CIMENT, Québec
Inspecteur *1994*
Chantier 12ᵉ ligne : tronçon Lac Nancy/Poste Champlain

DEBEAU, Laval
Inspecteur 1993
Chantier 12ᵉ ligne : tronçon Chissibi/Rivière Opina

FORMATION ET PERFECTIONNEMENT

- Diplôme d'études collégiales en génie civil 1982
  CÉGEP DE TROIS-RIVIÈRES

- Certificat en secourisme, Ambulance Saint-Jean 1996
- Cours de sécurité, travaux dans les réseaux souterrains de distribution de l'électricité et autres travaux publics (APSAM) 1993
- Taille, entretien et émondage d'arbres 1992
- Cours de sécurité générale sur les chantiers de construction (ASP) 1989

ENGAGEMENT SOCIAL

- Président fondateur du Club de curling de Boucherville : organisation de plusieurs tournois provinciaux
- Organisateur de la première collecte de fonds du Carrefour de la Belle Marguerite

LOISIRS, INTÉRÊTS ET RÉALISATIONS SPORTIVES

- Curling
  Champion canadien et médaillé d'argent au championnat mondial de curling à Mégève en 1981. Participation à plusieurs championnats provinciaux ; médaille d'or au championnat provincial de 1983.
- Membre du club d'aviron de Boucherville
- Aménagement paysager et rénovation résidentielle

La lettre de présentation : un document crucial

Si vous croyez que la lettre de présentation qui doit accompagner un CV n'a guère d'importance, détrompez-vous ! Sans elle, tout aussi impressionnant que soit votre CV, il se retrouvera parmi de nombreux autres. Le jour de la sélection, votre lettre de présentation peut faire toute la différence.

Une lettre bien rédigée, qui met en relief, en quelques paragraphes, vos motivations et votre potentiel, incitera l'employeur à ouvrir votre CV pour en savoir plus.

Mais attention ! Une lettre bourrée de fautes, trop longue ou trop courte, mal rédigée ou écrite en des termes trop familiers ou trop vagues aura l'effet inverse, et votre CV risque de se retrouver aux oubliettes ou à la corbeille.

Votre lettre de présentation, qu'on appelle aussi lettre d'introduction ou lettre de candidature, tient presque lieu de première poignée de main avec l'employeur et influencera à coup sûr la première impression qu'il aura de vous. Il convient donc d'y apporter toute l'attention et l'application nécessaires.

En suivant les quelques règles de base que nous aborderons dans ce chapitre, vous éviterez certains écueils et vous vous assurerez que votre lettre de présentation saura susciter l'intérêt et mettre votre candidature en valeur.

Une lettre impeccable

Puisque cette lettre vous tient lieu de carte professionnelle, donc de premier contact, sa présentation doit être impeccable. Voici quelques consignes à respecter.

- Choisissez un papier de bonne qualité de couleur blanche.
- Utilisez une feuille de même dimension (format lettre) que le CV.
- Le texte doit être dactylographié ou imprimé. Utilisez une police de caractères facile à lire.
- La lettre doit tenir sur une seule page.
- Le contenu doit être divisé en trois ou quatre paragraphes.
- Tout comme le CV, la lettre ne doit pas être pliée.
- Elle doit être signée.

Qu'importe si l'emploi pour lequel vous posez votre candidature ne requiert pas une connaissance approfondie de la langue française, votre lettre doit être sans faute d'orthographe ou de syntaxe. Ne sous-estimez pas l'importance de cet aspect. Une lettre parsemée de fautes et rédigée dans un mauvais français démontre de la négligence et un manque de rigueur. Au contraire, une lettre dont le texte est soigné, tout en étant simple, révèle le respect et l'application.

Vous avez des problèmes avec cet aspect ou vous doutez de quelques mots ? Demandez de l'aide. Il y a certainement dans votre entourage quelqu'un qui maîtrise bien le français et qui sera content de réviser votre lettre et de vous corriger.

La mise en pages

La mise en pages doit correspondre aux normes standard de présentation (voir nos exemples à la fin de ce chapitre). Voici les éléments à y inclure.

- Le lieu et la date de l'envoi.
- Les nom et adresse du destinataire.
- Un appel direct : par exemple, Monsieur Boisvert, ou Madame, Monsieur. De grâce, pas de familiarité ! Le ton de la lettre doit être neutre, poli et professionnel. Ne tutoyez jamais votre interlocuteur, à qui vous direz Madame ou Monsieur.
- Tapez la lettre à simple interligne, mais séparez les paragraphes par deux retours à la ligne.
- Dans le bas, du même côté que la date, inscrivez votre nom et vos coordonnées en prévoyant un espace pour la signature.

À ÉVITER À TOUT PRIX

Une lettre de plus d'une page.

Une lettre rédigée à la main.

Un papier taché ou une feuille froissée.

Du papier ou de l'encre de couleur.

Une lettre photocopiée.

Certains soutiennent qu'une photocopie de bonne qualité peut remplacer l'original. Si vous ne pouvez faire autrement, assurez-vous de la qualité d'impression et signez au stylo. Mais il est préférable d'imprimer ou de dactylographier une lettre originale.

Le contenu

Une lettre personnalisée

Comme nous l'avons déjà mentionné, votre lettre de présentation vous sert de poignée de main, de premier contact avec le responsable de l'embauche. Cette personne sera sensible à une lettre bien présentée et surtout personnalisée. La lettre devrait donc lui être adressée personnellement. Inscrivez son nom, suivi de son titre si vous le connaissez, puis du nom de l'entreprise et de l'adresse. En voici un exemple.

Monsieur André Boisvert
Directeur des ressources humaines
Entreprises Lorion
3333, route Principale
Saint-Carignan (Québec)
J0T 8C9

Si ces renseignements ne sont pas inclus dans l'annonce du poste, vous pouvez téléphoner à l'entreprise et demander qui est responsable du recrutement pour ce poste.

Si vous ne répondez pas à une annonce précise, mais souhaitez offrir vos services dans l'éventualité de l'ouverture d'un poste, appelez l'entreprise pour savoir qui est la personne responsable de l'embauche et son titre exact.

S'il vous est impossible de connaître le nom exact de la personne responsable, évitez les formules neutres du type « À qui de droit ». Optez plutôt pour la formule : Madame, Monsieur.

Les parties de la lettre

Votre lettre doit tenir sur une seule page. Les gens chargés de faire la sélection des CV sont souvent débordés et n'ont pas le temps de lire des romans. Il ne s'agit pas ici de raconter votre vie ou de faire un résumé complet de votre CV. Il faut être clair et concis.

En général la lettre devrait s'articuler en trois ou quatre paragraphes distincts.

Paragraphe un : le rappel du poste sollicité

Paragraphe deux : la mise en relief des compétences et du potentiel

Paragraphe trois : la démonstration de son intérêt pour le poste et pour l'entreprise

Paragraphe quatre : les indications sur sa disponibilité et une formule de politesse

1. Premier paragraphe : le rappel du poste

Tenez pour acquis que la personne chargée d'étudier votre dossier est peut-être responsable de plusieurs postes à pourvoir. C'est pourquoi le premier paragraphe de votre lettre doit mentionner le poste que vous convoitez et la façon dont vous en avez entendu parler.

- S'il s'agit d'une annonce dans un journal, indiquez le nom du journal, la date de parution de l'annonce et le titre exact du poste.
- S'il s'agit d'une annonce affichée au centre d'emploi, indiquez la référence et la localité du centre.
- Si le poste était affiché sur Internet, n'indiquez pas l'adresse, mais au moins mentionnez le nom du site.
- Si vous avez entendu parler du poste par un employé, mentionnez-le ; cependant avisez-en l'employé concerné.
- Si vous avez établi un contact téléphonique avec l'interlocuteur et y référez dans votre lettre, mentionnez la date de cet appel.

2. Deuxième paragraphe : la mise en relief des compétences et du potentiel

Dans ce paragraphe, il s'agit de mettre en évidence comment vos compétences répondent aux exigences du poste offert. En d'autres termes, en lisant votre lettre, l'employeur devrait découvrir si vous comprenez la nature du poste et pourquoi il devrait vous le confier.

Évitez les formules vagues telles que celles-ci :

« Mes compétences sauront répondre à vos exigences », ou pire « Ce poste me conviendrait tout à fait ».

Quelles compétences ? Quelles exigences ? Vous connaissez le type d'emploi ? Vous en connaissez les implications ? Nommez-en deux ou trois et associez-y les compétences que vous possédez par rapport aux points mentionnés. Faites valoir aussi vos expériences antérieures ou actuelles.

Vous pouvez scinder le paragraphe en deux et aborder en deuxième partie les traits de votre personnalité que vous considérez comme des atouts pour ce type de travail. Attention ! Pas de généralités. Cernez avec précision les qualités et les atouts pertinents.

Rappelez-vous qu'il n'est plus au goût du jour d'énumérer vos activités de loisirs préférées, à moins qu'un aspect particulier puisse en être dégagé et mis en relation avec les exigences du poste.

3. Troisième paragraphe : la démonstration de votre intérêt pour le poste et pour l'entreprise

Avez-vous déjà entendu parler de cette compagnie ou d'une de ses réalisations ? Que représente ce poste pour vous ? Quelle motivation vous pousse à poser votre candidature ? Le troisième paragraphe devrait répondre à ces questions. Du moins, l'employeur devrait y lire votre motivation et votre enthousiasme pour ce travail. Pourquoi voulez-vous ce travail ? Cela représente-t-il un nouveau défi, une chance de mettre en application de nouvelles connaissances, une première expérience dans le monde du travail ? La parole est à vous et vos motivations intéressent l'employeur.

Soyez honnête dans vos propos. Évitez la flatterie. Si vous pensez que cette entreprise est un véritable chef de file dans son domaine ou qu'elle offre des possibilités uniques dans votre sphère d'activités, dites-le, mais ne faites pas de faux compliments. Parlez de vos motivations sans plus.

4. Quatrième paragraphe : les indications sur votre disponibilité et une formule de politesse

Votre lettre devrait se terminer sur une ouverture. En effet, vous espérez être reçu en entrevue. Indiquez donc clairement que vous êtes prêt à une entrevue. La formule peut varier, mais évitez un ton autoritaire comme celui-ci : « Communiquez avec moi le plus vite possible ». Évitez aussi d'être trop implorant.

Ce paragraphe doit être très court et se terminer par une formule de politesse brève et réservée. Évitez les formules empesées.

QUELQUES RÈGLES D'OR

- Utilisez un langage simple et des mots que vous maîtrisez bien.
- Ne vous inventez ni compétences ni qualités. Soyez honnête.
- Conservez toujours une copie des lettres de présentation.

Un truc

Vous ne parvenez pas à formuler votre lettre ? À mettre en valeur vos compétences pourtant bien énumérées dans votre CV ? Vous manquez de recul pour faire valoir vos qualités ?

Faites votre lettre en compagnie d'un ami ou d'une personne capable de vous aider à vous évaluer. Faites-lui lire votre CV et discutez du contenu de la lettre par rapport à l'emploi offert. Les autres ont souvent un regard plus indulgent, mais aussi plus objectif sur soi. De plus, le simple fait de parler de vos compétences et de vos forces avec quelqu'un vous aidera à faire le point et à mieux rédiger cette lettre et les suivantes.

Besoin d'une lettre originale ?

Vous convoitez un poste de créatif en publicité ? Le type d'emploi annoncé exige beaucoup d'originalité et de créativité ? Vous maniez bien l'écriture et avez une personnalité colorée susceptible de correspondre à l'emploi ? Une lettre au ton plus « racoleur », plus « artistique » s'impose peut-être. Mais méfiez-vous des formules trop originales. Même si l'entreprise est orientée vers la création, le choix d'un employé et la sélection du personnel se fait tout de même selon certaines normes et critères. À vouloir être trop original, on risque de ne pas transmettre l'information pertinente et nécessaire.

Un texte très bien écrit et des formules bien senties témoigneront de votre savoir-faire, mais, pour l'heure, il importe surtout de démontrer à l'employeur qu'il aurait de bonnes raisons de vous embaucher.

La présentation de lettres sur carton, en couleurs, avec dessins ou incluses dans des gadgets est une mode qui semble périmée ; un consensus se dessine autour de la sobriété et de la simplicité.

Vous trouverez parmi les exemples de lettres présentées à la fin de ce chapitre quelques modèles dont le style et la forme sortent des sentiers battus ou des formules classiques. Déterminez si cela vous représente et s'adapte à votre situation. À vous de faire preuve de discernement.

La lettre de présentation et le courriel

Vous faites parvenir votre CV par voie électronique ? Dans ce cas, ajoutez votre lettre de présentation au début de votre CV et faites parvenir le tout en pièce jointe. La lettre de présentation sera ainsi imprimée en même temps que le CV et apparaîtra comme la première page de votre CV. Ne transcrivez pas votre lettre de présentation sur votre page courriel.

Votre message électronique doit tout simplement mentionner que vous transmettez votre CV pour le poste X. Rien de plus.

Exemple

- **Madame Boisvert,**

  Vous trouverez en pièce jointe mon curriculum vitae pour le poste de machiniste. Merci de votre attention,

  Maurice Dumoulin

Pourquoi ne faut-il pas utiliser votre lettre de présentation comme message courriel ?

- La personne qui reçoit les CV par courriel n'a sans doute pas le temps de lire votre lettre à l'écran.
- Si elle doit l'imprimer en plus du CV, c'est une perte de temps pour elle.
- La présentation visuelle de la lettre sur un message courriel laisse à désirer et nécessite souvent deux pages.
- Vous risquez que la personne fasse circuler votre CV sans la lettre de présentation.

30 modèles de lettres

Vous trouverez dans les pages suivantes 30 lettres dont vous pourrez vous inspirer pour rédiger votre propre lettre de présentation. Certaines d'entre elles sont particulièrement audacieuses, ce qui vous poussera peut-être à faire preuve de créativité afin de vous démarquer des autres candidats. À vous de juger, dans le contexte précis de votre démarche, si vous avez intérêt à opter pour la sagesse ou, au contraire, à cultiver l'originalité.

Louiseville, le 21 mai 2002

Monsieur Luc Sauvageau
Directeur du personnel
Les Moteurs Levasseur inc.
1754, rue Beauregard
Louiseville (Québec)
J2V 3T9

Monsieur,

Tel que nous l'avons convenu au cours de notre conversation téléphonique du 18 mai, j'ai le plaisir de vous faire parvenir mon curriculum vitæ et de poser ma candidature pour le poste de mécanicien d'entretien.

J'ai terminé récemment un diplôme d'études professionnelles en mécanique industrielle et achevé avec succès un stage en mécanique d'entretien pour les Industries Lebeau. Ma formation et mes compétences notamment dans le montage et l'assemblage des machines fixes, des circuits hydrauliques et pneumatiques de même que dans l'entretien et la réparation de machinerie de production me permettront de m'acquitter des différentes tâches d'entretien mécanique. J'ai également des compétences en assemblage de moteurs électriques et de pompes, de balancement et d'alignement. Ce qui me permet de croire que je pourrai très bien m'acquitter des tâches d'un mécanicien d'entretien.

En plus de cette polyvalence, je sais faire preuve d'initiative. D'une nature dynamique, capable de travailler sous pression, je suis méticuleux et j'aime la précision et le travail bien fait.

J'aimerais obtenir un poste au sein de votre entreprise, car je sais qu'on y exploite une important division de mécanique industrielle où j'aurai l'occasion de toucher à plusieurs aspects de mon métier et d'y évoluer.

J'espère vivement avoir l'occasion de vous rencontrer. Espérant le tout à votre satisfaction, je vous prie, Monsieur, d'accepter mes salutations.

Pierre Dolbeau
2172, rue des Pins
Louiseville (Québec)
J1T 4J4

Pointe-Claire, le 21 mai 2002

Madame Marie-Claire Genest
Directrice des ressources humaines
Textiles ATR inc.
233, av. de la Savane Ouest
Saint-Lambert (Québec)
H4F 2YK

Madame,

Le poste de coordonnatrice à la production, annoncé dans le quotidien *La Presse* du 19 mai dernier, a suscité mon intérêt. Je vous fais donc parvenir mon curriculum vitæ.

Détentrice d'un diplôme en technologie des tricots et de la confection, j'ai acquis une expérience dans la coordination et la supervision de la production de même qu'en contrôle de la qualité. Je suis capable de développer des stratégies pour l'amélioration de la qualité et l'optimisation de la productivité. Je suis apte à détecter les problèmes de production et à participer à l'élaboration de solutions.

Pour m'assurer de mes fonctions de coordonnatrice, je ferai appel à mon sens du leadership ainsi qu'à mon aptitude à dynamiser et à motiver une équipe de travail. Je communique facilement avec mes pairs et sais établir des relations de confiance. Je fais preuve d'enthousiasme et de dynamisme.

J'aimerais vous rencontrer pour discuter de ce poste et des autres possibilités d'emploi actuelles ou futures au sein de votre entreprise. Je vous remercie de votre attention, et vous prie, Madame, de recevoir mes salutations distinguées.

Francine Lachance

Francine Lachance
4415, rue Doré
Pointe-Claire (Québec)
H3K 2V8

Montréal, le 21 mai 2002

Madame Abdelhamid Ikrem
Les piscines Ô-Chôde inc.
370, rue Saint-Jean Ouest
Greenfield Park (Québec)
J3T 2T9

Madame,

Savoir répondre aux questions et aux exigences de la clientèle. Faire preuve d'initiative pour résoudre les problèmes. Et finalement faire preuve en tout temps de courtoisie. Voilà en gros ce que vous attendez d'un préposé au service à la clientèle. Puisque je sais que je peux satisfaire à ces exigences, je réponds par la présente à l'annonce parue dans le journal *La Presse* du 15 mai dernier et vous fais parvenir mon curriculum vitæ pour ce poste.

J'ai à mon actif de nombreuses années d'expérience à titre d'agent technico-commercial pour un important fabricant de vêtements où j'ai exercé diverses fonctions, notamment la prospection de nouveaux marchés et les services à la clientèle pour la vente de nouveaux produits. En outre, j'ai acquis de grandes aptitudes en gestion des stocks en faisant un inventaire complet de la marchandise, en vérifiant la qualité du matériel à utiliser et en entrant en contact avec les fournisseurs pour les commandes ou le suivi de celles-ci.

Ma capacité à établir des relations directes et ma courtoisie me permettent de traiter facilement et agréablement avec la clientèle. Je sais faire preuve de doigté et de patience et surtout d'initiative lorsqu'il le faut. Je suis capable de travailler sous pression et en équipe. J'aimerais me joindre à votre entreprise, qui offre des possibilités d'avancement qui répondent à mes aspirations.

Vivement intéressée à travailler pour vous, j'aimerais vous rencontrer pour discuter davantage de mes qualifications. Je vous remercie de l'attention que vous porterez à ma demande et vous prie d'agréer, Madame, mes salutations distinguées.

Catherine Mauffette

Catherine Mauffette
2640, av. De Lorimier
Montréal (Québec)
H2F 2B2

Saint-Lambert, le 21 mai 2002

Monsieur Gérard Lachapelle
Superviseur de la manutention
Produits congelés Rive-Sud inc.
3031, boul. Jacques-Cartier
Longueuil (Québec)
J4M 1B3

Monsieur,

Je souhaite par la présente poser ma candidature au poste de manutentionnaire, offert dans le *Courrier du Sud* de la semaine du 19 mai. Vous trouverez ci-joint mon curriculum vitæ.

Je peux compter sur une expérience de douze ans comme conducteur de différents types de véhicules industriels, notamment la conduite de chariots élévateurs. Cet aspect du travail de manutentionnaire m'est donc familier. Je fais preuve d'adresse et de précision dans mon travail. Toutes ces expériences différentes ont développé ma polyvalence et ma capacité d'adaptation.

J'ai une bonne résistance physique, je suis travailleur et je peux faire preuve de souplesse quant à mes horaires de travail. Les heures supplémentaires ne me rebutent pas et je suis capable de m'adapter à toutes sortes d'environnement de travail.

Espérant obtenir une entrevue avec vous, je vous remercie de votre attention, et vous prie, Monsieur, de recevoir mes salutations distinguées.

Philippe Caron

Philippe Caron
8310, rue des Érables
Saint-Lambert (Québec)
H4F 6J4

Montréal, le 21 mai 2002

Monsieur René Savignac
Les Entreprises Haute Tension inc.
35566, boul. Industriel
Montréal (Québec)
J5T 2T8

Monsieur,

À la suggestion de M. Jean Taillefer, chef de l'entretien, je vous fais parvenir mon curriculum vitæ afin de poser ma candidature au poste de technicien en génie électronique au sein de votre entreprise.

Outre ma formation en électronique, mes années d'expérience dans le domaine m'ont rompu aux diverses facettes du rôle de technicien, notamment celui des services d'entretien et de soutien technique. Je suis à l'aise avec les clients, capable de cerner leurs problèmes et de bien leur expliquer les différentes solutions. Je suis expérimenté et compétent dans les techniques de réparation et d'entretien et suis capable d'élaborer et d'enseigner aux clients des programmes d'entretien préventif et systématique des systèmes.

Je suis patient et persévérant, qualités essentielles auprès de la clientèle et dans les techniques électroniques. Je sais faire preuve d'initiative et d'autonomie et de beaucoup de minutie et de précision. J'ajouterai aussi que les perspectives de formation et d'avancement offertes par votre entreprise m'incitent à vouloir y travailler.

J'aimerais avoir le plaisir de vous rencontrer pour discuter davantage de mes compétences et des exigences de ce poste. Je vous remercie de votre attention et vous prie, Monsieur, d'agréer l'expression de mes sentiments les meilleurs.

Claude Deschamps

Claude Deschamps
6324, rue Beaubien
Montréal (Québec)
H2J 8X2

Châteauguay, le 21 mai 2002

Société des casinos du Québec inc.
Direction des ressources humaines
500, rue Sherbrooke Ouest
15e étage
Montréal (Québec)
H3A 3G6

Objet : Programme de formation de croupiers

Bonjour,

Je lance les dés et vous présente mon curriculum vitæ.

Loin de moi l'intention de vous bluffer : je n'ai jamais mis les pieds dans un casino. Je préfère tenter ma chance comme employée plutôt que comme cliente... Je suis plus sûre de gagner!

À première vue, mon curriculum vitæ ne présente peut-être pas les atouts que devrait afficher une future employée du Casino de Montréal, mais croyez-moi, je possède les qualités que vous recherchez. En prime, je vous offre un sens de l'observation très aiguisé, une mémoire infaillible et un entregent du tonnerre. Et ce n'est pas de la frime!

Espérant me retrouver à la même table que vous dans un futur proche afin de vous révéler les autres cartes de mon jeu, je vous souhaite une très belle journée.

Marie-Claude Levasseur
270, rue Massey
Châteauguay (Québec)
J6J 3P5
Tél.: (450) 691-3180

Oka, le 21 mai 2002

Monsieur Steeve Hyatt
Les Autocars Tout Confort inc.
3654, ch. du Souvenir
Laval (Québec)
G4T 2B9

Monsieur,

Je souhaite poser ma candidature pour le poste de chauffeur offert par votre entreprise au Centre d'emploi de la Rive-Nord (référence n° 2345) et vous fais donc parvenir, par la présente, mon curriculum vitæ.

J'ai à mon actif une formation professionnelle de chauffeur d'autobus et je détiens un permis de conduire classe 2. Outre mes expériences de chauffeur, j'ai eu l'occasion de travailler dans l'enclos des autobus et d'acquérir des compétences dans l'entretien des véhicules et la gestion physique de l'enclos. Je connais donc les différentes facettes du véhicule et du métier de chauffeur.

Je suis également à l'aise dans mes relations avec le public ; je sais faire preuve de patience, de courtoisie et de diplomatie quand la situation l'exige. Votre compagnie de transport œuvre sur le court et le long trajet de même que sur les transports nolisés et je suis à l'aise avec ces différentes formules.

Je suis à votre disposition pour une entrevue à votre convenance. Je vous remercie de votre attention et vous prie, Monsieur, d'accepter mes salutations.

Michel Racine
212, rue Dézéry
Oka (Québec)
H7T 9B3

Joliette, le 21 mai 2002

Madame Lise Trudel-Landry
Directrice du personnel
J. Trottier Mécanique inc.
435, boul. des Jésuites
Joliette (Québec)
G3Z 5K6

Madame,

Notre conversation téléphonique d'hier, concernant le poste de contremaître-mécanicien, m'a convaincu que je saurai répondre aux exigences de ce poste. Je vous fais donc parvenir mon curriculum vitæ afin de vous soumettre ma candidature.

Je possède une quinzaine d'années d'expérience dans la direction d'équipe. J'ai agi en tant que contremaître et chef d'équipe du service de réparation-entretien, comme superviseur en usinage sur machines-outils ainsi qu'à titre d'électromécanicien industriel. J'ai de très bonnes connaissances en mécanique et en pneumatique ainsi qu'en électricité et en hydraulique. Ce qui me permet de bien comprendre et de mieux superviser le travail de différentes équipes.

Je suis autonome, consciencieux et déterminé. J'ai l'esprit d'initiative et surtout la capacité à encadrer et à stimuler mes équipes. Je sais établir les liens de respect et de confiance nécessaires pour diriger des travailleurs et susciter l'esprit d'équipe. J'aimerais me joindre à votre entreprise car les nouveaux ateliers d'usinage sont parmi les meilleurs au pays et y travailler me permettrait de pousser plus avant mon expérience professionnelle.

J'aimerais vous rencontrer afin de vous présenter plus longuement mes qualifications et pour que nous puissions discuter d'emplois présents ou à venir.

Je vous prie d'accepter, Madame, l'expression de mes salutations distinguées.

Paul Lafortune

Paul Lafortune
566, rue Chambord
Joliette (Québec)
G3Z 5K2

Grand-Mère, le 21 mai 2002

Madame Lucille Coletta
Directrice du personnel
Centre d'accueil Saint-Césaire
244, rue Principale
Grand-Mère (Québec)
G2J 2N4

Madame,

Une solide expérience, une formation complète et un réel enthousiasme pour ce travail me portent à croire que je suis une bonne candidate pour le poste de préposé aux bénéficiaires que votre centre offre au Centre d'Emploi de la Mauricie (référence 57834).

Je possède un diplôme de préposée aux bénéficiaires que j'ai obtenu après avoir suivi, entre autres, des cours sur les principes de déplacement sécuritaire des bénéficiaires, sur la réanimation cardiorespiratoire et sur des aspects comme la psychologie du vieillissement et de l'approche à la mort. De plus, j'ai acquis deux ans d'expérience en milieu hospitalier, en centre d'accueil et à domicile. J'ai pu ainsi démontrer que je suis une personne énergique, capable de faire face à des cas urgents. J'ai de l'expérience avec les personnes semi-autonomes, de même qu'avec des clientèles plus lourdes, des personnes handicapées ou souffrant de problèmes de santé mentale.

Je sais que votre établissement offre beaucoup de programmes pour les bénéficiaires et un milieu de vie stimulant et cela m'incite à vouloir me joindre à votre équipe. Je crois me distinguer moi-même par le fait que j'offre des soins et un service de qualité aux patients et que je sais établir de bonnes relations avec eux. J'aime aussi le travail en équipe et suis capable de dévouement.

J'aimerais obtenir une entrevue avec vous afin de vous parler davantage de mes compétences et de mon intérêt à me joindre à votre équipe. Je vous prie d'accepter, Madame, mes salutations distinguées.

Gabrielle Mireault
786, rue Mgr-Bourget
Grand-Mère (Québec)
G2J 3N6

Outremont, le 21 mai 2002

Madame Karla Vigliotti
Directrice
Collège Au cœur du monde
2334, rue Bernard Ouest
Montréal (Québec)
H3Y 2TV

Madame,

La possibilité d'enseigner à votre école m'enthousiasme et la conversation téléphonique que nous avons eue hier me confirme que je partage la vision d'éducation de votre établissement. Je vous fais donc parvenir, tel que convenu, mon curriculum vitæ afin de vous offrir mes services à titre de professeure de musique.

Je détiens un baccalauréat en musique (violoncelle) et un certificat en enseignement. J'ai à mon actif une grande expérience comme professeure de musique au primaire et au secondaire. Je suis rompue aux techniques traditionnelles, mais les nouveaux logiciels d'apprentissage et de composition musicale me sont aussi familiers.

De plus, à titre de musicienne, je suis en mesure de voir à la direction d'orchestre, à sélectionner les répertoires et à donner des concerts. Je considère ces expériences comme un atout enrichissant par rapport à mon profil d'enseignante, car ce bagage me permet d'élargir la vision des jeunes par rapport au monde de la musique.

Dynamique et polyvalente, j'aimerais me joindre à votre équipe, car l'importance que votre école accorde à la créativité et aux différentes formes d'expression, rejoint ma conviction que l'enseignement peut amener les enfants vers des horizons élargis.

J'aimerais vous rencontrer afin de discuter de mes compétences et de ma participation éventuelle au sein de votre équipe.

Je vous remercie de l'attention que vous porterez à ma demande et vous prie d'accepter, Madame, mes salutations distinguées.

Véronique Carignan

Véronique Carignan
786, rue de l'Épée
Outremont (Québec)
H2V 3P4

Montréal, le 21 mai 2002

Le Groupe Ronald inc.
6230, boul. des Galeries d'Anjou
Anjou (Québec)
H3C 2T6

Madame, Monsieur,

Après un premier contact téléphonique avec le service des ressources humaines, je vous fais parvenir mon curriculum vitæ afin de vous offrir mes services à titre de commis de bureau ou pour tout autre poste correspondant à mes qualifications.

Je possède une formation et de l'expérience en secrétariat. Je peux aisément m'acquitter de tâches reliées à l'accueil et à la réception, à la prise de rendez-vous et à la tenue d'agenda. De plus, je suis en mesure de travailler dans un environnement informatisé : traitement de texte, entrée de données ou comptabilité de base. Je suis tout à fait à l'aise dans les contacts avec la clientèle.

Je suis une personne polyvalente et bien organisée, et je crois que ma capacité à apprendre rapidement et à m'adapter facilement aux équipes et aux environnements de travail est un atout pour une entreprise de l'importance de la vôtre.

J'aimerais obtenir une entrevue avec vous afin de vous parler davantage de mes qualifications, mais également pour mieux vous démontrer mon intérêt à occuper un poste dans votre entreprise. En espérant que vous recevrez favorablement ma demande, je vous prie d'agréer, Madame, Monsieur, mes salutations distinguées.

Asma Abdhel
4380, rue Berri
Montréal (Québec)
H2J 1T8

Montréal, le 21 mai 2002

Monsieur Victor Tergny
Directeur des ressources humaines
Enviro-plus ltée
6212, boul. Métropolitain Est
Saint-Léonard (Québec)
H2V 3B6

Monsieur,

Comme nous l'avons convenu au cours de notre entretien téléphonique du 10 mai dernier, je vous fais parvenir un exemplaire de mon curriculum vitæ. Me joindre à votre équipe me permettrait de participer à l'essor de votre entreprise J'aimerais y occuper un poste d'ingénieur en environnement ou tout autre poste correspondant à mes qualifications.

Je possède une maîtrise en génie de l'environnement et trois années d'expérience pertinente dans le domaine du traitement et de l'épuration des eaux. Dans le cadre de ma maîtrise, j'ai été amené à élaborer une nouvelle approche de biorestauration des sols contaminés par des hydrocarbures aromatiques polycycliques (HAP), en bioréacteurs à boues liquides avec phase hydrophobe. Je tiens à souligner que je peux travailler aussi bien dans le domaine des eaux que dans celui des sols, et effectuer des études d'impact et des analyses de risques.

Mes expériences de travail et d'études m'ont permis de développer mon sens de l'initiative, mon esprit d'analyse ainsi que ma capacité de planifier et d'organiser une tâche. Je suis bilingue, dynamique et soucieux de la qualité du travail. Je vous ai déjà fait part de mon intérêt pour votre compagnie dont les projets actuels me permettraient de poursuivre mes objectifs professionnels.

Je souhaite vivement vous rencontrer pour me permettre de mieux vous parler de mes compétences et de mes expériences. Je vous prie d'accepter, Monsieur, l'expression de mes salutations les plus distinguées.

Joseph Drucker

Joseph Drucker
2180, rue Sherbrooke Ouest, app. 504
Montréal (Québec)
H3T4B9

Saint-Léonard, le 21 mai 2002

Madame Eva Jamison
Directrice du personnel
Northwest Furnitures Ltd
12334, boul. des Grandes-Prairies
Saint-Léonard (Québec)
J3V 5T2

Madame,

Pour répondre à votre annonce, à propos d'un poste de préposé à la réception et expédition, parue sur le site Internet de Emploi.com, je vous fais parvenir mon curriculum vitæ.

En plus de pouvoir compter sur une solide expérience en gestion des stocks, je peux aussi aisément m'acquitter des tâches reliées au service à la clientèle, au service des achats ou à la gestion de commandes. Je suis capable d'établir ou d'améliorer des systèmes d'entreposage ou de magasins.

Je suis une personne très dynamique, organisée et capable de faire face à un important volume de travail. De plus, mon esprit vif, ma débrouillardise et ma capacité d'adaptation rapide me permettent de répondre aux demandes simultanées de plusieurs divisions ou personnes. Par ailleurs, je suis très méticuleux et ordonné comme l'exige un tel poste.

J'aimerais obtenir une rencontre avec vous afin de discuter de mes compétences et d'un poste éventuel dans votre équipe. Dans l'attente d'une réponse favorable, je vous prie d'agréer, Madame, mes sentiments les plus distingués.

Maurice Couillard
9120, rue Généreux
Saint-Léonard (Québec)
H4D 8Z2

Laval, 21 mai 2002

Madame Shamira Qureshi
Directrice des ressources humaines et des services auxiliaires
Hôpital Charles-Lemoyne
3120, boul. Taschereau
Greenfield Park (Québec)
J4V 2H1

Madame,

Huit années d'expérience combinées à une solide formation spécialisée et un intérêt véritable pour le milieu médical et hospitalier me permettent de croire que je pourrais prendre en charge avec succès le service des communications du centre hospitalier Charles-Lemoyne. Je réponds donc à votre annonce d'un poste de direction des communications, parue dans le quotidien *La Presse* du 20 mai et vous soumets, par la présente, ma candidature.

Mon mémoire de maîtrise en communications portait sur la gestion de l'information en situation de crise. Depuis la fin de mes études, j'ai été responsable du service des communications d'une municipalité, notamment pendant la crise du verglas, et par la suite directrice des communications pour l'Ordre des pharmaciens du Québec. Je sais pertinemment qu'en plus de favoriser un bon climat de travail au sein même de l'hôpital et d'assurer la communication en continu avec la communauté, le service des communications d'un hôpital, à l'ère des suppressions de budget et des réorganisations, requiert un doigté et une approche stratégique que mes expériences et ma formation m'ont permis de développer.

Ayant travaillé comme préposée dans un hôpital pendant toute la durée de mes études, je connais bien le milieu hospitalier. Mais au-delà de ces connaissances stratégiques, c'est ma passion pour les communications et les relations humaines qui me servent de cartes maîtresses dans l'accomplissement de mes fonctions. Je suis très autonome, capable d'initiative, mais j'aime aussi m'intégrer à une équipe et j'y fonctionne avec aisance. Par ailleurs, au fil des ans, j'ai développé un important réseau de contacts auprès des médias et dans le réseau de la santé. Je suis habituée à travailler sous pression et je sais saisir rapidement les enjeux d'une situation. Votre centre hospitalier joue un rôle névralgique dans sa région et les prochaines années seront riches en développement, ce qui représente à mes yeux un défi intéressant.

Il va sans dire que je suis à votre disposition pour toute entrevue. Je vous remercie de votre attention et vous prie, Madame, d'agréer l'expression de mes sentiments les meilleurs.

Marie-Claire Assiwi
4968, rue Parthenais
Laval (Québec)
H9G 3F6

Longueuil, le 21 mai 2002

Monsieur Gilles Boivin
Directeur du Service des parcs, Ville de Longueuil
2331, rue Édouard-Montpetit
Longueuil (Québec)
J4T 1M2

Monsieur,

Du théâtre de marionnettes, des joutes d'improvisation, des jeux de mimes, des chasses aux trésors, des lectures en groupe, des jeux d'adresse, des chants d'ici et d'ailleurs, de la danse et des rondes, des comptines et des chansons à répondre, des bricolages à inventer, de la peinture de toutes les couleurs, des maquillages rigolos... Des trésors pareils il y en a plein mon curriculum vitæ et plein mon imagination. C'est pourquoi le poste d'animateur culturel pour le service des parcs de Longueuil pourrait m'aller comme un gant. J'ai donc décidé de répondre à votre annonce parue dans le *Courrier Rive-Sud* le 18 mai dernier.

Je suis étudiant au baccalauréat en théâtre et, chaque été depuis cinq ans, j'ai travaillé comme moniteur et animateur culturel au camp de vacances Les Explorateurs dans les Laurentides. À ce titre, j'étais responsable de l'élaboration du programme d'activités récréatives et culturelles. Je devais former les autres moniteurs, superviser les activités et en animer plusieurs. J'ai aussi en poche un diplôme de moniteur du Patro Le Prévost. Je connais bien les techniques d'animation et peut initier les enfants à bon nombre d'activités culturelles.

J'aime la vie d'équipe que suppose le travail d'été avec les enfants et je suis doté de beaucoup de patience et surtout d'enthousiasme et de dynamisme. Je suis aussi capable d'encadrer les enfants de façon responsable et sécuritaire. Je sais que votre municipalité fait preuve de dynamisme dans ce genre d'activités et c'est pourquoi je serais heureux de me joindre à votre équipe.

J'aimerais vous rencontrer pour vous montrer mon portfolio et demeure donc à votre disposition pour une entrevue. Je vous remercie de votre attention et vous prie, Monsieur, d'accepter mes salutations distinguées.

Philippe Girard

Philippe Girard
3428, rue Édouard-Montpetit
Longueuil (Québec)
J2H 3Z4

Montréal, le 25 mars 2002

Monsieur Jean-Pierre Talbot
Chef de la division technique
Le Groupe RTW inc.
8376, rue Querbes
Montréal (Québec)
H3T 2B5

Monsieur,

En réponse à l'annonce parue au guichet emploi, datée du 5 mars dernier, je vous fais parvenir mon curriculum vitæ afin de soumettre ma candidature pour le poste de technicien en génie mécanique ou tout autre poste correspondant à mes qualifications.

J'ai une formation en génie mécanique, option technologue pour les machines-outils. Cette formation m'a notamment permis d'acquérir des habiletés en ce qui concerne l'installation, la production et le contrôle de la qualité des machines et de mécanismes divers en vue de participer à l'élaboration et à la mise en œuvre de projets de fabrication mécanique. Au cours de mes expériences, j'ai été responsable de la mise sur pied et de la gestion des installations autorisées dans le secteur des gaz industriels. J'ai aussi une bonne connaissance de tout l'équipement de sondage et de coupage.

Je suis passionné par mon travail. J'aime apprendre et relever de nouveaux défis. Je suis capable de m'adapter très facilement et rapidement à de nouveaux environnements. Je suis très rigoureux et j'aime la précision. Je communique facilement avec les autres et sais m'intégrer à une équipe. Je sais qu'un poste au sein de votre entreprise, dont la division du génie mécanique est l'une des plus importantes de la région, me permettra de développer mon expertise et de poursuivre mes ambitions.

Une rencontre avec vous me permettrait de mieux vous démontrer en quoi mes qualifications peuvent être utiles à votre équipe. Je vous remercie de votre attention et je vous prie d'accepter, Monsieur, mes salutations distinguées.

Claudius Marcel

Claudius Marcel
8380, rue Decelles
Montréal (Québec)
H3C 4X2

Trois-Rivières, le 21 mai 2002

Monsieur Émile Stanver
Les Industries ABC ltée
124, rue Fusey
Cap-de-la-Madeleine (Québec)
G8T 2V2

Monsieur,

Je prends l'initiative de vous faire parvenir mon curriculum vitæ afin d'obtenir un poste de stagiaire au sein de votre entreprise. L'occasion de faire un stage dans une firme aussi réputée que la vôtre me permettrait d'approfondir mes connaissances dans le domaine du câblage informatique et de compléter ainsi ma formation professionnelle.

J'ai à mon actif une attestation d'études collégiales en installation et en gestion de réseaux ainsi que de l'expérience dans ce domaine. Les principales tâches que j'ai effectuées dans l'exercice de mes fonctions sont l'installation, la réparation, la configuration de systèmes et de logiciels ainsi que le câblage et le montage d'équipement en réseau.

Je suis déterminé à réussir dans ce domaine et je sais que j'ai une bonne capacité d'apprentissage et d'adaptation. Je suis une personne énergique et travaillante. Je suis capable de faire face à la pression et à une grande quantité de travail. Je demeure convaincu que mon enthousiasme servira votre entreprise.

J'aimerais obtenir une entrevue avec vous afin de vous parler davantage de mes compétences. Espérant que vous pourrez donner une réponse favorable à ma demande, je vous prie d'agréer, Monsieur, mes salutations distinguées.

René Dézy
2626, rue Désourcy
Trois-Rivières (Québec)
G5V 6V2

Montréal, le 26 mai 2002

Monsieur Wayne Harrington
Directeur des ressources humaines
Les Plastiques Bonaventure inc.
Siège social
1100, boul. René-Lévesque Ouest
12e étage
Montréal (Québec)
H3B 4X9

Monsieur,

Ayant été informée de l'ouverture prochaine de votre usine à Anjou, je prends l'initiative de vous faire parvenir par la présente mon curriculum vitæ. J'aimerais obtenir au sein de votre entreprise un poste de commis de bureau, agent de bureautique ou tout poste équivalent dans le secteur administratif.

Avec 14 années d'expérience en bureautique et services administratifs, je suis capable de travailler avec de nombreux systèmes et logiciels. Je suis familiarisée avec la gestion des ressources humaines pour avoir travaillé longtemps dans un tel service. Je suis également compétente dans les systèmes de paie et les systèmes comptables.

Je m'adapte facilement aux personnalités de mes collègues et aux équipes. Je suis très patiente, rigoureusement honnête et très méticuleuse. J'ai une excellente maîtrise du français et de l'anglais et je peux m'acquitter de tâches de secrétariat. Ma détermination à réussir m'a amenée au cours des deux dernières années à suivre des formations en informatique et je suis présentement des cours sur deux nouveaux logiciels de traitement de la paie. Je crois que mon expérience et ma volonté d'apprendre peuvent être des atouts pour une toute nouvelle entreprise comme la vôtre.

Il va sans dire que je suis disponible pour une entrevue à votre convenance. Je vous remercie de votre attention et vous prie, Monsieur, d'accepter mes salutations distinguées.

Lison Gaboury

Lison Gaboury
2634, rue Drolet
Montréal (Québec)
H2K 3M6

Montréal-Nord, le 21 mai 2002

Monsieur Rémi Quirion
Commission scolaire des Trois Maisons
4732, rue Charleroi
Montréal-Nord (Québec)
H1H 1V1

Monsieur,

Favoriser la création de liens entre la communauté, la famille et le milieu scolaire. Permettre à des jeunes d'exprimer leurs réalités et de pouvoir mieux s'identifier à l'école et mieux s'y épanouir. Voilà le genre de défis qui me passionnent. C'est pour cela que le poste d'agent de concertation dans le cadre du projet « Soutenir l'école montréalaise » annoncé dans l'hebdomadaire le *Guide de Montréal-Nord* du 19 mai 2002 m'intéresse vivement. Je vous soumets donc, par la présente, ma candidature pour ce poste.

Je possède un diplôme en droit ainsi que de l'expérience dans le milieu communautaire. Dans mon pays d'origine, le Mexique, j'ai eu à intervenir auprès de jeunes contrevenants afin de les informer des conséquences de leurs actes, et ce, pour prévenir les récidives. Cette approche a remporté un vif succès. De plus, j'ai travaillé comme enseignant, et je considère que cette expérience m'a permis de mieux connaître la réalité scolaire. J'ai une excellente connaissance de l'espagnol et une connaissance fonctionnelle de l'anglais.

Je suis une personne autonome, qui possède une grande aisance à communiquer, le sens de la collaboration et une excellente capacité d'adaptation. J'ai besoin de me sentir utile et de m'impliquer socialement par l'intermédiaire de mon travail. Votre projet m'intéresse beaucoup, car il est novateur et axé sur les actions avec la communauté.

Espérant que vous donnerez une réponse favorable à ma demande, je demeure disponible pour une entrevue à votre convenance et vous prie d'agréer, Monsieur, mes salutations distinguées.

Alvaro Rodriguez
9830, rue des Terrasses, app. 56
Montréal-Nord (Québec)
H5G 6K9

Montréal, le 21 mai 2002

Madame Gilberte St-Amour
Responsable de l'assistance à domicile
Centre Albert-Durocher
3120, boul. Lasalle
Verdun (Québec)
H4H 2T4

Madame,

Comme convenu au cours de notre conversation téléphonique du 19 mai dernier, je vous soumets, par la présente, ma candidature pour le poste d'assistante aux personnes à domicile.

Je suis auxiliaire familiale. J'ai une formation dans ce domaine et j'ai également fait un stage dans un centre d'accueil et un autre dans un centre communautaire pour aînés. Je connais donc les techniques sécuritaires pour donner des bains et effectuer un transfert de fauteuil roulant. J'ai appris à faire manger les bénéficiaires et à les habiller. Je sais aussi les écouter, les rassurer et les accompagner. Je peux évidemment m'acquitter de petits travaux ménagers.

J'aime la compagnie des personnes âgées. Je sais faire preuve de patience et d'écoute et surtout de respect. Je suis capable de travailler en équipe mais je fais aussi preuve d'autonomie et de dévouement.

J'aimerais vous rencontrer pour en savoir plus sur le poste et vous parler de mon intérêt à me joindre à votre équipe. Je vous remercie de votre attention, et vous prie, Madame, d'accepter mes salutations.

Marie-Thérèse Pascal

Marie-Thérèse Pascal
7036, rue Lajeunesse
Montréal (Québec)
H4V 2B6

Verdun, le 21 mai 2002

Monsieur Gaston Normand
Directeur des ressources humaines
Office national du film du Canada
C.P. 6100, succ. A
Montréal (Québec)
H3C 3H5

Objet : Affichage interne n° 3412 — Chef d'équipe, service à la clientèle

Monsieur,

C'est bien simple, moi qui regarde habituellement les affichages de poste internes avec un certain détachement, quand j'ai vu celui-ci, j'en ai eu les *shakes*. Depuis, je ne tiens plus en place. Évidemment, je pourrais vous dire que je veux « relever un autre défi », que je veux « apprendre des choses nouvelles », que je veux « grimper dans la hiérarchie », vous savez, ces phrases toutes faites que vous n'êtes probablement plus capable de lire... Honnêtement, le fait de poser ma candidature pour ce poste dépasse les phrases toutes faites. La vérité, c'est que je suis gonflée à bloc.

Gonflée à bloc parce que, contrairement à bien des gens, je ne veux pas obtenir ce poste parce que je m'ennuie dans mon emploi actuel, parce que je tiens à tout prix à gagner un meilleur salaire ou parce que je cherche à « monter en grade ». Je veux obtenir ce poste parce que je me suis spécialisée dans un secteur qui m'enchante profondément, c'est-à-dire les relations avec la clientèle, avec « le monde », et que cette spécialité, je pourrais la faire grandir dans un contexte que j'adore et entourée de gens agréables. C'est fou comme l'idée me stimule !

L'histoire de ma vie à l'ONF, Jim Robertson et Louise Leduc peuvent vous la raconter en long et en large, ne serait-ce que par le biais de mes évaluations de rendement. Depuis 1994, j'ai participé à la création d'une équipe hors pair, j'ai réussi à me distinguer à plusieurs reprises par mon approche particulière et j'ai fait les efforts nécessaires pour améliorer mes points faibles. J'aime le monde et, au service à la clientèle, je le prouve au quotidien : mes collègues le savent, mes supérieurs le savent et, je vous le garantis, la clientèle le sait. Maintenant, je me sens mûre pour appliquer mes connaissances à un contexte différent.

J'ai les *shakes*. Parce que je sens que j'ai les qualités nécessaires pour donner beaucoup de couleur à ce poste... et parce que je suis nerveuse, ça n'a pas de bon sens !

Chantale Turgeon
4940, rue Saint-Donat, app. 48
Anjou (Québec)
H1H 2P8

Montréal, le 21 mai 2002

Entraide entre Nations
Direction des programmes
1396, rue Sainte-Catherine Ouest
Bureau 414
Montréal (Québec)
H3G 1P9

Mesdames, Messieurs,

Je suis vivement intéressé par le poste de responsable du Programme pour la reconstruction en Amérique centrale que vous offrez et dont j'ai pris connaissance par l'organisme Carrefour Solidarité Anjou.

Je crois sincèrement que ma connaissance approfondie de l'Amérique centrale et les expériences que j'y ai vécues, combinées à ma formation et à mes compétences peuvent répondre aux exigences d'un tel poste. J'ai un diplôme universitaire en sciences sociales et juridiques. J'ai travaillé pendant de nombreuses années au Nicaragua, où j'ai occupé des fonctions utiles au poste à pourvoir. Outre l'expérience du droit en tant qu'avocat à mon compte, j'ai eu la possibilité de gérer un service ainsi que de travailler à titre de juge. Ces expériences m'ont permis de démontrer hors de tout doute ma capacité à prendre des décisions et à faire face à de fortes pressions. De plus, j'ai gardé des contacts avec de nombreux dirigeants du Honduras et du Salvador.

Par ailleurs, j'ai toujours été engagé bénévolement dans le milieu communautaire, tant en Amérique centrale qu'au Québec. Mes études et mon travail m'ont amené à me préoccuper toujours davantage de la situation en Amérique centrale et à bien connaître ses habitants.

Une rencontre avec vous me permettrait de mieux vous démontrer en quoi mes qualifications pourront être utiles à votre équipe et profitables à votre organisme. Je vous remercie de votre attention et je vous prie d'accepter, Mesdames, Messieurs, mes salutations distinguées.

Nicolas Bourrier
8410, rue Garnier
Montréal (Québec)
H3K 8V7

Saint-Léonard, le 21 mai 2002

Monsieur Richard Collagroso
Les Ateliers magiques inc.
3027, boul. Roland-Therrien
Longueuil (Québec)
J4M 1K1

Monsieur,

Sachant qu'un poste de secrétaire vient de se libérer au sein de votre entreprise, je prends l'initiative de vous faire parvenir mon curriculum vitæ afin de vous soumettre ma candidature.

Je compte déjà cinq années d'expérience en secrétariat. Je suis très à l'aise avec plusieurs logiciels de traitement de texte, de classification, de fichiers clients et autres. Je m'exprime aussi bien en français qu'en anglais et j'apprends présentement l'espagnol. Je peux m'acquitter de tâches parallèles comme la facturation ou les archives d'entreprise. Je suis à l'aise avec le public et peux très bien assumer aussi des fonctions de réceptionniste ou travailler au service à la clientèle.

J'ai un sens aigu de l'organisation et suis capable de prendre des initiatives. Je peux aussi faire preuve de souplesse quant aux horaires de travail. J'aimerais travailler pour votre entreprise qui œuvre dans le secteur culturel, car ce domaine me passionne.

Espérant une entrevue à votre convenance, je vous prie, Monsieur, d'agréer l'expression des mes sentiments les meilleurs.

Christine Vanasse

Christine Vanasse
9120, rue des Champs
Saint-Léonard (Québec)
H4D 3B2

Lachine, le 21 mai 2002

Monsieur Robert Bolduc
Gestion d'immeubles Éklektik
2001, rue University
Bureau 210
Montréal (Québec)
H3A 2A6

Monsieur,

Pour faire suite à notre conversation téléphonique du 17 mai dernier, je vous fais parvenir mon curriculum vitæ. J'aimerais vous offrir mes services comme préposé au stationnement ou pour tout autre poste correspondant à mes qualifications.

Je possède de nombreuses années d'expérience dans des domaines variés et notamment dans la surveillance d'édifices. Je sais faire preuve de courtoisie et de patience, ce que demande sans aucun doute un tel poste. J'ai un permis de conduire et je conduis sans accident depuis 17 ans. Je peux donc déplacer les voitures sans problèmes.

Je suis un travailleur responsable et consciencieux et d'une rigoureuse honnêteté. Je suis prêt à travailler le jour ou le soir et à faire des rotations d'horaire.

Espérant obtenir une entrevue à votre convenance, je vous remercie de votre attention et je vous prie, Monsieur, de recevoir mes salutations distinguées.

A. Courchesnes

André Courchesnes
5677, rue Lasalle
Lachine (Québec)
J4F 3B2

Montréal, le 21 mai 2002

Madame Evangelina Casares
Directrice du Programme d'action sociale au Honduras
Organisme Main dans la main
1224, rue Panet
Montréal (Québec)
H2L 2Z1

Objet: Candidature au poste d'intervenante sociale au Honduras

Madame,

Je suis un drôle de croisement entre la travailleuse sociale bien établie dans son milieu et l'aventurière globe-trotter avide de connaître le monde.

Mes atouts en tant qu'intervenante ? Un don particulier pour la relation d'aide. Une capacité d'adaptation hors du commun. Une habileté démontrée à juger sur le vif de l'intervention la plus appropriée. Une carrière ascendante qui a commencé par l'action, durant un an, auprès des femmes violentées et qui s'est poursuivie, pendant cinq ans, auprès de la clientèle toxicomane-alcoolique et de son entourage.

Mes qualités de globe-trotter? Une curiosité insatiable pour les cultures étrangères, et spécialement pour celles d'Amérique latine. Une excellente maîtrise de l'anglais et de l'espagnol. Un carnet de route bien rempli qui m'a menée du Guatemala au Maroc en passant par le Bélize, Cuba, la République dominicaine et le Pérou.

Ni mes amis ni ma famille ne comprennent ce qui me pousse à vouloir m'installer durant une aussi longue période en terre étrangère, dans un pays où les conditions de vie et d'intervention sont très difficiles, alors que je peux aider ici des gens qui ont aussi besoin qu'on soulage leurs souffrances. Pour être parfaitement honnête, je ne sais trop que leur répondre. Je sais seulement que mon désir d'intervenir «sur le terrain» auprès d'une population d'origine latine est énorme, que j'ai toute la détermination qu'il faut pour affronter les situations les plus décourageantes et que je serais plus qu'honorée de faire partie d'une organisation telle que la vôtre.

En espérant que nous nous rencontrerons bientôt pour établir les bases de cette collaboration, je vous prie d'accepter mes meilleures salutations.

Josianne Leduc
2245, boul. Saint-Joseph Est
Montréal (Québec)
H2H 1G4

Montréal, le 21 mai 2002

Madame Doris Lacharité
Les épiceries Au goût du jour
12330, boul. Maurice-Duplessis
Montréal (Québec)
H1C 1V6

Madame,

En réponse à votre annonce parue dans le journal *La Presse* du 18 mai dernier, je vous envoie mon curriculum vitæ et je vous soumets ma candidature au poste de caissière.

J'ai travaillé pendant cinq ans à titre de caissière dans un grand magasin. J'étais en plus responsable de mon rayon. Je devais voir à ce que la marchandise soit bien présentée et les spéciaux, bien identifiés. J'ai reçu deux formations complémentaires sur caisse électronique informatisée.

Je suis rapide, je fais très peu d'erreurs, et j'aime le contact avec le public. Je suis d'ailleurs réputée pour être patiente et souriante. J'aimerais me joindre à votre entreprise de supermarchés, car je préfère le travail à la caisse et je sais qu'en alimentation le nombre d'articles demande précision et rapidité, ce dont je suis capable.

Espérant que vous pourrez donner suite favorablement à ma demande, veuillez agréer, Madame, mes salutations distinguées.

Sylvie Lalande

Sylvie Lalande
6498, rue Molson
Montréal (Québec)
H1Y 6Z8

Trois-Rivières-Ouest, le 21 mai 2002

Monsieur Alain Gilbert
Directeur technique
Les entreprises Desjardins et fils ltée
98, av. Saint-Martin
Louiseville (Québec)
J5V 1B4

Monsieur,

Je prends l'initiative de vous faire parvenir mon curriculum vitæ pour un éventuel poste d'électricien d'entretien au sein de votre entreprise.

Je possède de nombreuses années d'expérience en milieu industriel, et je suis détenteur d'une licence C en électricité. Je peux donc effectuer tous les travaux d'électricité reliés aux différents systèmes, notamment l'éclairage, le chauffage, la ventilation ainsi que la climatisation. Je connais donc bien les normes de sécurité du métier et je suis habitué à travailler de concert avec les autres corps de métier.

Je suis un travailleur enthousiaste et ponctuel qui aime le travail bien fait. Je sais m'adapter et j'aime travailler en équipe.

Veuillez recevoir, Monsieur, l'expression de mes salutations distinguées.

Stéphane Desjarlais
333, rue Des Rameaux
Trois-Rivières-Ouest (Québec)
G2T 3B6

Québec, le 21 mai 2002

Madame Emmanuelle Fournier
Directrice des ressources humaines
Société informatique Astro
125, Grande Allée Est
Québec (Québec)
G1R 5G5

Madame,

Analyste-programmeur, voilà le poste que j'aimerais obtenir au sein de votre entreprise. Je prends donc l'initiative de vous faire parvenir mon curriculum vitæ dans l'éventualité où un tel poste serait vacant.

Je possède neuf années d'expérience en développement de logiciels. J'ai élaboré, entre autres, un logiciel de gestion portuaire en langage Cobol ainsi que des logiciels classiques comme ceux destinés au traitement de la paie, de gestion du personnel et de gestion de stocks en Clipper V. J'ai une formation en informatique du collège d'Ahuntsic en plus d'avoir suivi plusieurs cours d'appoint.

Je suis d'ailleurs passionné par mon métier et toujours disposé à suivre des formations et à me perfectionner. J'aime développer des logiciels parfaitement personnalisés et adaptés et j'ai pour cela un souci du détail et de la rigueur. Je suis un travailleur autonome mais capable de très bien fonctionner en équipe.

J'aimerais vous rencontrer afin que nous puissions discuter d'emploi présent ou futur. Je communiquerai de nouveau avec vous lorsque vous aurez eu l'occasion de prendre connaissance de mon curriculum vitæ. Je vous prie d'accepter, Madame, mes salutations distinguées.

Colin Maurier
2242, rue Montmorency
Québec (Québec)
G0P 3X2

Jonquière, le 21 mai 2002

Monsieur Réginald Trottier
Directeur du cahier des sports
La Presse
C. P. 6041, succ. A
Montréal (Québec)
H3C 3E3

Objet : Candidature au poste de réviseur-correcteur

Bonjour !

Les fautes d'orthographe, les problèmes d'accord et les tournures de phrases inélégantes me sautent aux yeux. Je peux également détecter les ruptures de construction les plus subtiles, les coquilles malicieuses et les autres vilains caprices de la mise en pages. Cette rigueur ne m'empêche pas de vouer un grand respect aux personnes qui écrivent. Impossible de vous le cacher : je suis fasciné par la beauté de la langue française, et la révision de textes et la correction d'épreuves sont pour moi de belles façons de lui rendre grâce.

Serez-vous surpris si je vous dis que je suis un maniaque de sports ? J'en pratique plusieurs, je lis sur le sujet, je regarde les compétitions à la télé… Vous comprendrez mon intérêt — que dis-je, mon enthousiasme délirant ! — à l'égard d'un poste qui me permettrait d'allier mes deux passions : les mots et le sport.

Sachant fort bien que vous avez d'autres chats à fouetter, j'ai choisi de vous envoyer un CV abrégé. Vous y trouverez donc l'essentiel : mon identité et la liste des emplois que j'ai occupés dans le milieu de l'édition. Je joins également quelques textes de mon cru.

Soyez assuré que l'idée de faire partie d'une équipe dynamique me stimule énormément. J'attends impatiemment de vos nouvelles !

Merci et bonne journée.

Yvan Belhumeur
2038, rue des Merles
Jonquière (Québec)
G7X 0E9

Saint-Jérôme, le 21 mai 2002

Monsieur Jean-Noël Laliberté
Société Radio-Canada
1400, boul. René-Lévesque Est
19e étage
Montréal (Québec)
H2L 2M2

Par la présente, j'aimerais poser ma candidature au poste de représentant aux ventes — télévision multi-marchés, tel que discuté durant notre entretien téléphonique de la semaine dernière.

Ayant acquis ces dernières années une solide expérience dans le domaine de la vente, je souhaite, depuis quelque temps, orienter ma carrière dans le domaine de la publicité et de la promotion.

Mes principales forces se situent sur le plan des relations interpersonnelles. Je suis une personne avenante et consciencieuse qui travaille aussi bien seule qu'en équipe. J'ai eu l'occasion, depuis six ans, de mettre à profit ces qualités essentielles chez mon employeur actuel, Fournitures de bureau Denis : chaque année depuis mon embauche, je me distingue comme l'un des deux meilleurs représentants au Québec. En outre, je jouis dans mon milieu de travail d'une excellente réputation.

Je ne cache pas mon désir d'être affecté à des projets qui demandent planification, stratégie et coordination, des habiletés que je maîtrise particulièrement bien, ce que j'ai montré à maintes reprises. Je suis convaincu que mes qualités, jumelées à mon intérêt sans cesse renouvelé pour la publicité, me permettront de relever les défis se rattachant au poste convoité.

Vous remerciant à l'avance de votre considération, je souhaite avoir le plaisir de vous rencontrer dans un avenir rapproché.

Jean-Sébastien Rochon
212, rue Filion
Saint-Jérôme (Québec)
J7Z 1J6

CHAPITRE

10

La recherche d'emploi à l'ère des nouvelles technologies

On dit qu'Internet offre une multitude de possibilités et des outils fort intéressants aux personnes qui sont en quête de travail. On dit aussi que la fameuse toile regorge de sites vous permettant de boucler une recherche qui vous a semblé interminable. On dit même qu'un clic ou deux peuvent vous procurer des solutions miracles.

Qu'en est-il exactement ?

Tout d'abord, précisons que, malgré l'avancement de la technologie et les bienfaits réels que propose Internet, jamais votre curriculum vitæ ne s'écrira tout seul. Jamais il ne se rendra par magie vers le bureau d'un employeur. Jamais on ne vous sélectionnera sur-le-champ sans vous avoir rencontré à l'occasion d'une entrevue. Gardez bien cela en tête : la recherche et l'obtention d'un emploi demeurent une affaire de personnes et non d'ordinateurs.

L'informatique et l'âge de pierre

Cela vous surprendra sans doute, mais Gutenberg et l'ère de l'informatique sont étrangement liés, et ce, même si des siècles les séparent. Vous étiez un expert de la bonne vieille machine à écrire ? Avec vos connaissances et vos habiletés en informatique, vos compétences sont plus à jour que jamais. Toutefois, continuez de faire preuve de vigilance. N'oubliez pas que, d'un logiciel à l'autre ou d'une plate-forme à l'autre, bien des éléments peuvent altérer le transfert de votre curriculum vitæ et de votre correspondance professionnelle.

Il ne s'agit pas seulement, comme par le passé, de livrer un message. Désormais, le travail est plus pointu : il faut vous assurer que votre interlocuteur y accède et puisse le lire. La compatibilité informatique est une donnée que trop de gens négligent ; la rigueur est plus que jamais de mise. Contrairement aux pratiques qui avaient cours à l'époque de Gutenberg, les différentes techniques de transfert des données peuvent causer de nombreux maux de tête aux non-initiés, compte tenu de l'évolution des différents supports et systèmes. Nous sommes loin du papier journal !

En recherche d'emploi électronique, il faut conserver en mémoire une version épurée et sobre de votre CV (comme un imprimé sur papier journal), une version dénuée de tout artifice. Cette version sera la base de toutes les versions ultérieures. Chaque fois que vous aurez à modifier votre CV en vue de l'adapter aux exigences du futur employeur, vous produirez votre version adaptée à partir de la version maîtresse. Vous y apporterez les modifications requises et vous y appliquerez une mise en pages adaptée au contexte. Bref, à partir d'aujourd'hui, vous disposerez d'une version maîtresse, une version bête et plate, sans fioritures, qui vous servira de base pour élaborer toutes les autres. Quel que soit le mode d'envoi ou le type de présentation souhaité par l'employeur potentiel, retournez à votre modèle principal et agencez-le en fonction de l'entreprise à laquelle vous désirez vous adresser.

Sans traiter de détails trop techniques, je souhaite, dans ce court chapitre, vous sensibiliser à certains éléments dont vous devrez tenir compte si vous envisagez d'utiliser l'informatique dans le contexte de votre recherche d'emploi.

Les principes de la recherche d'emploi électronique

La recherche d'emploi à l'aide d'un ordinateur vous permet de nombreuses possibilités, dont les suivantes :

- Vous pouvez enregistrer votre CV sur une base de données.
- Vous pouvez inciter des visiteurs à consulter votre CV directement en ligne.
- Vous pouvez faire parvenir votre dossier de candidature par courrier électronique.

Nous allons nous intéresser à chacune de ces trois possibilités.

Enregistrer votre CV sur une base de données

➢ *Les sites spécialisés*

Nous assistons à une véritable explosion de sites consacrés à l'emploi et à l'embauche. Parmi ceux-ci : monster.ca, jobboom.ca, workopolis.ca. Ces sites sont des mégabases de données dans lesquelles vous pouvez enregistrer votre CV afin que les employeurs inscrits puissent le consulter. Ces sites proposent également une somme d'information de qualité sur le monde de l'emploi ainsi que plusieurs fonctions pratiques. Au nombre de ces fonctions, on note la possibilité d'enregistrer plusieurs CV, de mettre des « agents de veille » qui vous préviennent lorsqu'un poste est susceptible de vous intéresser, etc.

Cela dit, il est utopique de croire que ces outils feront tout le travail pour vous. Vous devrez non seulement vous armer de patience, mais aussi faire des exercices de musculation avec votre index. En effet, la dynamique du « copier-coller » fera désormais partie de votre quotidien. C'est sans compter le temps que vous mettrez à gérer tout ce qui en découlera ; une période au cours de laquelle, soit dit en passant, vous ne rencontrerez aucun employeur potentiel.

Cela donne-t-il des résultats ?

À grands coups de renfort publicitaire, ces sites sont très fréquentés. Dernièrement, un employeur me confiait qu'un abonnement à ces sites lui occasionnait beaucoup de travail et que cette méthode de sélection ne lui permettait pas d'éliminer rapidement et efficacement, comme nous serions tentés de le croire, les candidatures non congruentes avec le profil recherché. Cette méthode lui a-t-elle fait gagner du temps ? Il semble que non. La différence avec « avant » : le nombre de candidatures s'est avéré plus volumineux pour les employeurs.

Il semble que l'investissement en temps nécessaire pour effectuer du recrutement par l'intermédiaire des sites spécialisés est similaire au temps requis lorsque l'employeur place une offre d'emploi dans un quotidien. Plusieurs PME trouvent que ce service coûte plutôt cher. Cela dit, les recruteurs professionnels ont pris le virage et utilisent de plus en plus ce moyen qui donne accès à un large éventail de candidatures potentielles. Cependant, le chercheur d'emploi doit se demander s'il est pertinent de faire parvenir sa candidature à l'univers, alors qu'il souhaite simplement travailler dans son quartier.

Les sites spécialisés sont ou seront d'une grande richesse sur le plan de l'information et des outils. Il est approprié de les connaître et de les utiliser à bon escient. Ils peuvent parfois vous aider à faire le point ou vous permettre de vous informer quant aux divers aspects de la recherche d'emploi, du développement de carrière et d'autres situations couramment vécues en recherche d'emploi. Je continue tout de même d'insister sur le fait que les techniques traditionnelles de recherche d'emploi sont non seulement toujours actuelles, mais aussi très efficaces. Une base de données, c'est bien, mais un bon CV bien présenté fait encore adéquatement le travail. Alors, si vous n'êtes pas très à l'aise avec l'informatique, ne paniquez pas !

Je ne recommande pas d'exclure ce média de votre processus de recherche d'emploi, car avec la rapidité avec laquelle se raffine la technologie, les façons de faire qui en découlent sont déjà solidement implantées. C'est clair, ces différents moteurs prendront une large part du marché jadis occupé par les offres d'emploi dans la section des annonces classées. Vous avez dû remarquer que le cahier « Carrières et professions » de *La Presse* du samedi a perdu du poids… Ce n'est pas l'effet du hasard.

Qu'on parle de portail ou de petites annonces, les offres présentées font partie de ce que nous appelons « le marché ouvert de l'emploi », qui représente moins de 20 % du marché total des emplois vacants. Cela changera-t-il avec la multiplication de ces sites spécialisés ? Pour le moment, permettez-moi d'en douter.

➢ *Les sites des employeurs*

Un nombre croissant d'employeurs vous permettent de poser votre candidature directement sur leur site d'entreprise. Cette pratique se révèle de plus en plus populaire dans les entreprises de toutes tailles.

Enregistrer son CV sur le site de l'employeur s'apparente, à peu de chose près, à remplir le traditionnel formulaire de demande d'emploi. Cette façon de procéder permet à l'employeur d'effectuer ses recherches à partir de critères particuliers : formation, titre de poste et, parfois, des mots clés. Cette technique ne vous permet pas toujours de mettre en évidence vos compétences, car vous êtes limité dans votre originalité par la présentation du formulaire proposé.

Certaines grandes organisations vous font parvenir, dans les minutes qui suivent l'envoi de votre candidature, un courriel accusant réception de votre demande. Ne vous méprenez pas ! Cela ne reflète aucunement une réaction favorable à la suite de l'envoi de votre candidature. Comme ces bases de données sont souvent dotées de fonctions de réponse automatique, il s'agit de l'équivalent d'un accusé de réception reçu par la poste à la différence que, cette fois-ci, aucune intervention humaine n'a été nécessaire.

L'employeur a-t-il réellement pris connaissance de votre CV ? Vous pouvez toujours le présumer mais, d'une façon ou d'une autre, vous n'en savez rien : cette méthode ne vous permet tout simplement pas de faire un suivi de personne à personne. Vous avez, tout au plus, enrichi la base de données de l'employeur qui pourrait éventuellement être consultée.

Dans tous les cas, enregistrer son CV dans une base de données et attendre une réponse reflètent une méthode passive. Ne vous croisez pas les bras, car ce n'est pas le moment de rester devant votre écran !

Inciter des visiteurs à consulter votre CV directement en ligne

Le principal défi avec la façon de faire mentionnée précédemment est d'inciter les principaux intéressés à consulter votre CV directement en ligne. Il s'agit de **transformer votre CV en page Web** et de l'inscrire sur Internet. Quoique les logiciels de traitement de texte récents permettent maintenant de convertir des fichiers textes en format html, le langage qui permet à tous les internautes de se comprendre, il est préférable d'utiliser un éditeur de page Web (comme Dreamweaver ou Front Page) ; cela vous permettra de produire, ne serait-ce que techniquement, de meilleurs documents.

Je vous le garantis : cette façon de présenter votre CV vous permet une souplesse de présentation unique et originale. Mais à quel prix ? Moi qui étais un néophyte en la matière, sachez que j'ai réussi à monter ma propre page Web avec quelques cours de programmation html et de nombreuses heures de travail (vous trouverez des exemples sur le site www.cvparcompetences.com). Heureusement, je faisais cela à temps perdu à titre de loisir formatif. Je n'étais pas en « mode » recherche d'emploi, car le temps que j'ai consacré à la réalisation de mon site aurait pu être investi dans des méthodes traditionnelles et, qui sait, me permettre d'obtenir une dizaine d'entrevues. Mais je tenais à essayer, histoire de voir ce qui en était.

Pendant que vous concevez votre page Web, voire votre site, si vous vous interrogez sur la façon de l'aménager sur le plan visuel, sur la couleur à utiliser pour le lettrage et les trames de fond, vous ne vous concentrez pas sur l'essentiel, soit de répondre aux questions « Qu'est-ce que je veux faire ? » et « Comment y arriverai-je ? » Si vous n'êtes pas à l'aise avec la conception de sites Web, vous risquez d'y investir beaucoup d'énergie. Remarquez, rien ne vous empêche de demander à un ami de faire ce travail pour vous. Vous avez alors le meilleur des deux mondes.

La réussite de votre chef-d'œuvre n'est qu'un préalable aux véritables défis qui vous attendent en employant cette stratégie. Aussi attrayant que soit votre CV virtuel, encore faut-il qu'il soit consulté. Vous vous lancez alors dans toute une aventure. Une fois votre CV conçu et disposé sur l'inforoute, vous devez informer les moteurs de recherche de votre présence. Ayant vécu personnellement l'expérience, j'affirme que c'est tout un périple ! Une fois cela fait, il y a de forts risques que votre CV ne soit pas consulté par les principales personnes concernées, car ces dernières n'ont pas toujours le temps de vagabonder sur le Web.

Même si je crois que le CV virtuel est une solution d'avenir, je ne crois pas que, présentement, le marché du travail soit prêt pour une telle approche, à l'exception, peut-être, des concepteurs de pages Web. À mon avis, ce type de CV pourra plutôt, dans un avenir proche, devenir un média intéressant pour l'élaboration d'un portfolio ou d'un bilan de compétences. Sa souplesse de navigation nous permet d'y inscrire beaucoup plus d'informations que dans un CV traditionnel sur support papier et elle favorise une lecture rapide grâce à ses balises de navigation.

Actuellement, cette stratégie peut être utilisée comme outil complémentaire. Vous pouvez en effet inscrire l'adresse de votre site sur vos cartes professionnelles et vos éléments de correspondance. Elle permettra au futur employeur d'obtenir des renseignements complémentaires sur votre candidature. Pour être efficace, cette stratégie doit être envisagée dans le cadre d'une démarche proactive.

Utiliser le courrier électronique

Le courrier électronique est un outil de communication qui s'ajoute aux moyens plus traditionnels pour transmettre votre curriculum vitæ. Il semble que de plus en plus d'employeurs demandent que leur soient ainsi envoyées les candidatures. Toutefois, malgré la vitesse fulgurante avec laquelle votre candidature est acheminée, il faut demeurer aux aguets : si un curriculum vitæ peut se retrouver vite au panier, il peut s'y rendre encore plus rapidement lorsqu'il s'agit d'une corbeille virtuelle !

L'équipe de **libreemploi.qc.ca** suggère plusieurs options quant à l'utilisation du courrier électronique pour transmettre son CV et sa lettre :

1. Placer votre lettre de présentation dans la fenêtre d'envoi ou la boîte d'édition de votre courrier électronique et joindre un fichier contenant le CV.
2. Joindre un seul fichier contenant la lettre *et* le CV.
3. Joindre deux fichiers : un contenant la lettre et l'autre, le CV.

Quoique son enquête ne se prétende pas exhaustive ou scientifique, l'équipe de libreemploi.qc.ca évoque certaines tendances en ce qui a trait à l'utilisation du courrier électronique dans le contexte d'une recherche d'emploi. La préférence irait à l'envoi de candidatures avec **un seul fichier joint** contenant la lettre et le curriculum vitæ. Il est suggéré au candidat d'écrire un court message dans la fenêtre d'envoi en indiquant le titre du poste convoité et le numéro de référence, lorsque celui-ci est connu. À libreemploi.qc.ca, on conclut qu'il est difficile d'affirmer que ce mode deviendra un protocole d'envoi, mais on soutient qu'il témoigne en tout cas d'une certaine tendance.

Pour votre bénéfice, j'ai tenté l'expérience avec une trentaine de professionnels qui devaient me faire parvenir leur CV ainsi que le CV d'un de leurs clients. Bien que l'expérience ait été vécue à petite échelle, la gestion des courriers et des documents joints m'a littéralement coupé le souffle ! Il faut être passé maître dans l'art de gérer les fichiers et les courriers électroniques, et cette habileté bien particulière n'est assurément pas le lot de tous les employeurs.

Le traitement de ce type de correspondance nécessite deux types de gestion : la gestion du courrier et la gestion des pièces jointes, qui implique également la gestion des imprimés correspondants. Je constate, malgré mon intérêt, que ce processus est très exigeant. Cela m'amène à croire qu'il le sera aussi pour un employeur et, bien que les temps évoluent, il n'est pas dit qu'ils sont tous prêts à accorder plus de temps à la consultation d'une candidature.

Détails techniques en matière de correspondance électronique

La mise en pages. S'il est reconnu qu'il faut soigner la présentation d'un curriculum vitæ, il faut redoubler de soin lorsqu'il s'agit de présenter un CV virtuel. Dans un CV envoyé par voie électronique, les défauts de mise en pages sautent aux yeux. En effet, s'il est possible de « truquer » la version papier d'un CV vous ne le pouvez pas avec un fichier de traitement de texte, d'où l'importance de proposer des fichiers courts et bien rédigés. Je ne veux pas avoir l'air vieux jeu, mais j'ajouterai ceci : comme nos aînés le faisaient avec la bonne vieille machine à écrire.

Lorsque vous faites parvenir votre CV par messagerie électronique, il est essentiel de **penser à celui qui devra l'imprimer**. Il faut éviter les retours à la ligne inutiles ou les excès de tabulation qui risquent d'altérer votre CV et de créer des pages blanches. De plus, les artifices de couleur ou typographiques peuvent nuire à la qualité de votre présentation. Rappelez-vous que vous ne pouvez savoir si l'imprimante de votre correspondant pourra traiter votre fichier comme l'a fait la vôtre. De plus, l'utilisation de la couleur est à proscrire, car vous imposez des frais supplémentaires à votre correspondant.

Je vous donne un exemple. J'ai reçu un CV bien présenté mais mon imprimante ne gérait pas le type de police utilisé par la candidate. Résultat : les titres des rubriques avaient deux fois leur taille normale...

Le titre des fichiers. Bon nombre de candidats envoient un fichier joint intitulé « MonCV.doc » ou « CV_11_mai ». Cela ne remporte pas la palme d'or de l'originalité. Dans votre ordinateur, vous reconnaissez ce fichier parce que vous n'avez qu'un seul CV. Mais un fichier ainsi nommé n'est associé à personne dans l'ordinateur de votre correspondant. L'employeur qui se retrouve avec 122 fichiers intitulés « MonCV.doc » ou « CV_11_mai » mettra probablement bien du temps à se dépêtrer dans tous ces fichiers portant le même nom. Et si vous jouez avec ses nerfs, vous commencez bien mal votre approche car la corbeille virtuelle est à la portée de l'index... Il est donc essentiel d'indiquer clairement votre nom dans le titre du fichier. Exemple : cv_yves_lafontaine.doc.

Dans le nom de votre fichier joint, évitez systématiquement les caractères spéciaux comme les lettres accentuées ou comportant une cédille (ê, è, é, ç), les caractères dits opérateurs (&%$/+-), les guillemets français (« »), les guillemets anglais (" "), les apostrophes (') et tout autre caractère « non standard ». Il est également pratique d'éviter les espaces lorsque vous nommez un fichier. Utilisez plutôt le trait souligné (_) pour faciliter la lecture du nom de votre fichier. Tous ces éléments doivent être considérés, car ils peuvent causer un dysfonctionnement dans les bases de données et nuire à la compatibilité au moment du transfert de votre CV.

La compatibilité. Rédiger un bon CV, c'est bien. S'assurer qu'il pourra être lu, c'est mieux. Pensez à la compatibilité de votre version et de votre type de traitement de texte avec ceux de votre correspondant. Vous êtes peut-être à la fine pointe de la technologie informatique et travaillez avec la version la plus récente de Word, mais ce n'est peut-être pas le cas de votre interlocuteur. Il lui sera alors impossible d'ouvrir et de lire votre fichier. Assurez-vous donc d'user de sobriété. Une des solutions est de connaître ce qu'utilise votre correspondant ou de sauvegarder votre CV sous un format appelé .rtf, un format « texte standard » un peu moins attrayant visuellement, il est vrai, mais qui a l'avantage d'être universel. Après tout, votre seul objectif est que le message passe.

Il existe également une solution intermédiaire. Vous pouvez sauvegarder votre CV sous un format appelé .pdf, qui équivaut à une « photo » de votre document. Cela dit, bien que la majorité des gens possèdent le logiciel de lecture Acrobat Reader, le logiciel d'écriture, pour sa part, nécessite un investissement non négligeable.

L'adresse de l'expéditeur. Un autre élément important est de tenir compte de l'adresse que votre correspondant verra dans sa boîte de réception. Si vous utilisez le courrier électronique d'un tiers, c'est le nom du tiers qui paraîtra dans la boîte de votre correspondant. Si je reçois un message de M. Jean Viaki, il ne sera pas évident de l'associer à Mme Gagner qui me fait parvenir son CV. Enfin, oubliez les surnoms comme Aladin ou powerflower. C'est peut-être intéressant en matière de clavardage mais tout à fait inadéquat dans la recherche d'emploi.

L'utilisation d'une disquette. À moins d'avoir une entente avec l'employeur potentiel, envoyer un CV sur disquette est **à proscrire**. La disquette est maintenant comparable aux disques de vinyle. En vérité, une disquette, c'est l'enfer : il faut l'introduire dans son ordinateur, cibler le fichier qui nous intéresse, l'ouvrir dans le mode approprié... Sachant qu'un employeur accorde au plus 30 secondes à la lecture d'un CV, croyez-vous qu'il mettra le temps nécessaire à prendre la petite disquette, l'insérer..., cibler..., ouvrir... ? Croyez-moi sur parole, le courrier électronique a complètement mis la disquette au rancart.

En bref. Même s'ils n'offrent pas, à ce jour, de solution miracle, les différents outils électroniques sont là pour rester en matière de recherche d'emploi et d'embauche. Il est à noter que ce type de processus est aussi exigeant pour les chercheurs d'emploi que pour les employeurs. Malgré tous ses avantages, l'informatique ne permet pas de gagner de temps ; elle permet tout au plus de traiter plus de données à la seconde.

L'emploi de ces différents outils requiert de l'utilisateur de nouvelles compétences de base, un peu comme le sont la lecture, l'écriture, les mathématiques et les autres habiletés génériques recherchées sur le marché du travail.

À mon avis, de façon pratique, l'atout d'Internet est d'offrir la possibilité d'effectuer des recherches sur les entreprises à travers le monde. Ne faisant pas exception à la vague, beaucoup d'entreprises y exposent désormais leurs produits et services afin d'obtenir un plus grand rayonnement. Par conséquent, cela permet aux chercheurs d'emploi d'obtenir des renseignements sur ces dernières et de mieux cibler les entreprises. C'est un moyen rapide, mais qui peut également se révéler fastidieux, parce que tout le monde n'aime pas s'adonner à la recherche.

Le secret d'une recherche efficace réside dans l'utilisation de mots clés. Par exemple, si je cherche un emploi dans le secteur des télécommunications, je dois choisir un moteur de recherche et taper « télécommunication ». Il est aussi possible de préciser la recherche en utilisant plusieurs mots clés. Par la suite, le mot *surf* prend tout son sens : vous devez vous armer de patience... et garder votre équilibre dans les vagues !

La recherche d'emploi électronique comporte des avantages certains. Il est désormais possible d'obtenir chez soi de l'information qui, autrefois, n'était accessible que dans de volumineux et coûteux répertoires spécialisés. Cependant, l'utilisation de ces nouveaux moyens de communication ne doit, en aucune façon, inciter le chercheur d'emploi à s'isoler. Malgré tous les bienfaits qu'offrent les nouvelles technologies de communication, celles-ci peuvent avoir un effet négatif lorsqu'elles amènent le chercheur d'emploi à tout faire en solitaire. Considérant que la recherche d'emploi, de façon traditionnelle ou « moderne », incite trop souvent l'acteur principal à se confiner chez lui, j'encourage fortement les chercheurs d'emploi à fuir la solitude, à sortir, à rencontrer des gens. Ce n'est pas avec votre ordinateur que vous devez former l'équipe idéale, **mais bien avec des employeurs éventuels**. Croyez-moi, c'est souvent en « réseautant », en rencontrant du nouveau monde et en créant des contacts que se présentent les possibilités de donner un élan à sa carrière.

Conclusion

Résolument pratique, le CV par compétences permet de cerner à la fois les aspirations et les différents savoirs des candidats. Il est un bilan de compétences au sens commercial du terme. Il permet au candidat de faire reconnaître par un employeur potentiel sa capacité à occuper un poste donné et sa capacité à assumer les responsabilités reliées à une fonction. Il n'y a pas de reconnaissance d'acquis sans reconnaissance sociale et l'obtention d'un emploi est un signe tangible de cette reconnaissance.

Malgré ses bienfaits, le CV par compétences ne remplacera jamais la personne qu'il représente. Dans le contexte actuel, les énoncés de compétences que le candidat retiendra n'auront de valeur que si ce dernier est en mesure de les expliquer ou, mieux, de les illustrer par un exemple, une histoire vécue ou une anecdote professionnelle en rapport avec une situation de travail. L'expérience me démontre que le processus qui conduit à la construction de ce type de CV aide le candidat à se préparer pour l'entrevue, car il exige une solide réflexion par rapport à son cheminement professionnel. Il va sans dire qu'une préparation adéquate à l'entrevue maximisera les chances de promouvoir sa personnalité professionnelle avec plus d'aisance.

Bonne chance !

Bibliographie

Pour en savoir plus sur les compétences

Agence nationale pour l'emploi (1997). « Répertoire opérationnel des métiers et des emplois », La documentation française.

Aubret, J., Gilbert, P. et Pigeyre, F. (1993). *Savoir et Pouvoir. Les compétences en questions,* Paris, PUF, p. 19-50.

Développement des ressources humaines Canada (1993). « Classification nationale des professions ».

Le Boterf, Guy (2000). *Compétence et navigation professionnelle,* Éditions d'organisation, 332 pages.

Le Boterf, Guy (2000). *Construire les compétences individuelles et collectives,* Éditions d'organisation, 206 pages.

Le Boterf, Guy (1999). *L'ingénierie des compétences,* Éditions d'organisation, 445 pages.

Lombardo, Michael M. et Eichinger, Robert W. (1996). *L'architecte de carrière - Les fiches à trier,* Lominger limited.

Marbach, Valérie (1999). *Évaluer et rémunérer les compétences,* Éditions d'organisation, 193 pages.

Weisinger, Hendrie (1998). *L'intelligence émotionnelle au travail,* Les Éditions Transcontinental, 229 pages.

Pour en savoir plus sur les techniques de recherche d'emploi

Bacus, Anne et Parra-Pérez, Carlos (1990). *Comment chercher et trouver un emploi, de la petite annonce à l'embauche,* Belgique, Marabout.

Bicault, André et Girard, Jacques (1997). « Le développement des compétences en gestion, l'utilisation intégrée des profils et des bilans », *Réseau Carriérologie de l'UQAM,* 22 mars 1997, p. 1-8.

Boisclair, Denis (1992). « La lettre de présentation. Votre meilleure carte de visite », *Le Monde,* 18 février 1992.

Boisvert, Madeleine (1994). *Objectif travail : connaissance de soi et choix de carrière,* Boucherville, Les Éditions de Mortagne.

Boivin, Charlotte (1996). *Méthode infaillible de recherche d'emploi,* Outremont, Les Éditions Quebecor, p. 51-58.

Bolles, Richard (1982, 1979, 1978, 1977, 1976, 1975, 1972). *Chercheurs d'emploi, n'oubliez pas votre parachute, Pour un premier métier, pour une nouvelle carrière,* Annexe révisée 1996 par Simon Gagné, adapté pour le Québec par Normand Saint-Vincent, Boisbriand, Guy Saint-Jean Éditeur.

Bolles, Richard. *What color is your parachute ?* Berkeley, Californie, Ten speed Press.

Cayrol, Alain et De Saint Paul, Josiane (1991). *Derrière la magie,* Paris, InterÉdition (programmation neurolinguistique).

Chaîné, Kristine (1994). « Les clés d'un bon curriculum vitæ », *Affaires PLUS,* avril 1994, p. 34-35.

Charrette, Mario, dans une entrevue accordée à André Giroux. *Les métiers qui recrutent et les carrières de l'an 2000,* Montréal, Les éditions Ma Carrière, p. 24-31.

De Perretti, A. (1974). *Pensées et vérité de Carl Rogers,* Toulouse, Privat.

Fleury, Pierre-Éric (2002). *Guide du CV et de la recherche d'emploi 2002. Le Nouvel Observateur,* Editions First, 12e édition, 762 pages.

Gauthier, Pierre (1994). « Rédiger son CV », *Revue Commerce,* décembre 1994, p. 98.

Grappo, Gary Joseph et Lewis, Adele (1985). *How to write better resumes.* Fifth edition. Barron's Educational Series.

Jubin, Gilles. « Le curriculum, une arme à utiliser avec précaution », *Le Soleil,* cahier Carrière et profession, 16 septembre 1995.

Landry, Claire (1992). *Nouveaux profils de carrière : le curriculum vitæ des années 90,* Montréal, Les éditions de l'homme.

Larue, Michel (1987). *Comment rechercher un emploi intelligemment,* Ottawa, Les éditions Transmonde, p.15-22.

La Société québécoise de développement de la main-d'œuvre. *Perspectives professionnelles 1994-1997 en Montérégie.* Direction de la planification des programmes, mai 1995, recherche et rédaction : Hélène Fortin, économiste.

Marchesin, Bill (2002). *Souriez, c'est lundi! Le bonheur au travail, c'est possible.* Montréal, Les Éditions de l'Homme, 153 pages.

Marchesin, Bill (2001). *Bonne nouvelle, vous êtes engagé!.* Montréal, Les Éditions de l'Hommes, 248 pages.

Studner, Pierre et Mangold, Annie (1997). *Objectif Emploi, Le guide complet du curriculum vitæ jusqu'à l'embauche,* Californie, Jamenair, p. 81-110.

Vigny, Georges (1996). *Rebondir après une rupture de carrière,* Les Éditions Transcontinental, 264 pages.